Photoshop Elements 7

LE GUIDE COMPLET

1ère Édition - Février 2009

Auteur

Michel LEVY

ISBN : 978-2-300-017612

MICRO APPLICATION
20-22, rue des Petits-Hôtels
75010 PARIS
Tél. : 01 53 34 20 20
Fax : 01 53 34 20 00
http://www.microapp.com

Support technique :
Également disponible sur
www.microapp.com

Retrouvez des informations sur cet ouvrage !

Rendez-vous sur le site Internet de Micro Application **www.microapp.com**. Dans le module de recherche, sur la page d'accueil du site, entrez la référence à 4 chiffres indiquée sur le présent livre.
Vous accédez directement à sa fiche produit.

Avant-propos

Destinée aussi bien aux débutants qu'aux utilisateurs initiés, la collection *Guide Complet* repose sur une méthode essentiellement pratique. Les explications, données dans un langage clair et précis, s'appuient sur de courts exemples. En fin de chaque chapitre, découvrez, en fonction du sujet, des exercices, une check-list ou une série de FAQ pour répondre à vos questions.

Vous trouverez dans cette collection les principaux thèmes de l'univers informatique : matériel, bureautique, programmation, nouvelles technologies...

Conventions typographiques

Afin de faciliter la compréhension des techniques décrites, nous avons adopté les conventions typographiques suivantes :

- **gras** : menu, commande, boîte de dialogue, bouton, onglet.
- *italique* : zone de texte, liste déroulante, case à cocher, bouton radio.
- `Police bâton` : Instruction, listing, adresse internet, texte à saisir.
- ✂ : indique un retour à la ligne volontaire dû aux contraintes de la mise en page.

Il s'agit d'informations supplémentaires relatives au sujet traité.

Met l'accent sur un point important, souvent d'ordre technique qu'il ne faut négliger à aucun prix.

ASTUCE

Propose conseils et trucs pratiques.

DEFINITION

Donne en quelques lignes la définition d'un terme technique ou d'une abréviation.

Chapitre 1 Débuter avec Photoshop Elements 7.0 9

Chapitre 2 Acquérir et classer des photos 27

Chapitre 5 L'interface de correction standard 143

Chapitre 6 Les filtres en détail 185

Chapitre 7 Créer 215

Chapitre 11 Trucs et astuces 339

Chapitre 12 Index 389

Chapitre 1

Débuter avec Photoshop Elements 7.0

1.1. Photoshop ou Photoshop Elements ?

À moins d'habiter sur une planète éloignée, plus personne n'ignore le nom de Photoshop. Photoshop est le logiciel phare de la société Adobe et ses fonctions permettent aux professionnels de disposer d'un outil de retouche et de production d'image sophistiqué.

Mais cette sophistication a un double prix. Tout d'abord, l'acquisition du logiciel représente un investissement financier non négligeable. Ensuite, le nombre de fonctions disponibles nécessite un temps d'apprentissage conséquent si l'on veut maîtriser les nombreuses possibilités offertes. Tout cela fait que Photoshop est, dans la majeure partie des cas, réservé aux professionnels. Certaines fonctions sont inutiles dans le cas d'une utilisation personnelle ou familiale, comme la gestion avancée des couleurs, notamment la gestion CMYN et LAB, la gestion des couches RVB, les outils de sélection vectorielle, les masques (disponibles en partie dans Photoshop Elements), la création d'image en HDR, la gestion du point de fuite ou le découpage d'interfaces destinées au Web.

Si tous ces mots ne vous disent rien, vous n'en n'avez certainement pas besoin ! En revanche, si vous êtes impatient de tirer parti de vos images numériques, si vous êtes un amateur passionné, si la photographie est l'un de vos passe-temps préféré, ou si vous faites partie des professionnels qui n'ont pas besoin des outils très spécialisés de Photoshop, comme ceux qui permettent de travailler avec des fichiers respectant toutes les normes de l'industrie, alors Photoshop Elements 7.0 est vraiment le logiciel qu'il vous faut !

Photoshop Elements propose à l'utilisateur des outils de correction guidée qui sont d'un usage enfantin, tout en ne retirant rien à leur efficacité. Vous pourrez, à la fois, gérer vos images, les corriger, réaliser des montages et des diaporamas, partager vos photos et les imprimer ! De plus, le logiciel est peu onéreux, ses fonctions sont faciles à comprendre et à maîtriser.

1.2. Un peu d'histoire

Il semble bien loin le jour où Adobe a mis à la disposition du grand public, il y a plus d'une dizaine d'années déjà, un logiciel issu de Photoshop, la référence professionnelle en matière de retouche d'image.

Ce logiciel s'appelait Adobe Photodeluxe et n'offrait que quelques outils dont l'utilisateur avancé avait bien vite fait le tour. Face aux manques évidents de ce premier logiciel, l'éditeur a proposé la première version de Photoshop Elements, en 2002, qui deviendra rapidement l'un des logiciels préférés des amateurs grâce à un prix judicieusement calculé et des outils simples à utiliser.

Photoshop Elements 6 marque un grand tournant, courant 2006, à tel point qu'il remplace parfois son grand frère Photoshop au sein de certaines entreprises. À la fois logiciel de retouche d'image mais aussi organiseur, outil de création et de partage, Photoshop Elements 6 offre à l'utilisateur occasionnel aussi bien qu'à l'amateur averti, un logiciel complet et efficace de traitement d'image.

Aujourd'hui, c'est la version 7.0 qui est disponible, et c'est cette dernière qui sera votre fil conducteur tout au long de ce livre.

Au rayon des nouveautés, en plus des fonctions générales déjà évoquées, Photoshop Elements 7.0 intègre l'utilisation des scripts, qui permettent d'automatiser des actions, comme dans Photoshop. Le logiciel propose des actions par défaut, mais vous permet aussi d'utiliser des scénarios créés avec Photoshop par exemple.

Vous pourrez aussi découvrir l'outil **Nettoyage de scène**, qui permet de faire disparaître d'un décor des éléments indésirables, ainsi que des outils de retouche rapide, avec lesquels vous appliquerez des effets automatisés, comme la suppression des yeux rouges, la coloration d'un ciel trop gris ou le blanchiment des sourires ! Enfin, une cinquantaine d'effets de correction et d'effets spéciaux peuvent facilement être appliqués à certaines zones de l'image, grâce à l'outil **Forme dynamique**.

1.3. Installer Photoshop Elements

Après l'insertion de votre CD dans le lecteur, une boîte de dialogue vous invite à **Installer Adobe Photoshop Elements 7**, **Consulter le fichier Lisez-Moi**, **Installer Acrobat Reader** ou **Parcourir le contenu du CD** (voir Figure 1.1).

Figure 1.1 : La boîte de dialogue s'affiche après l'insertion du CD dans le lecteur

Après un clic sur le bouton **Installer Adobe Photoshop Elements 7**, le logiciel va d'abord vérifier l'espace disponible sur le disque. La procédure va ensuite se poursuivre. Vous serez invité à entrer le numéro de série et à indiquer l'endroit où vous voulez installer le logiciel, si l'option par défaut ne vous convient pas.

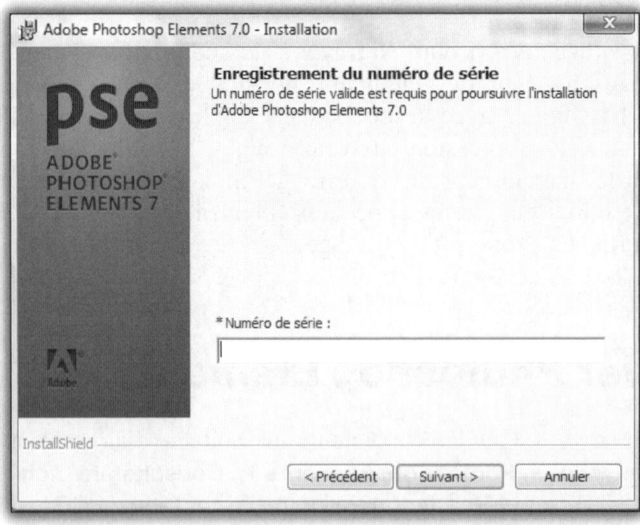

Figure 1.2 : Remplissez l'espace réservé au numéro de série avec celui fourni sur la boîte du logiciel ou par Adobe si vous avez utilisé la plateforme de chargement de l'éditeur

Une fois l'installation effectuée, vous pourrez indifféremment lancer le logiciel depuis le menu **Démarrer** ou par un double clic sur l'icône carrée bleue portant l'inscription "PSE", créée sur votre Bureau au moment de l'installation du logiciel.

Au moment du lancement du programme, une boîte de dialogue vous accueille.

La page d'accueil vous invite à choisir le type d'action que vous souhaitez effectuer. Photoshop Elements 7.0 est un logiciel aux multiples fonctions. Organiser, modifier, créer ou partager, chaque action s'accompagne d'une interface spécifique, qui vous fera profiter au mieux du logiciel, en vous fournissant à chaque fois les outils les mieux adaptés. La page d'accueil permet aussi de se familiariser avec les nouvelles fonctions du logiciel, à l'aide de boutons de navigation. Quant au bouton **En savoir plus**, il ouvre un navigateur qui se connecte sur le site web d'Adobe, qui offre une description plus approfondie des fonctions en question.

Figure 1.3 : *L'écran d'accueil qui s'affiche au lancement du logiciel : des détails concernant les nouvelles fonctions du logiciel sont disponibles d'un clic sur le bouton En savoir plus*

Les quatre boutons présentent la marche à suivre typique lorsque l'on veut effectuer un traitement complet de ses photos.

Le premier bouton permet d'accéder à l'Organiseur de Photoshop Elements 7.0. C'est là que vous allez importer vos images et les cataloguer. Le bouton **Éditer** vous permet de corriger vos images et d'effectuer les opérations de réglage. Le troisième bouton, **Créer**, affiche l'interface proposant de graver des CD ou des DVD, de créer des jaquettes, cartes de vœux, galeries web et diaporamas. Enfin, le bouton **Partager** autorise l'accès à différents espaces de partage des photographies.

1.4. L'interface

Photoshop Elements 7.0 présente une interface résolument moderne et l'utilisation du logiciel n'en est que plus conviviale.

Si vous choisissez l'option **Organiser**, vous pouvez afficher tous les outils nécessaires à la gestion des images. Vous pouvez notamment indiquer des mots-clés pour retrouver celles-ci plus rapidement ou afficher vos photos par date, nom de personne, lieu ou événement, ou tout autre critère. Vous pouvez en créer autant que vous le souhaitez.

L'Organiseur de Photoshop Elements présente deux parties. La partie de gauche est un explorateur qui vous permet de naviguer et d'organiser vos photos. Les images y sont présentées sous la forme de vignettes dont vous pouvez gérer la taille. La partie droite de l'interface, quant à elle, permet d'effectuer certaines tâches dévolues à cet espace, comme la création d'albums. Quatre boutons, **Organiser**, **Retoucher**, **Créer** et **Partager**, permettent l'accès à d'autres fonctions, sans quitter l'Organiseur.

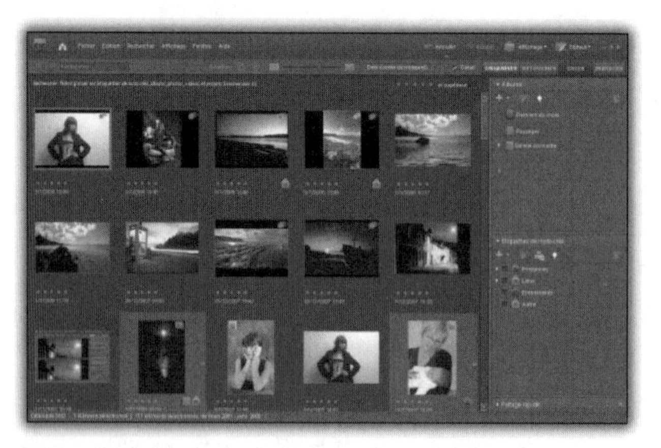

Figure 1.4 : *Un aperçu de l'interface de l'Organiseur, qui permet de classer et de gérer les photos à l'aide de catalogues et d'albums*

Suivant que vous cliquerez sur l'un ou l'autre des boutons, l'interface située sur la droite affichera les commandes adéquates.

ASTUCE

Suivre les couleurs !

Pour que vous arriviez à vous repérer dans l'interface de l'Organiseur de Photoshop Elements 7.0, l'espace de travail dans lequel vous vous situez est surligné d'une ligne horizontale de la couleur du bouton sur lequel vous avez cliqué auparavant : bleu pour le bouton **Organiser**, violet pour le bouton **Retoucher**, bordeaux pour le bouton **Créer**, et vert pour le bouton **Partager**. Ainsi, vous savez toujours dans quel espace vous vous situez.

Préférez l'option **Modifier** si vous désirez appliquer quelques transformations à vos photos. C'est ici que vous allez utiliser quelques outils de correction rapide, et ce de manière quasiment automatisée. Les grands débutants peuvent se lancer sans crainte !

REMARQUE

Aller plus loin dans la retouche et l'édition d'image

Pour avoir accès à toute la richesse des retouches disponibles dans Photoshop Elements, il est préférable d'accéder à la partie "éditeur" du logiciel : filtres ou effets, corrections sur trois niveaux de réglage (standard, rapide ou guidé), etc. faites votre choix…

Figure 1.5 : *L'interface de retouche standard offre la plus grande liberté de traitement et les outils de correction les plus évolués*

Le bouton **Créer** dévoile l'interface qui permet de concevoir des catalogues de photos, c'est-à-dire des maquettes de livres que vous pourrez imprimer. Vous pourrez aussi retoucher rapidement les photos, produire des patchworks, des diaporamas ainsi que des jaquettes de CD ou de DVD.

Figure 1.6 : *L'interface de création est le point de départ qui vous donne accès aux outils de montage, de composition d'image ou de diaporama, entre autres*

Enfin, le bouton **Partager** donne accès à une interface permettant de créer des galeries en ligne ou sur votre ordinateur, d'envoyer des images par courrier électronique, de commander des tirages sur le Web, ou encore de graver un CD ou un DVD.

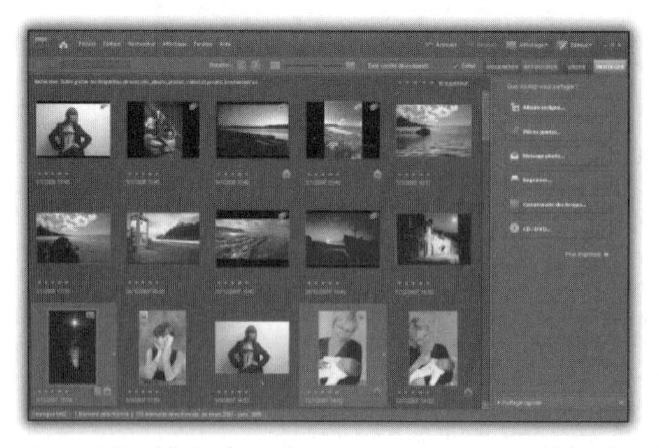

Figure 1.7 : *L'interface de partage permet aussi bien la création de CD ou de DVD que le partage des images sur Internet*

Quel que soit votre choix, il est toujours possible de passer d'une interface à l'autre à l'aide des onglets situés à droite et en haut de l'écran principal.

Figure 1.8 :
Les quatre boutons magiques, accessibles depuis toutes les interfaces

Il est aussi possible d'accéder à plus d'options, suivant l'interface, pour créer par exemple une carte de vœux, un folioscope ou la jaquette d'un CD. Quand d'autres options sont disponibles, vous y accédez en cliquant sur le bouton **Plus d'options**, qui ouvre un menu présentant des fonctions complémentaires.

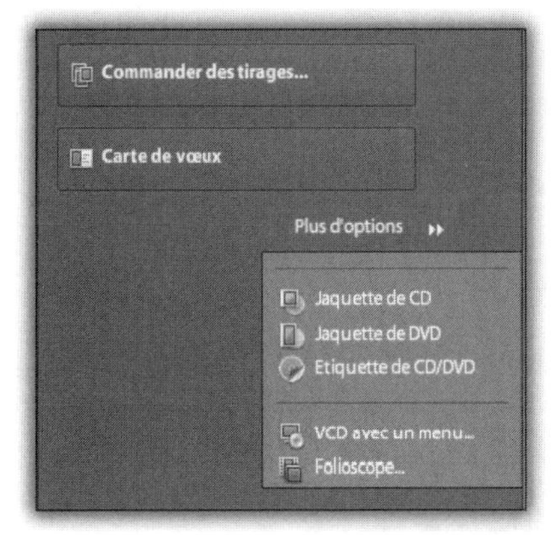

Figure 1.9 :
Le menu déroulant Plus d'options dévoile de nouvelles fonctions

1.5. Acquérir les images : appareil photo, scanner, dossier

C'est bien beau de vouloir organiser, retoucher ou partager des images, mais il faut tout d'abord les afficher dans l'interface de Photoshop Elements. Et il est parfois bien compliqué de s'y retrouver, avec toutes ces images numériques ! Pour cela, il faut les transférer, qu'elles proviennent d'un appareil photo, d'un scanner ou encore d'un dossier déjà situé sur votre ordinateur.

Le cœur de l'interface qui permet l'acquisition et la gestion des photos, c'est l'Organiseur. Photoshop Elements 7.0 vous permet de créer des catalogues, pour que vous y voyiez plus clair. En effet, vous faites bien plus de photos numériques que vous n'en faisiez avec un appareil argentique. Alors il est absolument nécessaire d'utiliser un outil pour classer celles-ci. Le logiciel vous permet à la fois d'acquérir, d'organiser, et de retrouver les photos au moment où vous en avez besoin, et ce, sans que vous vous préoccupiez de l'endroit où elles se trouvent : sur l'ordinateur, sur un CD ou une clé USB par exemple.

Photoshop Elements vous permet de créer des catalogues, à partir de la base de données qui contient les informations concernant vos images. Par défaut, Photoshop Elements utilise un catalogue qui s'appelle *Mon catalogue*. Dans la majeure partie des cas, vous n'aurez qu'à gérer un seul catalogue. Cela suffit bien souvent pour un usage personnel. Mais vous pouvez avoir besoin d'en créer un autre.

Par exemple, vous pouvez avoir envie, pour une occasion précise, un événement familial par exemple, de créer un catalogue spécifique, et de le présenter à un public choisi, sans pour autant montrer toutes vos photos personnelles.

1.6. Créer un catalogue

Vous pouvez créer un catalogue en cliquant sur le menu **Fichier** puis sur **Catalogue**. Une boîte de dialogue nommée **Gestionnaire de catalogues** s'ouvre.

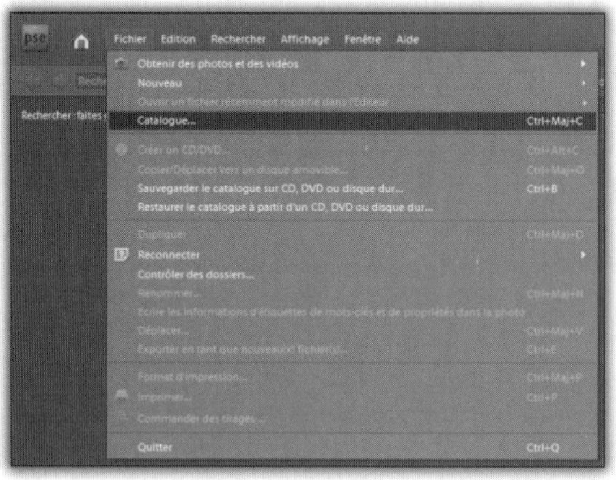

Figure 1.10 : *Cette boîte de dialogue permet la création d'un nouveau catalogue, mais aussi la gestion de catalogues existants*

ASTUCE

Importer de la musique dans un catalogue

Si vous envisagez de créer, par la suite, des diaporamas sonorisés, cochez la case *Importer de la musique gratuite dans ce catalogue*. Les fichiers musicaux feront alors partie de la liste des fichiers accessibles aux utilisateurs du catalogue en question.

Vous créez un nouveau catalogue en cliquant sur **Nouveau**. Dans la boîte de dialogue qui s'affiche, nommez ce nouveau catalogue. En bas de l'interface, à gauche, le nom de ce nouveau fichier apparaît. C'est celui-ci qui est à présent le catalogue actif. Pour passer de l'un à l'autre, il faudra afficher cette même boîte de dialogue et charger le catalogue voulu.

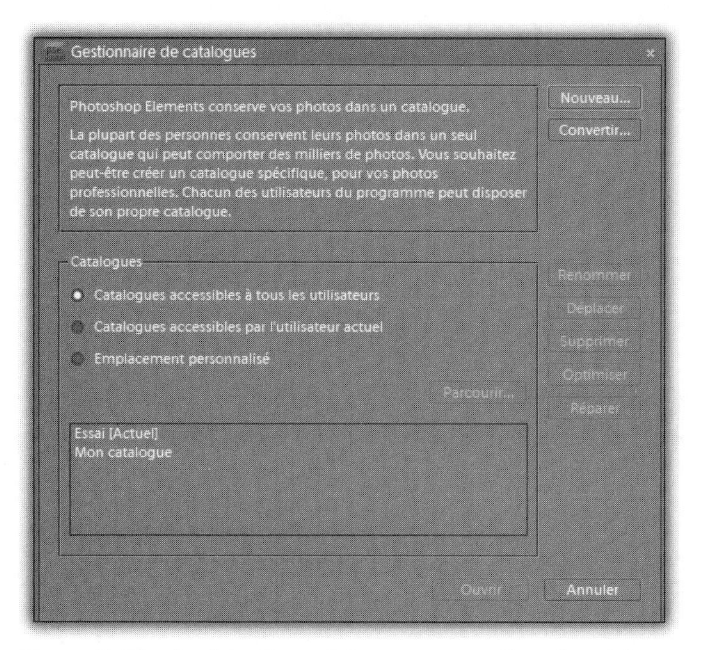

Figure 1.11 : *La liste des catalogues apparaît au fur et à mesure de leur création de sorte que vous puissiez travailler avec celui dont vous avez besoin*

Les catalogues peuvent être accessibles à tous les utilisateurs ou pas. Ainsi, un catalogue contenant des photos personnelles peut être seulement accessible à certains utilisateurs de l'ordinateur.

Par défaut, le catalogue est vide ; il s'agit à présent d'importer des données dans celui-ci. Les données peuvent être des images, des vidéos ou des sons.

À partir du menu **Fichier/Obtenir des photos et des vidéos**, vous pouvez choisir les commandes vous permettant d'obtenir les images : **À partir d'un appareil photo ou d'un lecteur de cartes**, **À partir d'un scanner**, **À partir de fichiers et de dossiers**, **Par recherche**, c'est-à-dire par recherche de fichiers sur le ou les disques durs, ou encore sur une clé USB.

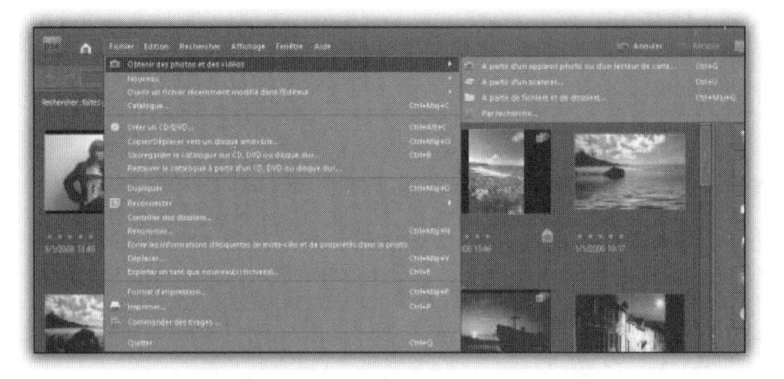

Figure 1.12 : *La commande Obtenir des photos et des vidéos autorise l'acquisition des images à partir de toutes les sources disponibles*

Suivant l'option choisie, le logiciel affiche l'interface adéquate, par exemple la boîte de dialogue permettant à Photoshop Elements de dialoguer avec votre scanner si c'est le périphérique que vous avez décidé d'utiliser. Les images obtenues sont alors directement utilisables dans le logiciel.

1.7. L'Organiseur, la retouche rapide, la retouche standard et la retouche guidée

Avec l'Organiseur, vous créerez des albums pour cataloguer les images issues de votre appareil photo, carte mémoire, scanner ou d'un dossier sur votre ordinateur.

Figure 1.13 : *Depuis l'interface principale de gestion des albums, vous pouvez accéder d'un simple clic à un espace de correction d'image, à l'aide du raccourci Éditeur ou du bouton Retoucher*

Pour accéder à l'interface afin de créer ou de gérer les catalogues, vous disposez de plusieurs méthodes. La première consiste à cliquer sur le bouton **Organiser** sur l'écran de bienvenue.

Figure 1.14 : *Pour effectuer un travail déterminé, vous pouvez aussi, dès l'écran de bienvenue, choisir l'espace de travail dans lequel vous voulez travailler*

REMARQUE

Revenir à l'écran de bienvenue

À tout moment, vous pouvez revenir à l'écran de bienvenue en cliquant sur l'icône représentant une petite maison. Cette icône se trouve en haut et à gauche de l'écran principal du logiciel.

À tout moment, vous pouvez effacer un ou plusieurs éléments d'un album en les sélectionnant, de la même manière que vous supprimez les fichiers dans l'Explorateur de Windows. Une boîte de dialogue vous offre alors la possibilité d'effacer aussi l'image sur le disque dur. Attention !

Pour créer un album, sélectionnez les images qui vont faire partie de celui-ci, en traçant une sélection rectangulaire ou en cliquant dessus tout en appuyant sur la touche Maj ou Alt. Ensuite, sélectionnez le menu **Albums/Nouvel album**.

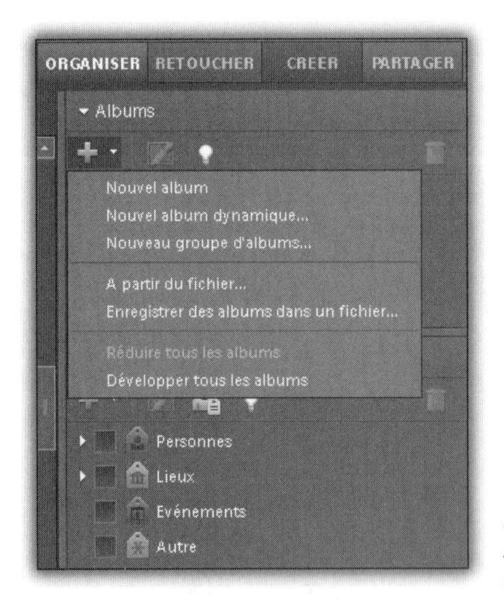

Figure 1.15 :
Aperçu du menu qui permet de créer et de modifier un album

Une boîte de dialogue vous propose alors de nommer celui-ci. Vous pouvez aussi déposer dès à présent les éléments qui composeront cet album (voir Figure 1.16).

Dans cet exemple, un album nommé *Paysages* a été créé (voir Figure 1.17).

Figure 1.16 :
Par un simple glisser-déposer, vous pouvez ajouter des images dans un album

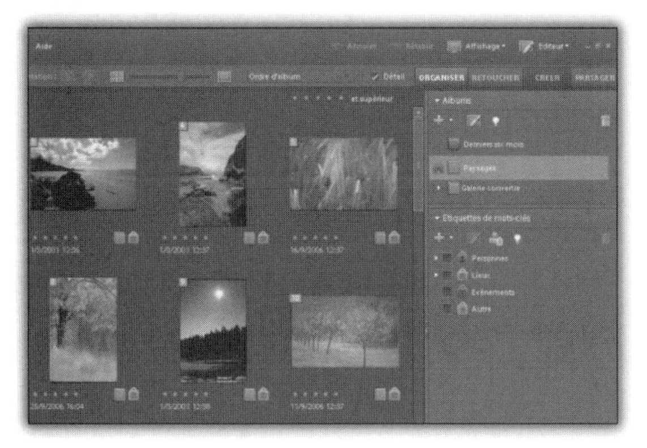

Figure 1.17 :
Un nouvel album, nommé Paysages, vient d'être créé et s'ajoute à la liste des albums disponibles

Maintenant que vous disposez d'un premier album, vous pouvez passer à la phase suivante, à savoir la retouche d'image.

Pour accéder à ces réglages, sélectionnez d'abord une image dans un album en cliquant dessus. Ensuite, cliquez sur le bouton **Éditeur**, puis sur le bouton **Retouche rapide**.

Annuler Rétablir Affichage Editeur
Retouche rapide...
Retouche standard... Ctrl+I
Modification guidée...

Figure 1.18 :
L'accès à l'interface de retouche rapide est très simple

Le logiciel Photoshop Elements vous laisse le choix d'opérer dans un premier temps une retouche rapide en vous donnant accès aux outils de base : le **Zoom** pour voir l'image plus en détail, la **Main** pour se déplacer dans celle-ci, l'outil de sélection rapide, l'outil de recadrage ainsi que l'outil de retouche des yeux rouges.

Figure 1.19 :
Avec cette interface, le nombre d'outils est relativement limité

Sur la droite de l'écran, d'autres réglages affinent au besoin la retouche.

*Ces outils sont étudiés en détail au chapitre **Retoucher des images**.*

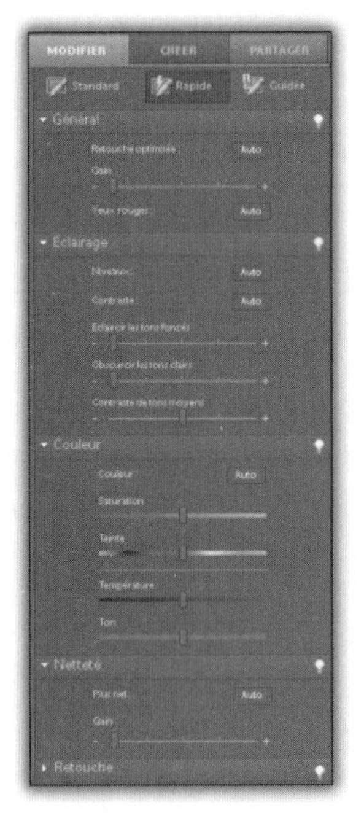

Figure 1.20 :
L'interface de retouche rapide, adaptée même aux grands débutants !

Accéder à la rubrique d'aide

À tout moment, vous pouvez accéder à la rubrique d'aide de l'interface de retouche rapide en cliquant sur l'icône en forme d'ampoule électrique.

Maintenant que vous connaissez l'interface de base de Photoshop Elements 7.0, il est temps de passer à l'étape suivante. Vous allez dans un premier temps apprendre à bien utiliser l'Organiseur. C'est parti !

Chapitre 2

Acquérir et classer des photos

Vous pouvez avoir besoin d'importer des fichiers depuis un dossier sur votre disque dur, à partir d'une clé USB ou encore d'un disque dur externe, à partir d'un scanner ou d'un appareil photo.

2.1. Importer des images depuis un dossier

Cliquez sur le menu **Fichier/Obtenir des photos et des vidéos/À partir de fichiers et de dossiers**.

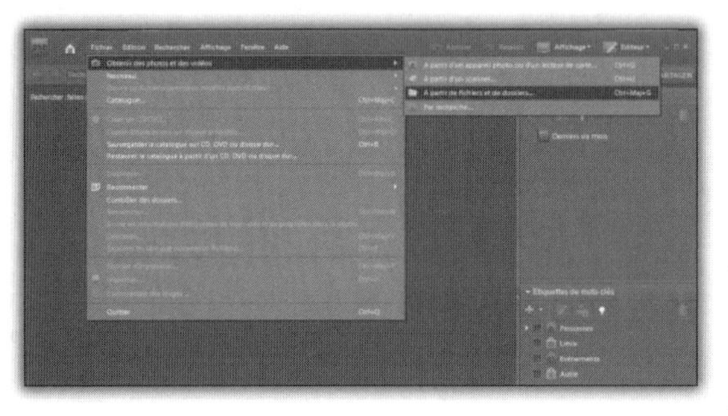

Figure 2.1 :
Le menu qui permet l'acquisition des images, d'où qu'elles proviennent

Indiquez à quel endroit se trouvent les fichiers que vous souhaitez importer dans le catalogue. Par défaut, l'option qui permet de récupérer les fichiers contenus dans les sous-dossiers est cochée : *Obtenir des photos à partir de sous-dossiers*. Vous pouvez aussi valider la *Correction des yeux rouges*, ainsi que la *Suggestion automatique de piles de photos*.

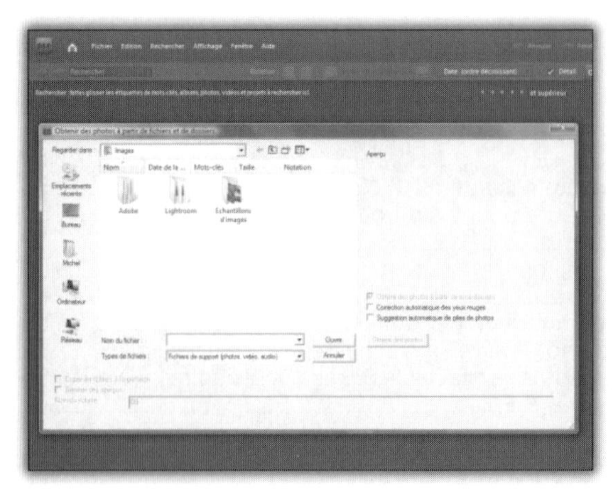

Figure 2.2 :
La récupération des images peut se faire aussi à partir des dossiers disponibles sur le disque dur

Les fichiers ne sont pas déplacés

Lorsque vous intégrez des fichiers dans un catalogue, les fichiers ne sont pas déplacés. C'est simplement les informations d'emplacement des fichiers qui sont intégrées à la base de données. Le logiciel crée aussi une vignette pour chacun des fichiers ; sa dimension est paramétrable.

Si les images sont déplacées ultérieurement, le catalogue vous le signalera.

Par défaut, les fichiers importés sont rangés par date, dans l'ordre décroissant. Les images les plus récentes apparaissant en premier. Cela peut s'avérer laborieux si vous devez manipuler de nombreux clichés. Au besoin, cliquez sur le menu **Affichage**, en haut et à droite de l'interface, pour choisir un autre mode de visualisation.

Figure 2.3 :
Un clic sur le menu Affichage permet de personnaliser la manière de présenter les images

Vous pouvez choisir de naviguer dans l'Explorateur de fichiers. Une nouvelle colonne s'affiche instantanément sur la gauche de l'écran, vous permettant de parcourir l'arborescence du disque dur. Pour cela, cliquez sur le bouton **Affichage**, puis sur **Emplacement du dossier**.

Figure 2.4 :
Sur la gauche de l'interface, un navigateur permet d'explorer le contenu de l'ordinateur ; au centre, là où se trouvent les vignettes, une barre horizontale sépare les différents dossiers contenant les images

2.2. Importer des images depuis un appareil photo ou un lecteur de cartes

C'est l'une des opérations que vous allez effectuer le plus souvent.

Importer des images depuis un appareil photo ou un lecteur de cartes ?

Parfois, Windows ne reconnaît pas directement l'appareil photo. Il est alors nécessaire d'installer des pilotes et des logiciels supplémentaires. C'est de plus en plus rare, mais cela arrive.

Si vous n'avez pas rechargé la batterie de l'appareil avant d'importer vos images et s'il s'éteint pendant le transfert de celles-ci, vous risquez d'en endommager certaines.

Votre appareil est avant tout fait pour faire des photos, pas pour servir de disque externe. Les circuits électroniques n'ont pas besoin de ce vieillissement prématuré. SI, après l'importation des images sur l'ordinateur, l'appareil reste connecté longtemps à l'ordinateur, cela use ses circuits prématurément, pour rien. Préservez votre matériel en utilisant, de préférence, un lecteur de cartes mémoire.

Le lecteur de cartes présente l'avantage de pouvoir lire de nombreux formats de cartes mémoire. La plupart des cartes (appareil photo, téléphone mobile…) peuvent être lues, sans qu'il soit besoin de recourir à un câble particulier. Vous n'avez plus besoin d'immobiliser l'appareil (inutile de le connecter avec un câble de type USB par exemple). De plus, l'investissement financier pour ce type de matériel est une fraction négligeable dans le budget alloué à la pratique de la photographie numérique, à savoir moins d'une dizaine d'euros.

Parfois, ce matériel est intégré d'office sur les ordinateurs de bureau. De plus en plus de portables sont équipés de ce type de lecteur dès leur fabrication. Néanmoins, un lecteur externe reconnaît souvent davantage de types différents de cartes.

Lorsque vous connectez une clé USB, un lecteur de cartes ou un appareil photo à l'aide du câble adéquat, Windows propose l'importation des images. Plusieurs opérations sont disponibles, dont celle qui consiste à les **Organiser et modifier dans Photoshop Elements**.

Si rien n'apparaît au moment de la connexion de la clé, du lecteur de cartes ou de l'appareil photo, choisissez le menu **Fichier/Obtenir des photos et des vidéos/À partir d'un appareil photo ou d'un lecteur de cartes**.

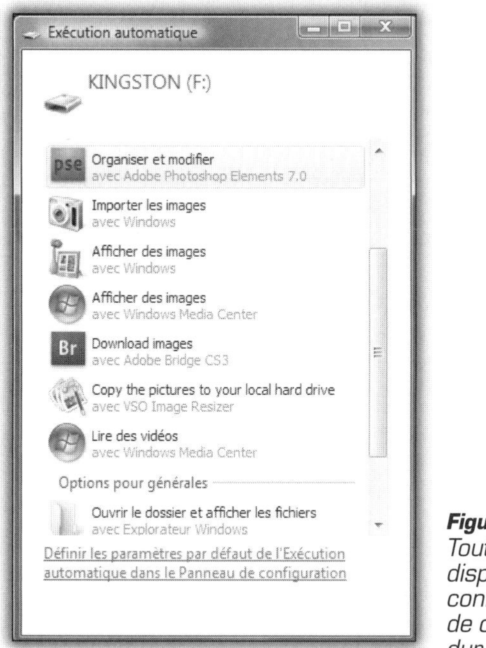

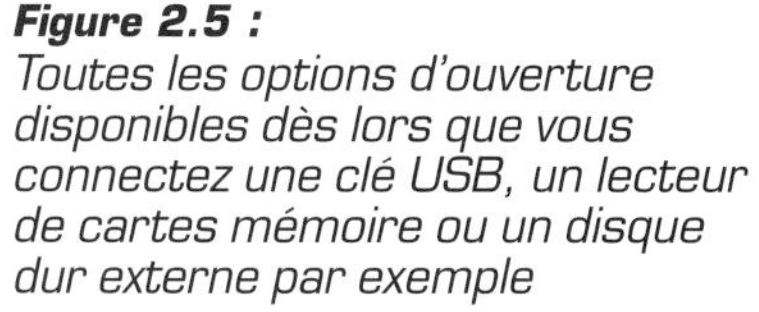

Figure 2.5 :
Toutes les options d'ouverture disponibles dès lors que vous connectez une clé USB, un lecteur de cartes mémoire ou un disque dur externe par exemple

Une boîte de dialogue s'affiche. Une première section permet de vérifier de quel support proviennent les images.

Une deuxième section vous indique où les photos seront stockées. Un bouton **Parcourir** vous invite à choisir l'emplacement cible désiré.

La boîte de dialogue vous propose ensuite de créer un sous-dossier dans lequel les images seront rangées. Par défaut, c'est la date de prise de vue qui est proposée en guise de nom de dossier, mais vous pouvez choisir un nom personnalisé.

La section suivante vous permet de renommer les photos. C'est très important. L'appareil photo enregistre les images sous la forme d'une suite de lettres et de nombres, ce qui n'est pas très pratique à long terme, ni très parlant. Comment se souvenir que l'image *dsc6789* correspond au joli portrait de votre petit-fils ?

Si vous ne renommez pas vos images, pensez au moins à créer un sous-dossier au nom significatif.

Nommer images et dossiers avec soin !

La photo numérique est tellement simple à mettre en œuvre que vous allez produire beaucoup plus d'images que vous n'en faisiez avec un appareil photo traditionnel. L'inconvénient : vous allez vite vous retrouver avec des centaines, sinon des milliers d'images à gérer. Rapidement, votre ordinateur va ressembler à un vrai bazar !

Adoptez une méthode d'enregistrement fiable. Par exemple, créez un nouveau dossier à chaque fois que vous videz la carte mémoire. Nommez ce dossier suivant le format *AnnéeMoisJour_Thème*. Ainsi, dans l'Explorateur, les dossiers apparaîtront triés par date de prise de vue et par nom.

Par exemple, le mariage de votre neveu a eu lieu le 14 juin 2008. Appelez le dossier *20080618_Mariage*. Vous pouvez nommer les photos en les numérotant ainsi : *20080618_Mariage_001*, *20080618_Mariage_002*, *20080618_Mariage_003*, etc.

Bien entendu, vous ne nommerez pas chaque image manuellement ! Photoshop Elements fait cela très bien. L'option est proposée dans l'interface appelée **Téléchargeur de photos**.

Si vous avez déjà des fichiers sur l'ordinateur, rien ne vous empêche d'utiliser un logiciel gratuit, comme TheRename, disponible à l'adresse www.herve-thouzard.com/modules/wfsection/article.php?articleid=2.

Éviter la double importation

Par défaut, lorsque vous importez vos images, elles sont copiées sur le disque dur, mais les originaux sont toujours sur la clé ou la carte mémoire.

Si vous avez choisi de renommer les photos et que vous réintroduisiez la carte dans l'ordinateur, Photoshop Elements risque d'importer à nouveau les photos, puisqu'elles sont nommées différemment, créant ainsi involontairement des doublons.

Cochez la case *Conserver le nom du fichier actuel en XMP*, pour éviter ce désagrément.

ATTENTION

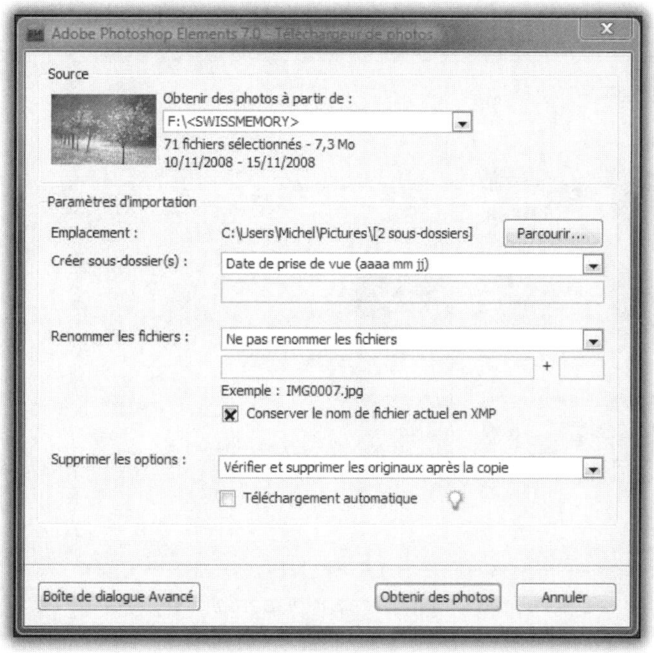

Figure 2.6 : *Cochez l'option Conserver le nom de fichier actuel en XMP, pour éviter de nombreux doublons*

La dernière section permet de **Conserver les originaux après la copie**, de **Vérifier et supprimer les originaux après la copie**, ou encore de **Supprimer les originaux après la copie**.

Conservez de préférence les originaux sur la carte mémoire, tout du moins tant que vous n'avez pas vérifié que les images sont enregistrées correctement sur le disque dur de l'ordinateur.

Deux précautions valent mieux qu'une

Les disques durs utilisés fréquemment peuvent tomber en panne ; les CD-Rom ne sont pas un support fiable à long terme (tout au plus une dizaine d'années). Dans ces conditions, envisagez une sauvegarde supplémentaire, sur un disque dur externe, qui sera le support de votre mémoire photographique.

Cliquez à présent sur le bouton **Boîte de dialogue avancée**. De nombreuses options supplémentaires sont proposées.

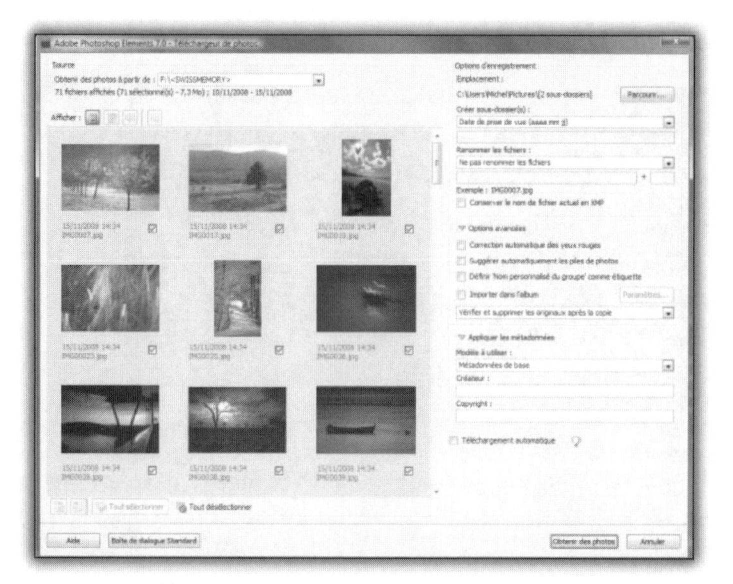

Figure 2.7 : *De nombreux réglages sont disponibles à partir de cette boîte de dialogue, qui permet de régler l'importation des photos*

D'abord, vous avez la possibilité d'importer les images que vous souhaitez uniquement, en décochant celles qui ne vous intéressent pas. Cela permet d'éliminer immédiatement les images sans aucun intérêt.

Sous la section *Métadonnées*, vous allez pouvoir entrer des informations de copyright en insérant votre nom, et fournir toutes les informations que vous jugerez nécessaires.

Les métadonnées

Lorsque vous faites une photo avec un appareil photo numérique, vous ne capturez pas seulement une scène, mais aussi une série d'informations stockées en même temps que l'image : les métadonnées. Ces informations n'apparaissent pas sur l'image, mais sont visibles dans Windows ainsi qu'avec certains logiciels spécialisés. Ces données sont de deux types :

- EXIF (Exchangeable Image File Format). Ce sont des informations relatives à la prise de vue (dimensions de l'image, date de la prise de vue, appareil photo utilisé, type d'image, ouverture du diaphragme, vitesse d'obturation, sensibilité, utilisation du flash, objectif utilisé, balance des blancs, coordonnées GPS si l'appareil le permet...).

DEFINITION

- IPTC (International Press and Telecommunications Council). Ce sont les données personnelles de l'utilisateur (nom, droits d'auteur, lieu, site web...). Les champs IPTC permettent d'ajouter aussi des mots-clés ainsi que des légendes.

Après l'importation des photos sur l'ordinateur, un message vous informe que l'opération s'est déroulée correctement. Après un clic sur OK, les images sont indexées par Photoshop Elements, et elles figurent dans le catalogue.

Une boîte de dialogue vous propose d'effacer les images de la carte mémoire ou de la clé USB.

Un conseil : vérifiez bien que les images sont copiées correctement sur l'ordinateur ; cela peut être fastidieux, mais c'est une sage précaution. Le fait de voir les vignettes s'afficher dans Photoshop Elements ne suffit pas ! Cette remarque est valable non seulement dans le cas d'une utilisation de Photoshop Elements 7.0, mais aussi pour tout autre logiciel.

2.3. Importer des photos depuis un support externe : CD-Rom, DVD-R ou disque dur externe

Au fur et à mesure que votre collection d'images numériques va grandir, vous ne pourrez pas tout stocker sur l'ordinateur. Il faudra envisager de travailler avec d'autres supports.

L'inconvénient de ce système : trouver un moyen de garder une trace des nombreux CD amassés après plusieurs mois de prises de vue.

Après l'insertion d'un CD, Windows vous demande ce que vous voulez faire des images contenues dans le support. À nouveau, choisissez **Organiser et modifier avec Photoshop Elements 7.0**.

Une seconde option vous permet d'ouvrir les images : cliquez sur le menu **Fichier/Obtenir des photos et des vidéos/À partir de fichiers et de**

dossiers. Choisissez ensuite la lettre qui correspond à votre lecteur de CD, de DVD, ou encore au disque dur externe.

Vous aurez éventuellement à naviguer dans les dossiers et sous-dossiers du support choisi. Attention à ne pas cocher la case *Copier les fichiers à l'importation*, sinon tous les fichiers seront copiés sur le disque dur de l'ordinateur. En revanche, cochez la case *Générer des aperçus*.

Afficher toutes les images importées

À chaque fois que vous importez des images dans un catalogue, seules ces dernières sont visibles. Pour afficher tous les éléments, cliquez sur le bouton **Tout afficher**.

Si vous retirez le support amovible de son lecteur ou de la prise USB dans le cas d'un disque dur externe, un symbole apparaît représentant un cercle rouge avec une petite barre verticale de la même couleur. Il indique que le support sur lequel les images sont enregistrées n'est plus présent.

Si vous voulez utiliser l'un des fichiers déconnectés, une boîte de dialogue vous invite à réintroduire le support dans son lecteur ou à le reconnecter dans le cas d'un disque dur. Cette boîte de dialogue vous indique le nom du support sur lequel se trouvent les images. Si vous avez étiqueté correctement les supports, vous allez retrouver ceux-ci rapidement.

2.4. Importer des photos depuis un scanner

Le scanner peut donner une nouvelle vie à vos photos argentiques. La numérisation des photos, que celles-ci soient sur un support papier ou sous la forme de négatifs ou de diapositives, est un bon moyen de s'initier à la retouche d'image sur l'ordinateur.

Choisissez le menu **Fichier/Obtenir des photos et des vidéos/À partir d'un scanner**.

Une boîte de dialogue apparaît, vous proposant de choisir le scanner à utiliser. En règle générale, le choix est simple.

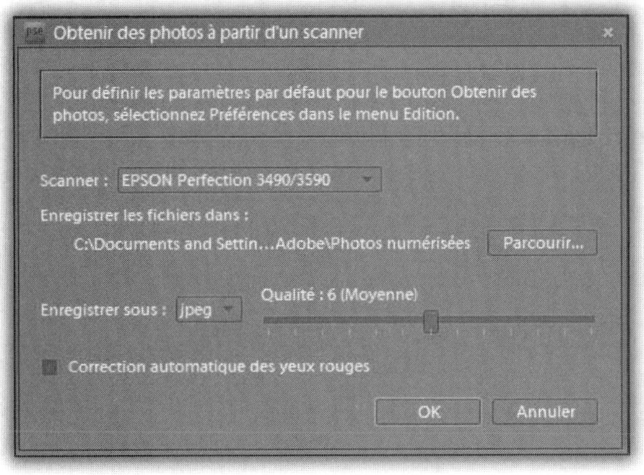

Figure 2.8 : *La boîte de paramétrage de l'acquisition automatique des images à partir d'un scanner*

Choisissez ensuite le dossier dans lequel vous souhaitez récupérer les images numérisées. Vous pouvez aussi laisser le dossier par défaut, c'est-à-dire le dossier *Mes images*, dans le dossier *Mes documents*.

Choisissez quel type de fichier enregistrer parmi les formats JPG, TIFF et PNG. Si vous choisissez le format JPG, ne sélectionnez pas un taux de compression trop important, sous peine d'obtenir des images de mauvaise qualité.

RENVOI

Les différents types de fichiers sont détaillés au chapitre ***Partager des images.***

Avant tout, il faut opérer quelques réglages sur votre scanner, suivant que vous allez numériser une photo sur support papier, un négatif ou une diapositive, si votre scanner le permet. Pour cela, il faut maîtriser certaines notions indispensables à l'utilisation correcte de cet appareil. Ces notions vont être décrites ci-après.

À l'étape suivante, Photoshop Elements laisse la place à l'interface de gestion du scanner. Chaque marque de scanner, chaque modèle propose une interface différente. Cependant, quelques règles fondamentales restent de mise.

Par défaut, les scanners utilisent une résolution de 300 dpi, générant des fichiers de bonne qualité, mais lourds.

La clé du système : gérer la résolution d'un fichier

La résolution de l'image est la concentration de pixels sur une surface équivalente à un carré de 2,54 cm de côté. Cette résolution est exprimée en dpi (dot per inch) ou ppp (point par pouce).

Par exemple, si vous scannez une page A4, calibrée à 300 dpi (résolution imprimeur professionnel), sur chaque carré de 2,54 cm de côté, vous pouvez dénombrer 300 pixels, si l'envie vous prenait de les compter !

Cette même page A4, calibrée à 72 dpi (résolution écran) présente, sur chaque carré de 2,54 cm de côté, 72 pixels (pratiquement quatre fois moins de pixels pour couvrir la même surface !).

Figure 2.9 : *La même image à 300 dpi, à gauche, et à 72 dpi, à droite (les pixels sont bien visibles sur le détail agrandi)*

En d'autres termes, vous pouvez disposer de deux fichiers de même surface, en centimètres, mais ayant un nombre de pixels différents. L'un des fichiers, celui calibré à 300 dpi, présente des pixels très fins, alors que le fichier calibré à 72 dpi présente des pixels plus grossiers.

Ainsi, une image peut vous sembler de bonne qualité sur un écran, car celui-ci a une résolution matérielle relativement pauvre, de 72 dpi. Mais ce même fichier, imprimé sur une feuille A4, est de très mauvaise qualité. Car, pour un tirage de bonne qualité avec une imprimante jet d'encre, il faut un nombre de pixels bien supérieur à celui nécessaire à l'affichage sur un écran.

Vous pouvez toujours, avec peu de pixels, couvrir une surface importante, mais l'image ressemble plus à un tableau composé d'une mosaïque grossière qu'à une photo issue d'un appareil de prise de vue moderne.

Conservez en mémoire les trois résolutions les plus utilisées :

- 72 dpi : résolution écran.
- 150-200 dpi : résolution d'une imprimante jet d'encre. Vous pouvez aussi vous baser sur cette valeur pour savoir si votre image présente assez de pixels pour un tirage dans un labo photo.
- 300 dpi : résolution utilisée par les imprimeurs professionnels.

Régler correctement un scanner pour numériser une photo

Si vous scannez un tirage photo dont vous avez égaré le négatif ou la diapositive, utilisez une résolution importante, pour conserver le maximum de détails du document original.

Dans ce cas, scannez le tirage photo à 300 dpi, pour que les corrections soient les plus précises possibles, comme évoqué auparavant. Si le fichier de la photographie scannée contient beaucoup de pixels, les retouches seront plus précises que si vous aviez numérisé à une résolution moindre.

Chaque logiciel qui gère le scanner est différent suivant le fabricant, et parfois suivant le modèle du scanner au sein d'une même marque. Toutefois, quelques éléments importants se retrouvent quelle que soit l'interface.

Pour faciliter la tâche de l'utilisateur, les concepteurs des logiciels qui pilotent les scanners ont tenté de simplifier les interfaces de commande. Néanmoins, il est recommandé de ne pas utiliser le mode Débutant car il laisse trop peu de possibilités de réglage. Utilisez plutôt un réglage de type Avancé ou encore Loisirs. Si vous êtes un utilisateur averti, vous pouvez utiliser le mode Professionnel.

Nettoyer la vitre, ainsi que la photo ou le film avant de scanner

Si vous numérisez une photographie, un négatif ou une diapositive, c'est que vous souhaitez, a priori, obtenir un résultat de bonne qualité. Rien ne sert d'avoir un scanner d'une définition extraordinaire, si la vitre sur laquelle vous allez poser les documents est sale !

Nettoyez le document à numériser avec un chiffon non abrasif et non pelucheux et un produit adapté, notamment pour les diapositives et négatifs. Attention à l'électricité statique : utilisez un tissu adapté. Vous pouvez aussi utiliser un pinceau à soufflet ou une bombe à air sec.

Cela n'a l'air de rien, mais c'est vraiment une étape importante si vous souhaitez obtenir un résultat correct.

Certains scanners embarquent la technologie ICE (Image Correction and Enhancement), qui permet de corriger des défauts comme les rayures ou les poussières, mais cela n'empêche pas un nettoyage préventif.

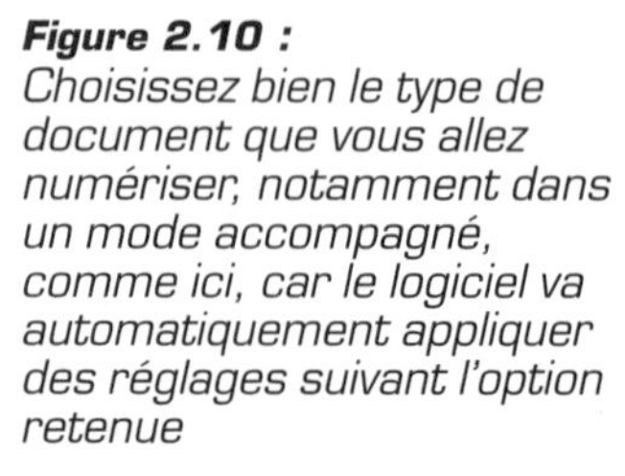

Figure 2.10 : *Choisissez bien le type de document que vous allez numériser, notamment dans un mode accompagné, comme ici, car le logiciel va automatiquement appliquer des réglages suivant l'option retenue*

Sans intervention de votre part, le document final aura la même dimension que le document initial. Pour régler vous-même les paramètres, choisissez un réglage personnalisé.

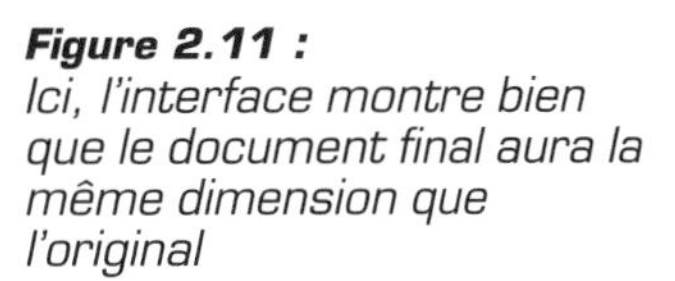

Figure 2.11 :
Ici, l'interface montre bien que le document final aura la même dimension que l'original

Régler correctement un scanner à plat pour numériser une diapositive ou un négatif

De nombreux scanners à plat disposent d'un dos pour numériser les films. Retirez le cache du couvercle pour laisser apparaître la petite boîte lumineuse qui permet d'illuminer le négatif ou la diapositive en transparence.

Choisissez le type de document à numériser : négatif couleur, négatif monochrome ou diapositive (voir Figure 2.12).

Choisissez la résolution qui permet un agrandissement de taille respectable sur du papier. Il vaut mieux utiliser la résolution optique maximale du scanner. Évitez, en revanche, d'utiliser les résolutions extrapolées, qui sont des calculs de pixels supplémentaires opérés par un logiciel.

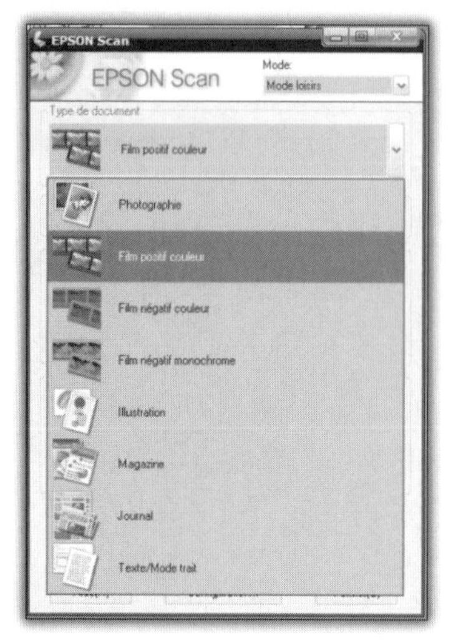

Figure 2.12 :
L'interface d'un logiciel de pilotage de scanner permettant de choisir le type de support à numériser, ici un film positif couleur

Numériser une diapositive ou un négatif avec un scanner pour transparents

Un bon scanner de films coûte relativement cher, mais offre de meilleurs résultats qu'un scanner à plat équipé d'un dos pour numériser les transparents. En effet, la lecture du film est effectuée directement sur sa surface, alors qu'avec un scanner à plat, quelques détails sont perdus du fait que le capteur doit lire le document à travers une vitre, si propre soit-elle.

Figure 2.13 :
Un scanner pour films transparents (vous numérisez les diapositives une par une avec ce type de matériel, à moins de disposer d'un chargeur spécial)

Armez-vous de patience ! Entre le nettoyage du film, la numérisation elle-même, la correction du fichier dans un logiciel de traitement d'image ainsi que l'enregistrement sur le support de stockage, ce travail peut vous occuper de longues journées et soirées, surtout si vous disposez de centaines de négatifs auxquels vous souhaitez donner une nouvelle vie !

Le temps nécessaire à la numérisation d'un film peut être allongé si le scanner doit effectuer le scan en plusieurs passes. Le résultat s'en ressent, il est bien meilleur, les détails sont plus fins, mais l'opération peut durer plusieurs minutes pour chaque diapositive.

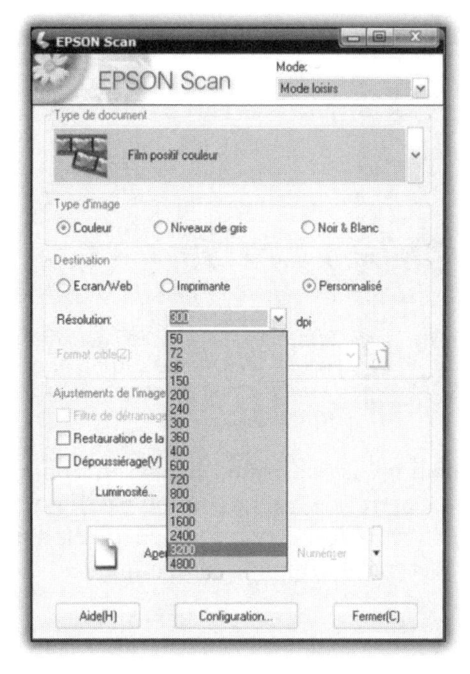

Figure 2.14 :
Choisissez bien la résolution de numérisation du document : une résolution suffisante pour un document à plat ne convient pas à une diapositive numérisée qui doit contenir assez de pixels pour être agrandie en vue d'un tirage sur papier

2.5. Les informations concernant le redimensionnement et la résolution dans Photoshop Elements 7

La première information disponible quant à la dimension de l'image affichée se situe en bas et à gauche de la fenêtre qui contient l'image sur laquelle vous travaillez.

Figure 2.15 :
Des informations utiles sont souvent à portée de souris : ici, les dimensions du document et sa résolution

Cette information peut être complétée par des indications qui pourront vous rendre service. Cliquez sur la flèche noire à côté des informations concernant la dimension du document. Vous obtenez d'autres renseignements concernant son poids en pixels, l'espace de travail, et même le temps passé à travailler sur celui-ci.

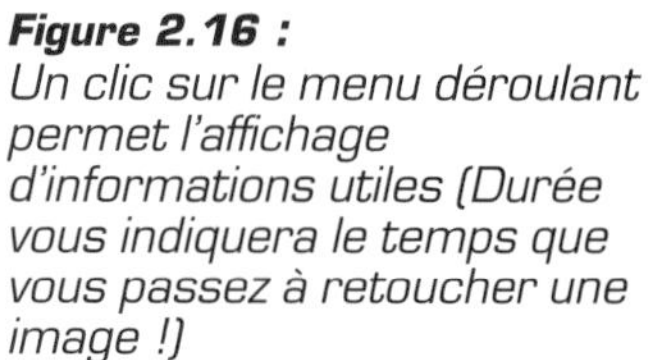

Figure 2.16 :
Un clic sur le menu déroulant permet l'affichage d'informations utiles (Durée vous indiquera le temps que vous passez à retoucher une image !)

Pour afficher de nouvelles informations concernant l'image en cours, cliquez du bouton droit dans la barre de menus principale, puis choisissez **Affichage/Règles**. Vous verrez les dimensions en pixels (si l'image doit être utilisée pour le Web par exemple), en centimètres, en millimètres ou encore en pourcentage.

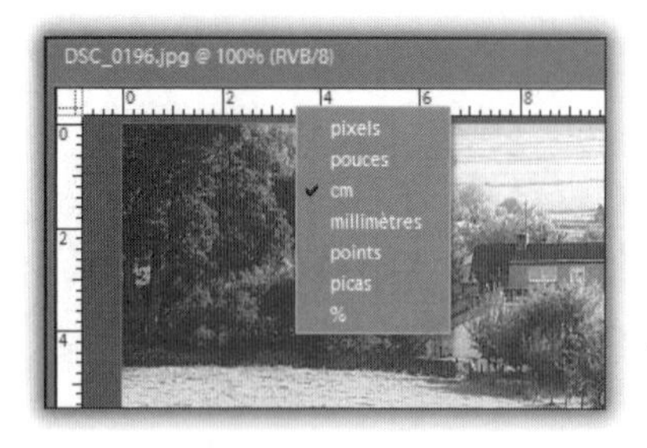

Figure 2.17 :
Toutes les unités afférentes aux dimensions d'un document

Un double clic dans la barre des règles, en haut de la fenêtre, permet de régler les préférences concernant les unités et règles.

Vous pouvez redimensionner l'image en cliquant sur le menu **Image/Redimensionner/Taille de l'image**.

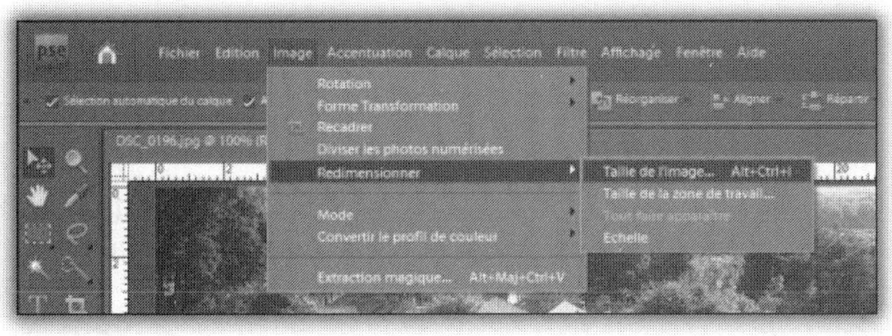

Figure 2.18 : *La boîte de dialogue permettant de gérer les dimensions de l'image*

La fenêtre de réglage s'affiche alors, vous permettant de gérer les nouvelles dimensions.

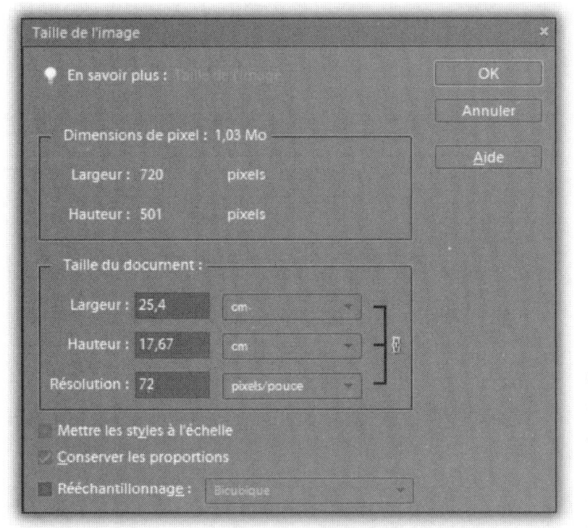

Figure 2.19 : *C'est ici que vous allez régler les dimensions de vos documents (certaines options sont très importantes)*

2.6. Télécharger instantanément des photos

Vous avez sans doute l'habitude de ranger vos images dans un dossier particulier sur votre ordinateur. Avec Photoshop Elements 7.0, vous êtes libre d'ajouter instantanément les photos déposées dans ce dossier à l'album de votre choix.

Prenons un exemple. Vous avez reçu par courrier électronique une série de photos d'une de vos dernières réunions de famille. Vous avez enregistré celles-ci dans le sous-dossier *Mes Images* du dossier *Mes documents* et vous souhaitez les intégrer dans un album déjà créé.

Une commande accessible dans le menu **Fichier**, appelée **Contrôle des dossiers**, permet de définir un ou des dossiers qui seront surveillés systématiquement. Dès que des images seront placées à cet endroit, vous recevrez une invitation à les intégrer dans le catalogue sous la forme d'une boîte de dialogue indiquant "De nouveaux fichiers ont été trouvés dans le(s) dossier(s) contrôlé(s). Voulez-vous ajouter ces fichiers au navigateur de photos ?".

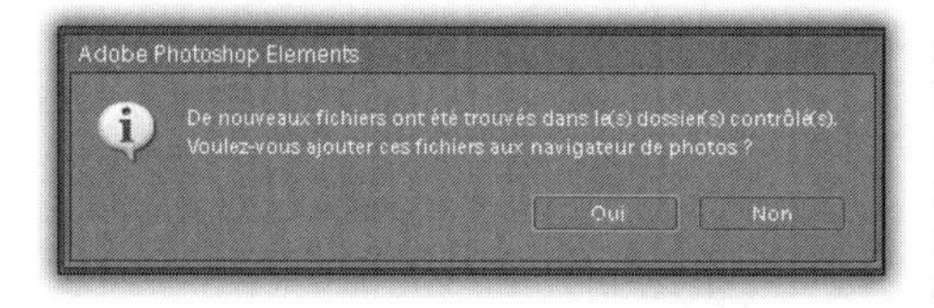

Figure 2.20 : *Quand de nouveaux fichiers sont disponibles, Photoshop Elements vous prévient pour que vous fassiez le choix le mieux adapté à la situation*

Une nouvelle boîte de dialogue s'affichera alors, dans laquelle vous sélectionnerez les fichiers à ajouter au catalogue.

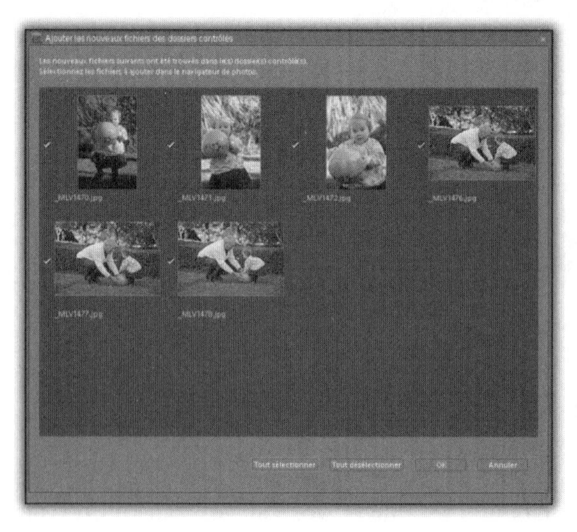

Figure 2.21 : *Photoshop Elements affiche ensuite les nouveaux fichiers et vous pouvez choisir ceux que vous souhaitez ajouter au catalogue*

2.7. Optimiser l'affichage dans l'Organiseur

Par défaut l'interface permet d'afficher les vignettes des images importées. Vous pouvez régler la dimension de ces vignettes à l'aide du curseur *Régler la taille de la vignette*, situé en haut de l'écran. Lorsque vous double-cliquez sur la vignette, vous pouvez afficher un aperçu de la photo, si le fichier est hors ligne, sur un CD par exemple. La dimension de cet aperçu peut être paramétrée à l'aide des préférences.

Pour cela, cliquez sur l'onglet **Edition**, puis sur **Préférences**, et choisissez la commande **Fichiers**.

Le menu déroulant permettant de régler la dimension de l'aperçu propose plusieurs dimensions, de 320 × 240 pixels à 1 280 × 960 pixels.

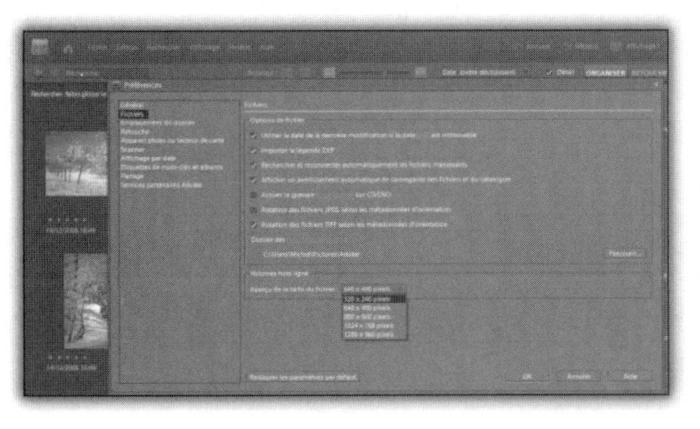

Figure 2.22 : *Dans le menu Préférences, vous pouvez choisir la dimension de l'aperçu des fichiers qui sont stockés sur des supports externes*

Vous pouvez aussi afficher les vignettes par date. Cliquez sur la commande **Lot importé**, disponible depuis le menu déroulant **Affichage**.

Enfin, vous pouvez afficher les vignettes selon leur emplacement, en choisissant **Emplacement du dossier**.

2.8. Classer des photos en leur attribuant des mots-clés

Pour retrouver plus rapidement et avec facilité les photos que vous avez incorporées dans un album, vous pouvez attribuer à chacune d'entre elles des étiquettes de mots-clés.

L'onglet **Étiquettes de mots-clés** se situe dans la partie droite de l'Organiseur. Par défaut, Photoshop Elements propose quatre étiquettes et vous pouvez en créer autant que vous le souhaitez. Les quatre thèmes par défaut sont *Personnes*, *Lieux*, *Événements* et *Autre*.

Figure 2.23 :
Le menu permettant d'ajouter des étiquettes de mots-clés

Dans notre exemple, nous avons créé un album appelé *Paysages,* en cliquant sur le signe + vert, dans la section *Albums*. Pour attribuer une étiquette *Lieux* à certaines images, sélectionnez celles-ci en cliquant dessus. Déplacez l'icône sur l'image ou la sélection d'images. Sous chacune d'entre elles, l'icône correspondant au mot-clé "Lieux" s'affiche.

Figure 2.24 :
En sélectionnant l'étiquette dont vous avez besoin, vous pouvez l'ajouter aux images

Pour préciser le "contenu" de l'étiquette *Lieux*, vous pouvez créer des sous-catégories. Dans notre exemple, nous avons créé trois sous-catégories : mer, campagne et montagne. Pour cela, cliquez sur l'icône représentant un signe + vert, placée sous l'onglet **Étiquettes de mots-clés**.

Un menu déroulant vous propose alors de créer une *Nouvelle étiquette de mot-clé*, une *Nouvelle sous-catégorie* ou une *Nouvelle catégorie*. Ces sous-catégories apparaîtront ensuite sous l'icône *Lieux*.

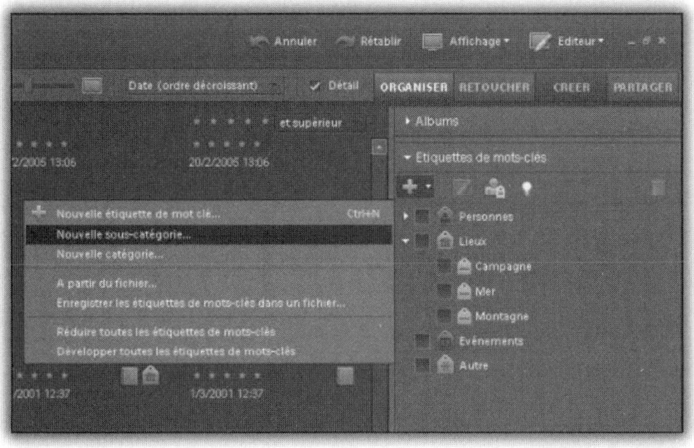

Figure 2.25 : *Si vous ne vous contentez pas des étiquettes proposées par le logiciel, vous pouvez en ajouter, et même créer des sous-catégories*

Vous pourrez attribuer un mot-clé issu d'une sous-catégorie à vos images de la même façon que vous avez attribué un mot-clé représentant une catégorie.

Si l'une des catégories créées ne vous convient plus, cliquez dessus et déplacez-la vers l'icône représentant une corbeille pour la supprimer.

Apporter des précisions aux étiquettes

Sous l'onglet **Étiquettes de mots-clés**, une icône vous invite à rechercher des visages dans vos photos pour leur attribuer de nouvelles informations. Il faudra parfois agir sur ce que propose par défaut le logiciel pour obtenir de meilleurs résultats. Cela dit, dans la majeure partie des cas, le résultat est bluffant !

À présent, vous pouvez afficher vos photos selon un nouveau classement, en plus de ceux déjà évoqués, comme la date ou les vignettes. En effet, vous pouvez afficher maintenant les images en choisissant un ou plusieurs mots-clés, une catégorie ou une sous-catégorie.

ASTUCE

Afficher les mots-clés attribués à une image

Lorsque vous avez attribué un ou plusieurs mots-clés à une image, une petite icône de couleur apparaît, en bas et à droite de la vignette. Si vous placez votre curseur sur celle-ci, les mots-clés attachés à l'image apparaissent.

2.9. Les albums dynamiques

La création des albums dynamiques est aussi intuitive que la création des albums ordinaires. Mais leur utilisation permet une gestion beaucoup plus fine des contenus.

Pour créer un album dynamique, cliquez sur le signe + vert de la section *Albums*. Choisissez ensuite la fonction **Nouvel album dynamique**.

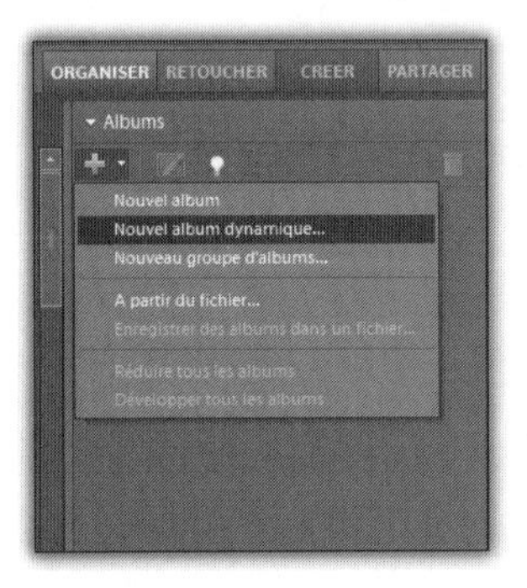

Figure 2.26 :
Pour afficher seulement les images souhaitées, vous pouvez créer des albums virtuels, appelés "albums dynamiques"

Donnez-lui un nom caractéristique, ici *Paysages marins*.

Dans la boîte de dialogue qui s'affiche, vous pouvez choisir différents paramètres : par exemple, les images associées un mot-clé particulier, ainsi qu'à un nombre d'étoiles précis.

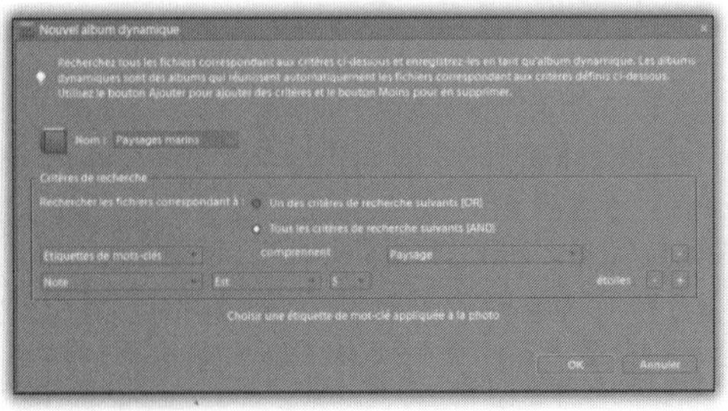

Figure 2.27 :
Bien entendu, il faut nommer l'album dynamique et régler les préférences qui régiront son affichage

Le nombre de critères disponibles permet une recherche croisée très précise, puisque le logiciel gère aussi les métadonnées, comme la marque de l'appareil, le nombre de pixels, etc.

2.10. Personnaliser les icônes de mots-clés

Les catégories, sous-catégories et mots-clés sont gérés dans la partie appelée *Étiquettes de mots-clés*, sur la droite de l'interface.

Lorsque vous attribuez une étiquette, celle-ci prend l'aspect de la première image que vous avez choisie. Vous pouvez personnaliser cette représentation en cliquant sur l'icône en forme de crayon. Selon que vous avez sélectionné une icône de catégorie ou de mot-clé, vous pouvez en changer la couleur ou l'aspect.

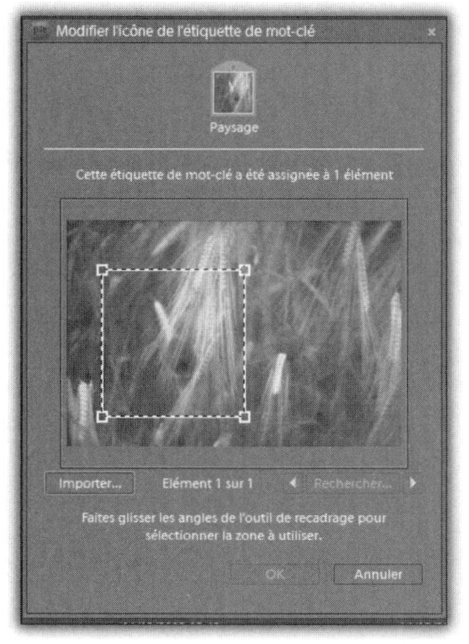

Figure 2.28 :
Vous pouvez personnaliser les catégories en créant des étiquettes à l'image de l'une de vos photos

2.11. Rechercher les visages

Au moment de l'importation des photos dans Photoshop Elements, à partir par exemple d'un appareil photo numérique, le logiciel vous propose de corriger les yeux rouges. Il détecte alors les visages sur chaque photo pour corriger ce désagréable défaut dû souvent à la proximité du flash par rapport à l'objectif.

Lorsque le flash se déclenche, il illumine le fond de l'œil, tapissé de vaisseaux sanguins. Le phénomène se traduit par un défaut appelé "yeux rouges". Il est d'autant plus fréquent dès lors que l'on utilise un appareil photo numérique très compact.

Les logiciels de retouche d'image proposent tous de corriger cette anomalie.

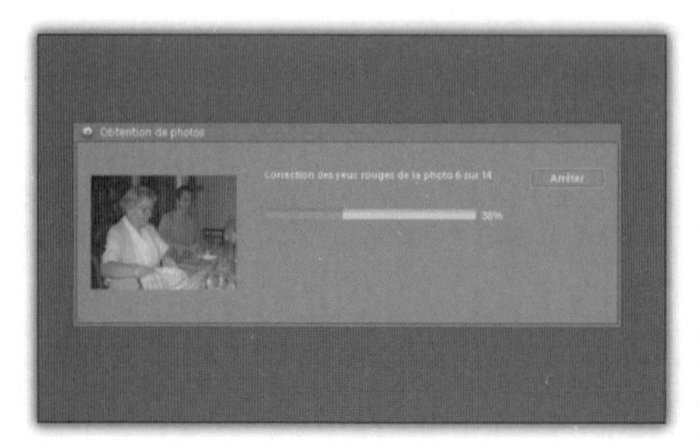

Figure 2.29 :
Même si l'interface de correction standard offre des outils plus précis, vous pouvez gagner un temps non négligeable en utilisant certaines fonctions automatisées

Cette opération étant effectuée, une commande vous laisse la possibilité de rechercher des visages pour les étiqueter. Elle fonctionne parfaitement bien. En quelques secondes, vous pouvez retrouver, parmi une centaine de photos de vacances, les visages de vos amis et de vos proches.

Pour cela, cliquez sur la commande **Rechercher** dans le menu principal du logiciel. Ensuite, choisissez la commande **Rechercher des visages pour l'ajout d'étiquettes**.

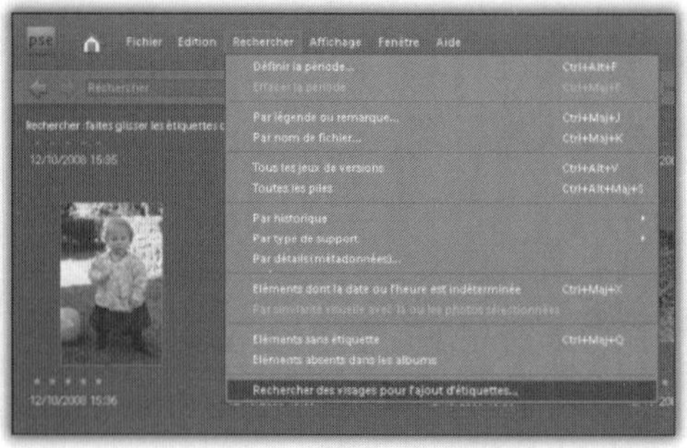

Figure 2.30 :
Le logiciel est capable de rechercher pour vous les photos présentant des visages

Le logiciel recherche alors tout ce qui, dans les images, peut ressembler à un visage. Le plus étonnant est que la recherche ne se fait pas simplement sur les gros plans, mais aussi sur des photos où plusieurs personnes sont représentées. S'affiche alors le résultat des recherches.

À partir de là, vous pouvez placer des mots-clés, de la même manière que vous le feriez avec n'importe quelle photo.

Figure 2.31 : *Le résultat de recherche de visages est souvent efficace et le taux de réussite est surprenant*

Le système de reconnaissance d'image de Photoshop Elements va encore plus loin.

Imaginons que vous ayez une collection de plusieurs dizaines d'images et que vous souhaitiez afficher rapidement toutes celles qui présentent des similarités visuelles avec une image que vous avez sélectionnée.

Le logiciel affichera rapidement toutes les photos représentant, comme ici, un bord de mer. Il placera en tête de liste celles qui semblent concorder au mieux avec l'image ou les images (jusqu'à quatre) de référence.

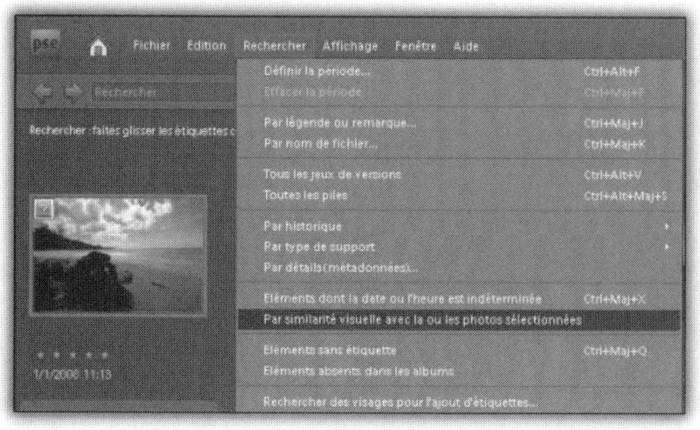

Figure 2.32 : *Photoshop Elements peut aussi vous aider à trier les images présentant entre elles des similarités*

Les images choisies par le logiciel s'affichent avec une petite étiquette noire sur laquelle s'inscrit un pourcentage qui sera d'autant plus élevé que la pertinence de l'image par rapport à l'original est grande.

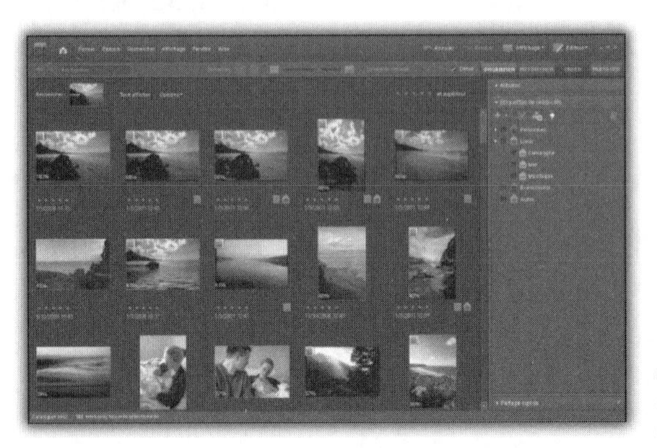

Figure 2.33 : Le résultat d'un tri d'images par similarité

2.12. Afficher uniquement les photos intéressantes

À présent que vous avez attribué des mots-clés aux images, vous pouvez choisir de n'afficher, par exemple, que celles appartenant à une catégorie ou à une sous-catégorie.

Pour cela, double-cliquez sur la catégorie ou la sous-catégorie choisie. L'écran affiche alors seulement les images correspondant aux critères retenus.

Dans notre exemple, nous affichons seulement les images associées au mot-clé *Campagne*.

Figure 2.34 : Le nombre de critères de recherche est étonnant

2.13. Classer des clichés par date et heure pour les retrouver plus facilement

Parallèlement à la recherche d'images par mot-clé, il est parfois plus aisé d'effectuer une recherche par date, à l'aide de la commande **Définir une période** du menu **Rechercher**.

Une boîte de dialogue s'ouvre alors. Choisissez une date de début et une date de fin. Une fois ces dates inscrites, seules s'affichent les images incorporées dans l'album pendant ce laps de temps.

Figure 2.35 :
La boîte de dialogue qui permet de définir une période de recherche entre deux dates

Une autre option affiche les photos par ordre croissant ou décroissant.

Vous pouvez aussi gérer les dates et heures des photos déjà importées par le biais du menu **Edition** et de la commande **Régler la date et l'heure**.

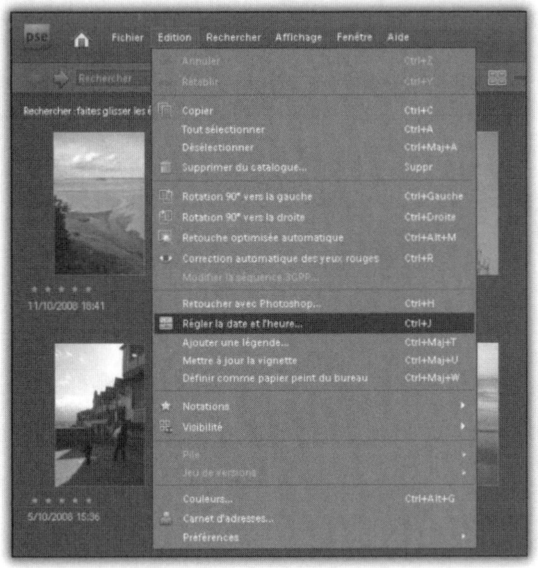

Figure 2.36 :
Le menu permettant d'afficher la période définie

Vous avez alors accès à une boîte de dialogue vous proposant d'entrer une date et une heure, de synchroniser une date avec celle du fichier ou encore de décaler une heure en fonction d'un fuseau horaire.

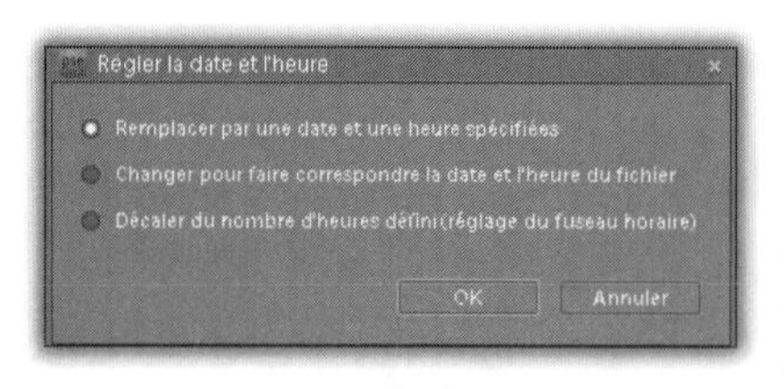

Figure 2.37 :
La boîte de dialogue permettant de régler la date et l'heure

L'affichage le plus spectaculaire est celui obtenu via le menu **Affichage** situé en haut et à droite de l'Organiseur, puis la commande **Affichage par date**.

Figure 2.38 :
Le menu d'affichage par date

L'Organiseur laisse alors la place à une interface de type calendrier. Vous y retrouverez rapidement les images, à la fois par leur position, leur date, mais aussi grâce aux vignettes affichées.

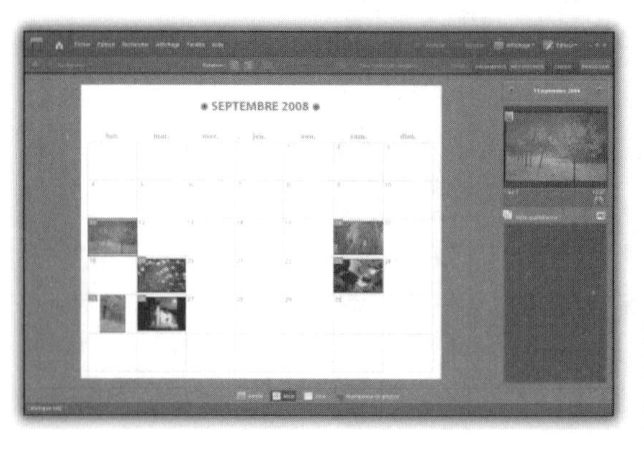

Figure 2.39 :
L'affichage des photos par date, sur un calendrier mensuel

Dans ce mode, vous pouvez choisir un affichage par mois, par semaine ou par jour. Vous pouvez aussi adjoindre chaque jour une note, un commentaire, en utilisant la section appelée *Note quotidienne*, sur la droite de l'interface. Si plusieurs images occupent la même date, un mini-diaporama permet de naviguer d'image en image.

Pour atteindre une image du diaporama, cliquez sur l'icône représentant une paire de jumelles. L'Organiseur affiche alors la vignette correspondant à l'image sélectionnée, surlignée en bleu.

Naviguer rapidement d'une date à l'autre

Lorsque vous affichez le calendrier, un clic sur le mois déroule un menu listant les douze mois. Cliquez sur le mois que vous voulez atteindre, pour y accéder rapidement. Il en va de même si vous cliquez sur l'année. Une icône indique les mois et années auxquels sont associées des images.

2.14. Renommer des photos

Bizarrement, il n'est pas possible de renommer les photos par lots dans le navigateur de photos, après leur importation. Ce traitement de fichiers multiples est néanmoins accessible dans l'interface de retouche de photo.

Traitement de fichiers multiples

La commande pour renommer simplement un lot de fichiers est disponible dans l'interface de retouche d'image. Mais attention, cette commande, que vous activez via le menu **Fichier/Traitement de fichiers multiples**, n'est accessible que dans le menu **Retoucher/Retouche standard**.

Néanmoins, il est possible d'afficher les propriétés d'une image et de renommer les images une par une grâce à cette fonction. Pour effectuer cette action, cliquez du bouton droit sur la vignette correspondant à la photographie en question.

La fonction qui permet de renommer les images va plus loin car vous pouvez aussi ajouter une légende, des remarques et noter les photos. Vous pouvez également avoir des informations sur la date de création du fichier, son emplacement. Et plus surprenant, l'interface vous propose d'associer un commentaire sonore au fichier.

Figure 2.40 : *Les différentes informations qui vous permettent d'indiquer des critères de détermination, un commentaire sonore est même possible*

En ce sens, cliquez sur l'icône représentant un haut-parleur pour afficher une boîte de dialogue représentant un magnétophone virtuel. Vous pouvez alors adjoindre un fichier son à l'image ou enregistrer un texte.

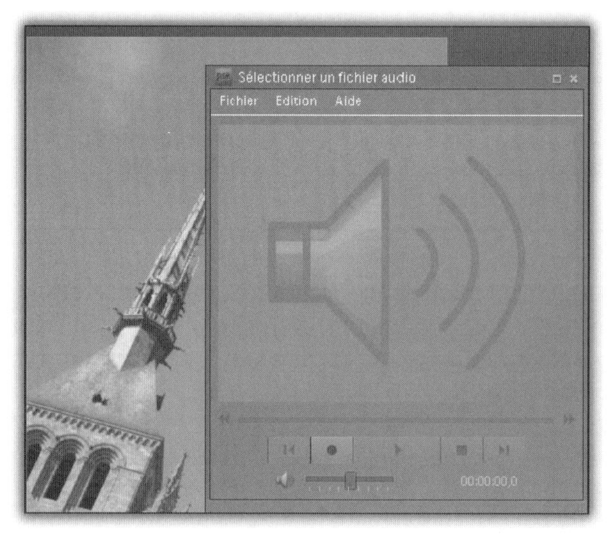

Figure 2.41 : *L'icône d'enregistrement du commentaire sonore, à vous de parler !*

2.15. Rechercher les photos à l'aide de l'outil de recherche intégré

Sur la partie haute de l'interface, vous trouverez un outil de recherche textuelle. Si vous entrez tout ou partie du nom d'un fichier, l'affichage présente tous les documents qui répondent aux critères. Vous pouvez aussi entrer une date, utiliser des opérateurs, comme `and` et `or`, pour croiser la recherche d'images. Enfin, vous pouvez enregistrer les résultats des critères de recherche sous la forme d'albums dynamiques.

Pour cela, une fois les images issues de la recherche affichées, cliquez sur le bouton **Options** et choisissez la commande **Enregistrer les critères de recherche sous l'album dynamique**.

Figure 2.42 : *L'interface permettant la gestion des critères d'affichage de l'album*

2.16. Gérer une photothèque

Les options de recherche dans les catalogues sont nombreuses. Vous pouvez tout d'abord définir des dates de recherche par l'intermédiaire de la commande **Définir la période** du menu **Rechercher**.

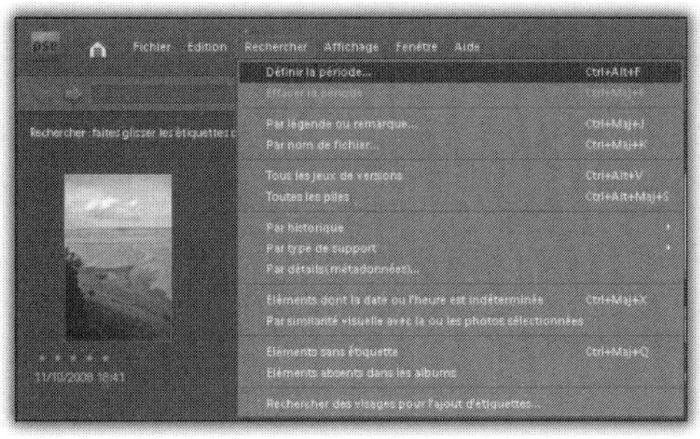

Figure 2.43 : *Le menu Rechercher permet de définir d'autres critères*

Une boîte de dialogue apparaît. Choisissez les dates de début et de fin de la recherche à effectuer.

Figure 2.44 :
Ici vous entrez la période de recherche

Le même type de recherche est possible à l'aide des options d'affichage disponibles sur l'interface principale de l'Organiseur, en haut et à droite. Si vous choisissez **Affichage par date**, des vignettes représentant un calendrier s'affichent dans l'interface. Le choix peut se faire par année, mois ou jour.

Figure 2.45 :
Le menu d'affichage par date

Dans la partie supérieure de l'écran, à gauche, vous pouvez entrer un mot correspondant aux images recherchées, une partie du nom du fichier par exemple, pour les afficher.

Figure 2.46 :
Un autre critère d'affichage, cette fois par nom ou partie du nom

Vous pouvez aussi afficher les images par mot-clé, en déplaçant des étiquettes sur la barre de recherche.

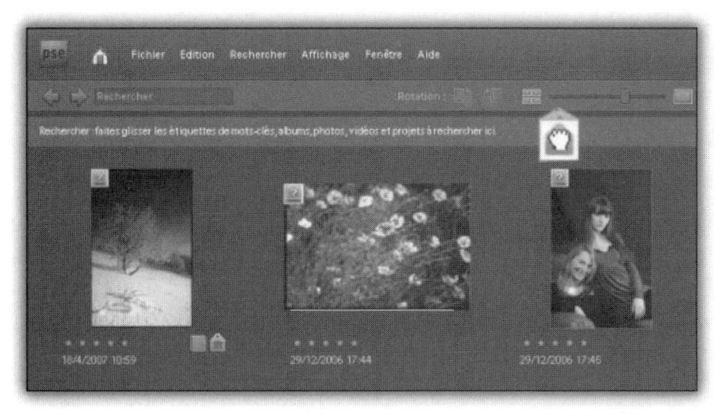

Figure 2.47 : *Une étiquette peut servir de critère de recherche*

Cliquez sur l'icône d'un mot-clé, et tout en maintenant enfoncé le bouton de la souris, déplacez l'icône sur le mot "Rechercher".

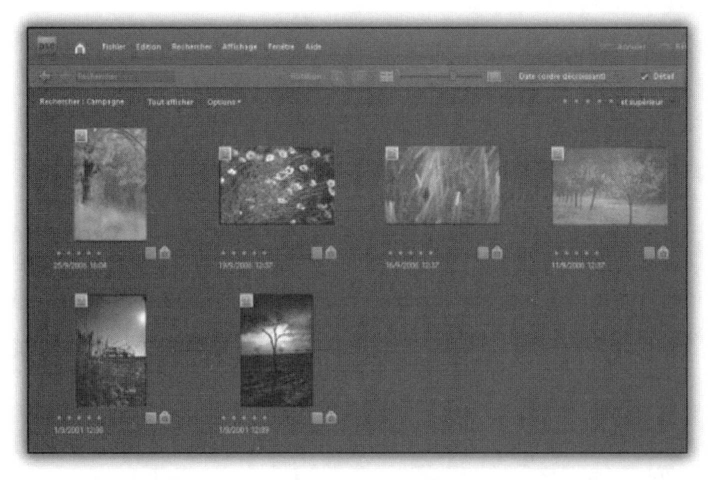

Figure 2.48 : *Ensuite, seules les photos répondant au critère de sélection commandé par l'étiquette sont affichées*

Ne s'affichent alors que les images correspondant au mot-clé.

Recherche par mots-clés multiples

Il est tout à fait possible de déplacer plusieurs mots-clés successivement sur la barre de recherche. Dans ce cas, les images

correspondant à tous les critères choisis s'affichent. Chaque mot est relié au suivant par le signe +.

Vous pouvez bien évidemment utiliser le menu **Rechercher**, qui offre de multiples possibilités : recherche **Par légende ou remarque**, **Par nom de fichier**, par jeu de version (**Tous les jeux de versions**), par piles (**Toutes les piles**), **Par historique**, **Par type de support**, **Par détails (métadonnées)**. Vous avez même la possibilité de rechercher des images ne faisant pas partie d'un album ou n'ayant pas de mot-clé.

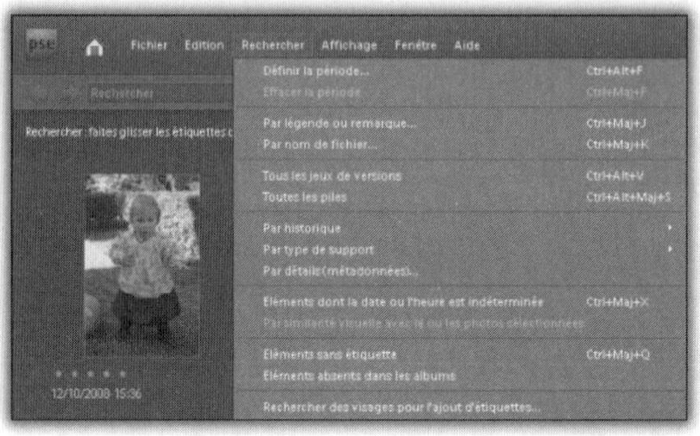

Figure 2.49 : *De nombreux critères de recherche sont disponibles, et suivant la situation, certaines options restent grisées*

La recherche par métadonnées permet d'utiliser des critères de recherche comme la marque de l'appareil, la dimension du document en pixels, le nom de l'auteur, ou encore la vitesse d'obturation ou la distance focale.

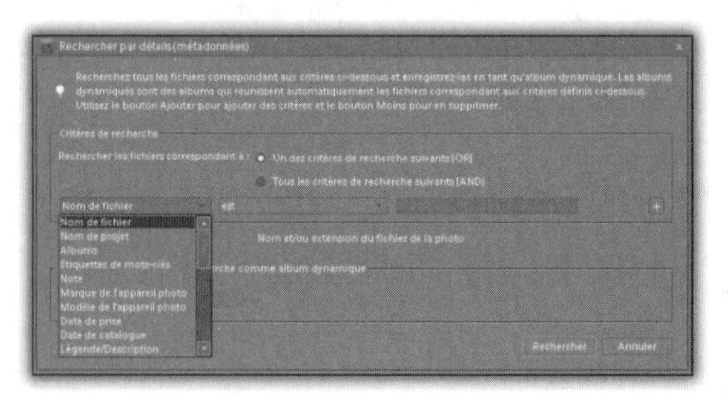

Figure 2.50 : *Une petite incursion dans la recherche par métadonnées*

Grâce à la palette *Albums*, vous êtes en mesure d'afficher un album spécifique, des images correspondant à un ou plusieurs mots-clés. Si vous cliquez sur le bouton qui permet de spécifier un rang d'affichage correspondant à un nombre d'étoiles attribuées, seules les images ayant obtenu cette note s'affichent.

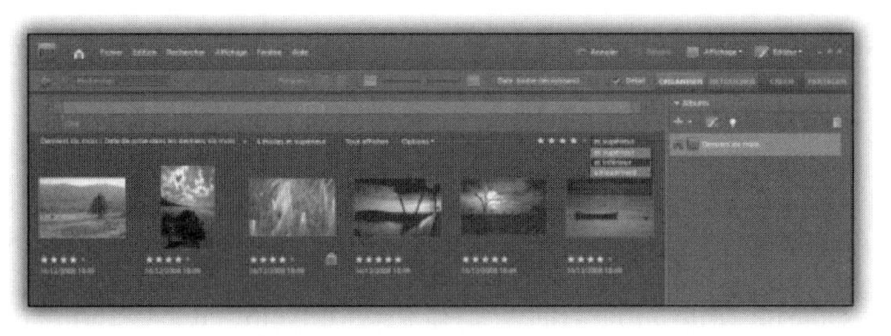

Figure 2.51 : *L'affichage des images par critère de qualité ; ici, c'est le nombre d'étoiles affectées aux photos qui entre en ligne de compte*

2.17. Utiliser la fenêtre de montage pour rechercher des photos

Si vous cliquez sur le menu **Fenêtre/Montage**, une piste temporelle s'affiche sur la partie haute de l'interface. Vous pouvez déplacer le curseur le long de la ligne pour atteindre une période particulière.

Si vous ne connaissez pas un critère particulier de recherche, mais que vous possédiez des informations, même approximatives, sur la période à laquelle les photos ont été faites, c'est assurément l'outil le plus pratique à utiliser.

Si la période n'apparaît pas sur la ligne temporelle, vous pouvez utiliser les flèches droite et gauche, à l'extrémité de la ligne, pour afficher des périodes antérieures ou postérieures.

Les curseurs permettent d'encadrer une époque précise.

Figure 2.52 : *Le curseur permet de naviguer le long de la frise temporelle*

2.18. Repérer facilement la meilleure photo parmi une série de clichés similaires

Pour que vous puissiez sélectionner aisément vos images, Photoshop Elements vous autorise à leur attribuer des notes. Ces notes sont symbolisées par des étoiles. Chaque image peut recevoir une note allant de zéro à cinq étoiles.

Ces étoiles sont situées sous chacune des photos affichées. Pour le moment, elles sont grisées car vous n'avez pas encore attribué de notes.

Il est inutile de cliquer successivement sur chacune des étoiles pour attribuer une note de 5 par exemple. Cliquez directement sur l'étoile correspondant à la note souhaitée : troisième étoile pour une note de 3, cinquième étoile pour une note de 5.

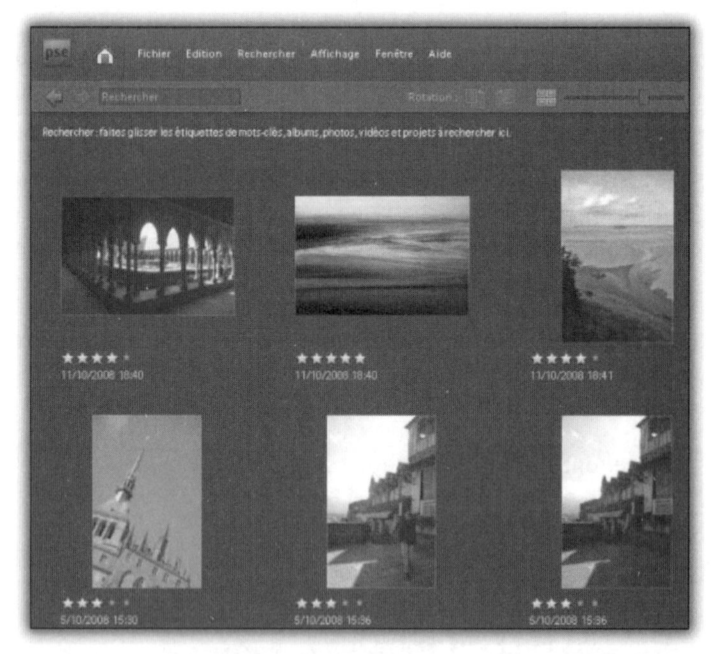

Figure 2.53 : Ici encore, c'est la notation qui préside à l'affichage des photos

Cliquez ensuite sur le bouton situé en haut et à droite des photos affichées pour choisir par exemple de n'afficher que les photos ayant obtenu une note supérieure ou égale à quatre étoiles.

Figure 2.54 : *Le curseur permet de choisir le nombre d'étoiles qui vont servir de critère à l'affichage*

Si vous choisissez cela, seules les images ayant obtenu la note en question s'affichent.

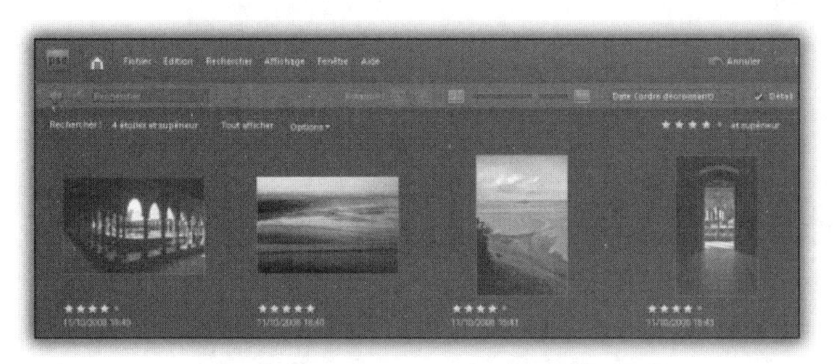

Figure 2.55 : *Et cela fonctionne, bien entendu !*

2.19. Empiler automatiquement des photos similaires les unes sur les autres

Il arrive fréquemment d'obtenir une série de photos présentant des caractéristiques semblables. Auparavant, les photographes disposaient de films de vingt-quatre ou trente-six poses. Aujourd'hui, avec les cartes mémoire de grande capacité, on n'hésite pas à multiplier les essais.

Pour mieux organiser vos photos et vous éviter d'afficher côte à côte quelques images semblables, vous êtes libre d'empiler celles-ci et d'afficher seulement celle qui vous semble la plus intéressante. Vous pouvez même fusionner plusieurs piles.

Pour accéder au menu **Pile**, sélectionnez tout d'abord une série d'images ou toutes les images. Un clic du bouton droit donne accès à deux commandes. Les autres actions restent grisées car elles n'interviennent qu'une fois une pile de photos créée.

Les actions possibles sont **Suggérer automatiquement les piles de photos** et **Empiler les photos sélectionnées**.

Dans le premier cas, vous laissez au logiciel le soin d'empiler toutes les images qu'il juge semblables ; dans l'autre, vous effectuez une première sélection et le logiciel empile les images choisies.

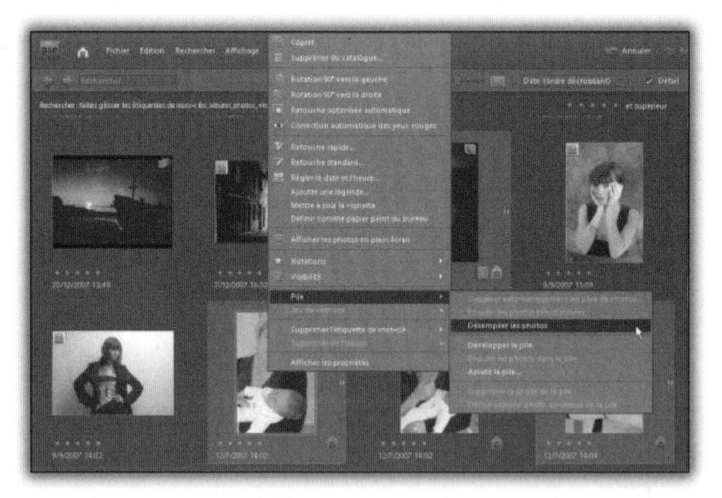

Figure 2.56 : *Le menu Pile, comme son nom le laisse entendre, permet de gérer l'affichage des piles d'images*

REMARQUE

Afficher l'image la plus intéressante au sommet de la pile

Par défaut, c'est la photo la plus récente qui est affichée en haut de la pile. Pour afficher une autre image, cliquez du bouton droit sur celle-ci, et choisissez la commande **Pile**, puis **Définir comme photo au-dessus de**

la pile. Une autre solution consiste à cliquer sur la petite flèche située à droite de la pile créée.

Dans la pratique, vous préférerez certainement gérer vous-même le choix des images à ajouter à une pile.

2.20. Gérer les piles d'images

Lorsqu'une pile de photos est développée, vous pouvez retirer une ou plusieurs images en cliquant du bouton droit sur la ou les images sélectionnées avec la commande **Pile**, puis en choisissant **Supprimer la photo sélectionnée de la pile** ou **Supprimer les photos sélectionnées de la pile**. La ou les photos ne sont évidemment pas supprimées du catalogue ni du disque dur.

Les images empilées sont affichées sur un cadre gris légèrement plus clair que l'interface de travail. Vous pouvez ainsi repérer le fait qu'il s'agit bien d'une pile de photos, et non d'un élément unique.

Pour supprimer les images de la pile et du catalogue, sélectionnez-les puis appuyez sur la touche Suppr. Si vous le souhaitez, vous pouvez aussi les effacer de l'ordinateur.

Pour retirer une image de la pile, déployez l'empilement d'images, choisissez l'image que vous voulez mettre de côté en cliquant dessus. Puis, choisissez le menu **Edition/Pile/Supprimer de la pile**. L'image en question est de nouveau visible comme élément indépendant.

Vous pouvez, à tout moment, ajouter une nouvelle photo dans une pile d'images. Cliquez sur l'image choisie, maintenez la touche Ctrl enfoncée et cliquez sur la pile. Les deux éléments sont ainsi sélectionnés. Choisissez le menu **Edition/Pile/Empiler les photos sélectionnées**. Un message de confirmation s'affiche, que vous validerez en cliquant sur OK.

Ne pas confondre désempiler et aplatir

Dans le menu **Edition**, la commande **Pile** permet de désempiler les images, c'est-à-dire d'afficher de nouveau chacun des éléments d'une pile comme élément unique. Ne la confondez surtout pas avec la

commande **Aplatir**, qui efface toutes les images de la pile, sauf celle située au sommet !

2.21. Afficher les propriétés d'une photo

Un clic droit sur l'une des vignettes ouvre une boîte de dialogue vous permettant d'afficher de nombreuses informations concernant la photo en question.

Quatre onglets, **Général**, **Métadonnées**, **Étiquettes de mots-clés** et **Historique**, permettent d'afficher de très nombreux renseignements.

Figure 2.57 :
Les métadonnées apportent un grand nombre d'informations sur les propriétés de l'image

2.22. Masquer des photos

Même si vous êtes un excellent photographe, certaines de vos images vont s'avérer peu intéressantes. Pour éviter d'encombrer votre catalogue, vous pouvez les masquer très simplement. Sélectionnez-les, puis cliquez sur le menu **Edition/Visibilité/Marquer en tant que masqué**.

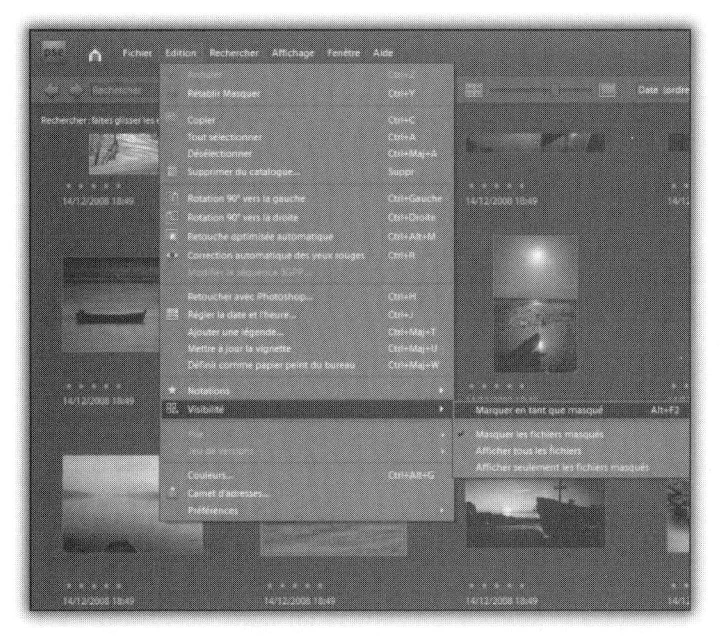

Figure 2.58 : *Vous pouvez masquer certaines images si vous le souhaitez*

Les images sélectionnées disparaissent à l'écran. Bien entendu, les photographies en question ne sont pas effacées du disque dur ou du support, elles sont simplement cachées.

Cliquez sur la commande **Afficher tous les fichiers**, dans le même menu, pour les faire apparaître de nouveau.

2.23. Déplacer des images d'un catalogue

Si des images font partie d'un catalogue et que vous souhaitiez les déplacer, effectuez cette opération depuis Photoshop Elements, et non directement dans l'Explorateur de Windows. Autrement, les images en question apparaîtront comme manquantes. Photoshop Elements cherchera automatiquement à retrouver celles-ci sur votre disque dur, et cela peut être une perte de temps.

Vous pourrez aussi utiliser la commande **Reconnecter**, disponible dans le menu **Fichier**.

Pour déplacer un fichier depuis Photoshop Elements, le plus simple est d'utiliser la fonction **Déplacer**, disponible dans le menu **Fichier**.

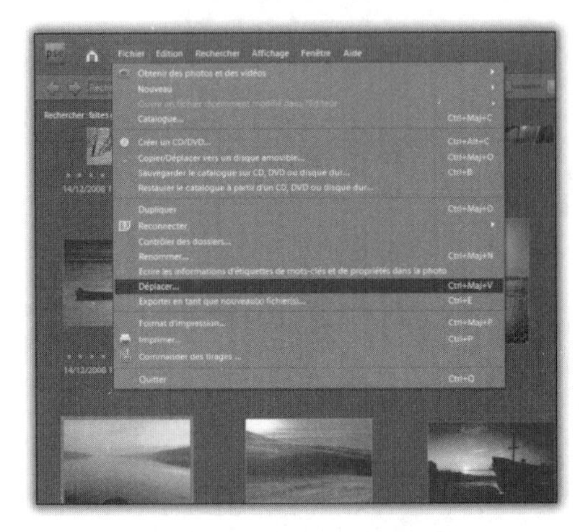

Figure 2.59 :
Il est préférable de gérer le déplacement des fichiers au sein du logiciel, pour éviter les erreurs

Une boîte de dialogue vous propose d'ajouter de nouvelles images si vous le souhaitez, et de définir le nouvel emplacement à utiliser.

Pour l'ajout de photos à la liste, de nombreuses options sont proposées, depuis la possibilité de cocher les images que vous souhaitez déplacer, jusqu'au déplacement d'un catalogue ou d'un album entier.

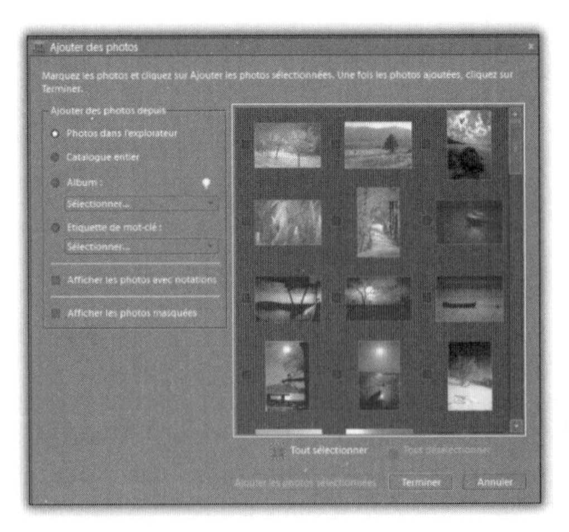

Figure 2.60 :
La gestion de l'ajout d'images est paramétrable, pour que l'action soit optimisée

2.24. Afficher des photos en plein écran

L'Organiseur permet d'afficher les photos sous la forme d'un diaporama, en plein écran. Cliquez sur **Affichage/Afficher les photos en plein écran**.

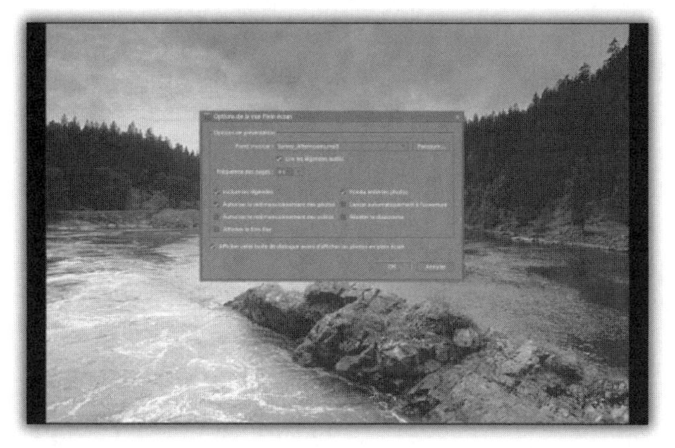

Figure 2.61 : *Le menu permettant de régler l'affichage plein écran*

Une boîte de dialogue vous invite alors à paramétrer le diaporama. Les options sont simples à comprendre, mais relativement complètes. Choix du fond musical, temps de passage de chaque diapo, utilisation d'un effet de fondu entre les images font partie des options proposées.

Pendant le diaporama, une barre de contrôle est disponible, en haut de l'écran, vous permettant d'intervenir sur le défilement des images. Cette barre permet aussi de noter les photos, d'afficher les vignettes des images sur la droite de l'écran. Les commandes sont disponibles si vous souhaitez opérer des corrections automatiques, comme la **Correction les yeux rouges** ou encore la **Retouche optimisée automatique**. Vous pouvez aussi marquer des photos pour l'impression. Celle-ci sera proposée à la fermeture du diaporama.

2.25. Comparer des photos côte à côte

Pour comparer deux images semblables, utilisez la commande **Comparer les photos côte à côte**. Cette fonction est accessible via le menu **Affichage**.

Sélectionnez les deux images dans le catalogue. Les deux images s'affichent sur toute la surface de l'écran, vous permettant ainsi d'opérer un choix plus facilement.

Figure 2.62 : *L'interface permettant de comparer deux images*

Ici encore, une barre de contrôle permet quelques interventions simples sur les images.

2.26. Sauvegarder des catalogues et des photos sur CD ou disque dur externe

Après avoir créé votre catalogue, il faut le sauvegarder sur un CD-Rom pour préserver vos précieuses photos. Cela permet non seulement d'archiver les photos, mais aussi les mots-clés, notations et autres informations enregistrées.

Vous devez évidemment disposer d'un graveur de CD-Rom pour cela, mais tous les ordinateurs en sont aujourd'hui équipés.

1 Ouvrez le catalogue que vous souhaitez sauvegarder.
2 Dans le navigateur de photos, choisissez **Fichier/Sauvegarder le catalogue sur CD, DVD ou disque dur**.

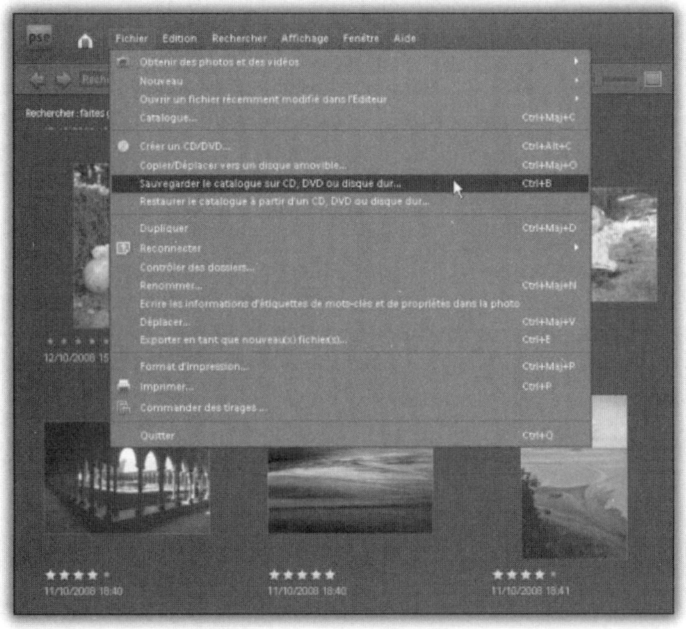

Fichier Edition Rechercher Affichage Fenêtre Aide

Obtenir des photos et des vidéos
Nouveau
Ouvrir un fichier récemment modifié dans l'Editeur
Catalogue... Ctrl+Maj+C
Créer un CD/DVD... Ctrl+Alt+C
Copier/Déplacer vers un disque amovible... Ctrl+Maj+O
Sauvegarder le catalogue sur CD, DVD ou disque dur... Ctrl+B
Restaurer le catalogue à partir d'un CD, DVD ou disque dur...
Dupliquer Ctrl+Maj+D
Reconnecter
Contrôler des dossiers...
Renommer... Ctrl+Maj+N
Ecrire les informations d'étiquettes de mots-clés et de propriétés dans la photo
Déplacer... Ctrl+Maj+V
Exporter en tant que nouveau(x) fichier(s)... Ctrl+E
Format d'impression... Ctrl+Maj+P
Imprimer... Ctrl+P
Commander des tirages...
Quitter Ctrl+Q

Figure 2.63 : *La sauvegarde du catalogue via le menu Fichier/Sauvegarder le catalogue sur CD, DVD ou disque dur*

Certains fichiers manquent peut-être

Une boîte de dialogue peut apparaître pour vous signaler que certains fichiers manquent ou ont été déplacés. Choisissez **Reconnecter** dans la boîte de dialogue pour que le logiciel les retrouve sur votre disque dur ; sinon, ils ne seront pas sauvegardés.

Vérification des fichiers manquants avant sauvegarde

Des fichiers de photo ont été déplacés depuis qu'ils ont été importés dans le catalogue. Photoshop Elements ne les trouvera pas, et ils ne seront pas sauvegardés. Pour vous assurer que tous les fichiers sont correctement localisés, sélectionnez Reconnecter avant de poursuivre la sauvegarde.

Reconnecter Continuer Annuler

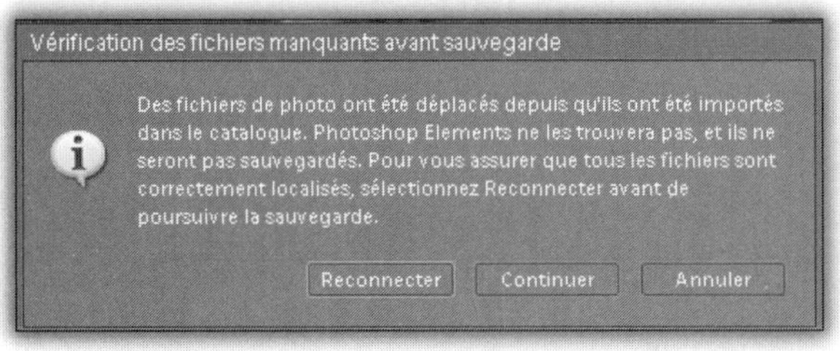

Figure 2.64 : *Si certains fichiers manquent, le logiciel le signale*

3 L'étape suivante consiste à choisir le type de sauvegarde : complète ou incrémentielle. En d'autres termes, soit vous enregistrez la totalité du catalogue, soit vous complétez la sauvegarde d'un catalogue qui a évolué dans le temps, par la modification ou l'adjonction de nouveaux fichiers.

4 Choisissez ensuite sur quel lecteur sera enregistré ou gravé le catalogue. Validez l'opération en cliquant sur le bouton **Terminer**.

Insistons sur l'importance d'effectuer des sauvegardes, dès lors que l'on utilise un ordinateur !

En cas de changement de disque dur ou d'ordinateur, cliquez sur le menu **Fichier**, puis choisissez la commande **Restaurer le catalogue à partir d'un CD, DVD ou disque dur**, pour retrouver l'intégralité de votre travail, c'est-à-dire à la fois les catalogues, mais aussi les images qui les composent.

Chapitre 3

Retoucher des images

Photoshop Elements permet de retoucher les images à l'aide de quatre interfaces différentes. Ce qui les différencie ? Le degré d'intervention possible de l'utilisateur. Selon que vous souhaitez une correction automatique ou manuelle, vous pouvez choisir les outils les mieux adaptés.

Le moyen le plus simple d'accéder à la retouche automatique des images est de cliquer sur le bouton **Retoucher**, accessible depuis l'Organiseur.

Il existe en fait trois niveaux d'utilisation du module **Modifier**, correspondant chacun à un degré de fonction plus ou moins simplifié. On distingue la retouche d'image guidée, rapide ou bien encore standard, accessibles à partir des trois boutons sis sur la droite de l'interface de l'Organiseur. Ces trois options sont accessibles aussi, dès lors que vous avez chargé l'interface **Éditer**, disponible sur l'écran de bienvenue.

Les modules sont disponibles dès l'affichage de l'écran de bienvenue, d'un clic sur le bouton **Éditer**, ou à n'importe quel moment d'un clic sur l'onglet **Modifier** dans la fenêtre de travail principale.

Figure 3.1 :
Les boutons permettant d'accéder aux différentes interfaces

Pour une retouche d'image rapide, vous pouvez aussi intervenir directement dans l'Organiseur.

À chaque module ses outils

Suivant le degré interaction choisi, vous aurez, ou non, accès à certains outils. Certains réglages ne sont pas accessibles dans le module de retouche automatique.

3.1. Effectuer des corrections d'un simple clic depuis l'Organiseur

Si vous découvrez la retouche numérique des images, ou si avez parfois besoin d'intervenir rapidement sur une ou plusieurs images alors que vous êtes en train de travailler sur un album, alors ce module vous rendra de nombreux services. Au lieu de charger l'interface propre à la retouche d'image, cliquez sur l'onglet **Retoucher** pour accéder aux commandes simples et largement automatisées de l'Organiseur.

Figure 3.2 : *L'interface de retouche automatique*

Ce module ne propose que les fonctions de base de la retouche d'image. Pour une utilisation plus poussée et plus précise, préférez l'un des modules accessibles sous l'onglet **Modifier**.

Le premier bouton de la liste s'appelle **Retouche optimisée automatique**. Cette fonction permet de gérer en un seul clic les couleurs, les ombres et les tons clairs de l'image, ainsi que le contraste. Elle est censée corriger les défauts les plus courants d'un cliché : le contraste donc, la luminosité, la balance des couleurs et la saturation. C'est le moyen le plus simple de corriger vos images sans passer par l'interface de correction manuelle.

Traiter plusieurs photos à la fois

L'opération peut être effectuée sur une ou plusieurs photos dès l'instant qu'elles sont sélectionnées dans le navigateur de photos.

Utilisez le bouton **Retouche optimisée automatique** pour effectuer cette correction générale de l'image.

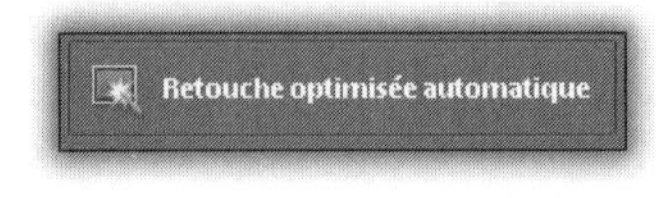

Figure 3.3 :
Le bouton de retouche optimisée automatique

Après un clic sur le bouton **Retouche optimisée automatique**, une boîte de dialogue vous informe du traitement des images.

Figure 3.4 :
La retouche automatique en action

Une fois la correction effectuée, les images sont dotées d'une icône représentant un pinceau sur deux rectangles bleus superposés. Cela indique que plusieurs versions de l'image existent à présent. Une petite flèche, sur le côté droit de l'image, permet d'afficher les différentes versions de celle-ci.

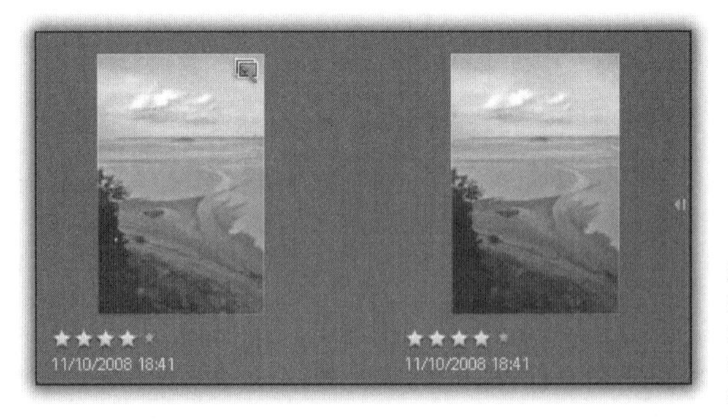

Figure 3.5 :
Une image après correction, les deux versions avant et après sont affichées

Les jeux de versions sont abordés plus loin, dans ce même chapitre.

Une autre fonction règle la couleur, toujours de manière automatique. Un clic sur le bouton **Couleur automatique** suffit. Les problèmes courants de balance des couleurs sont alors corrigés. Photoshop Elements tente ici de neutraliser les dominantes de couleurs présentes dans l'image. La dominante peut provenir d'un mauvais réglage de la balance des blancs, d'un choix peu judicieux d'un réglage prédéfini de couleurs sur l'appareil photo, ou encore de conditions particulières de prise de vue, comme une prise de vue réalisée sur un champ de neige, un jour de beau ciel bleu.

Figure 3.6 :
Le bouton de correction de couleur automatique

La balance des couleurs

Elle est aussi appelée "balance des blancs". Elle corrige des dominantes de couleur qui apparaissent sur certaines photos, par exemple une dominante verte pour des images prises sous une lumière au néon ou une dominante orangée pour des images réalisées avec un éclairage de type tungstène.

Cet ajustement devrait être effectué au moment de la prise de vue par un réglage disponible sur l'appareil photo, mais peut être aussi réalisé, en partie, avec les outils des logiciels de correction comme Photoshop Elements 7.0.

La fonction suivante corrige les problèmes de surexposition ou de sous-exposition, c'est-à-dire les zones trop claires ou trop foncées d'une photo. L'amplitude des tons séparant les blancs des noirs est réajustée. Cette fonction peut aussi avoir une incidence sur les couleurs. Cet outil est accessible d'un clic sur le bouton **Niveaux automatiques**.

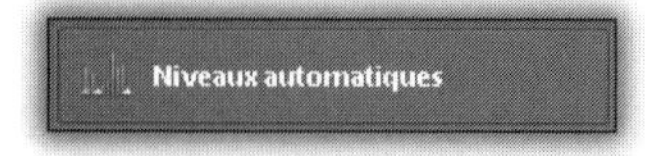

Figure 3.7 :
Le bouton de correction de niveaux automatiques

Vous pouvez aussi régler le contraste de l'image en cliquant sur le bouton **Contraste automatique**. Cette fonction gère un trop fort écart ou, à l'inverse, un trop faible écart entre les zones claires et les zones sombres de l'image, à la manière de l'outil précédent, mais sans incidence sur les couleurs.

Figure 3.8 :
Le bouton de correction de contraste automatique

Le réglage de la netteté d'une image est possible grâce au bouton **Netteté automatique**. La fonction corrige, dans une certaine mesure, un flou dû à un léger défaut de mise au point par exemple. C'est aussi un bon moyen de préparer une photo pour l'impression. C'est en général la dernière opération à effectuer, avant cette opération, qu'il s'agisse d'imprimer avec votre imprimante jet d'encre ou bien de passer par un site de tirage photo en ligne.

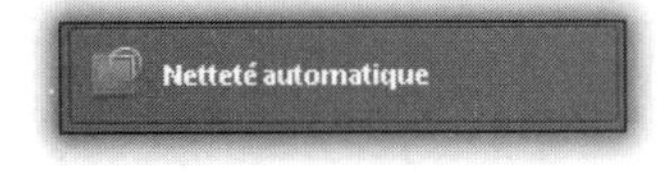

Figure 3.9 :
Le bouton de correction de netteté automatique

Limites de la correction automatique

N'attendez pas l'impossible de ces corrections automatiques. Si le résultat est correct dans certains cas, il faut recourir à une correction manuelle dans d'autres. N'espérez pas non plus rendre nette une photo totalement floue. À l'impossible nul n'est tenu !

3.2. Supprimer l'effet "yeux rouges"

L'outil suivant correspond à un besoin important des utilisateurs d'appareils photo compacts numériques. Il s'agit de la correction des yeux rouges. Cette fonction a déjà pu être utilisée au moment de l'importation des photographies dans un album. Le bouton assurant cette correction s'appelle tout naturellement **Correction auto. des yeux rouges**.

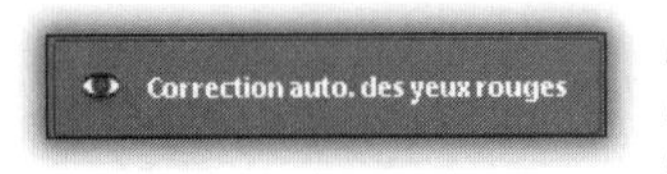

Figure 3.10 :
Le bouton de correction automatique des yeux rouges

Suppression de l'effet "yeux rouges"

Avec l'apparition des appareils photo numériques compacts est née une étrange maladie qui fait ressembler les yeux des personnes photographiées à ceux des lapins albinos. Ce phénomène est dû au fait que les flashs de ces petits appareils photo sont situés pratiquement dans l'axe de l'objectif. La lumière du flash illumine le fond de l'œil des personnes photographiées, faisant ressortir les milliers de vaisseaux sanguins qui tapissent celui-ci. Cette "maladie" peut se soigner à la prise de vue : il suffit de ne pas utiliser le flash, ou alors d'exploiter une

lumière ambiante relativement intense de manière que les pupilles des modèles soient rétractées.

Néanmoins, la correction a posteriori fonctionne de mieux en mieux.

L'interface dédiée à la retouche standard permet de corriger les yeux rouges de manière plus précise.

3.3. Recadrer des images

Le bouton **Recadrer** est la seule fonction de cette suite de commandes qui laisse l'utilisateur agir effectivement, tous les autres boutons déclenchant une action totalement automatisée.

Figure 3.11 : *Le bouton de recadrage*

Un clic sur ce bouton ouvre une boîte de dialogue dans laquelle vous pouvez effectuer un nouveau cadrage à partir de la photo de base. Vous supprimerez ainsi un détail gênant ou créerez tout simplement un format carré à partir d'une image rectangulaire.

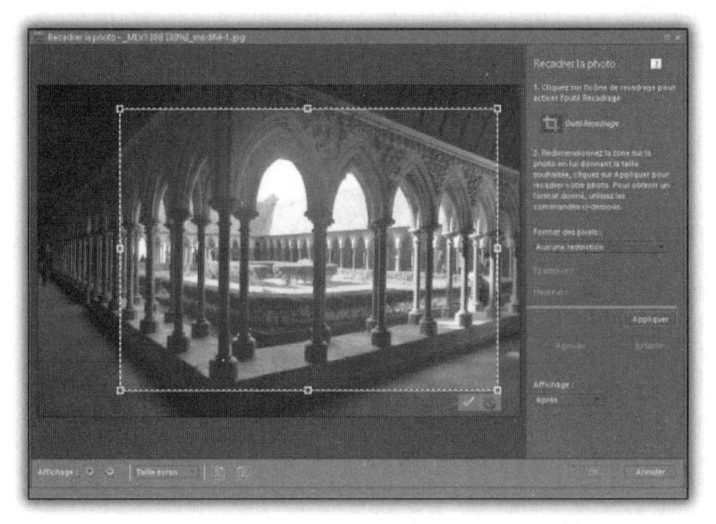

Figure 3.12 : *L'interface de recadrage de l'image en intégralité*

Des poignées permettent de facilement tester le cadrage adéquat. Validez votre choix en cliquant sur l'icône verte en bas et à droite. À l'inverse, l'icône voisine représentant le symbole "interdit" annule la modification.

La liste déroulante *Format des pixels* présente un choix de formats, sous la forme de proportions préétablies. Vous pouvez évidemment préférer un réglage personnel. Le bouton **Appliquer** permet de valider vos choix. Enfin, via la section *Affichage*, choisissez de visualiser l'image *Après* recadrage, *Avant* recadrage ou un affichage mixte présentant l'image *Avant et après* recadrage.

Une dernière correction est accessible en haut de la fenêtre principale ou en bas de la boîte de dialogue permettant le recadrage. Elle provoque la rotation des images dans le sens horaire, soit 90 degrés dans le sens des aiguilles d'une montre, ou antihoraire, soit 90 degrés dans le sens contraire des aiguilles d'une montre.

Figure 3.13 :
Le bouton permettant d'effectuer la rotation des images

Lorsque vous utilisez la fonction de correction automatique, ne vous souciez pas de l'enregistrement des images, Photoshop Elements gère cela pour vous, en utilisant le système des jeux de versions.

Les trois boutons **Retouche rapide**, **Retouche standard** et **Modification guidée** permettent de lancer l'interface de retouche appropriée. Un dernier bouton, **Plus d'options**, permet de lancer Photoshop s'il est installé sur votre ordinateur, ou encore le logiciel que vous souhaitez utiliser. Cela nécessite de remplir la boîte de dialogue des préférences, en indiquant à quel endroit est installé le programme choisi.

Figure 3.14 :
Les options supplémentaires

RENVOI

*Le système de retouche automatisée ne donne pas toujours les résultats escomptés. Il faudra, si vous n'êtes pas satisfait, utiliser les autres modes de retouche, qui sont détaillés dans ce même chapitre et au chapitre **L'interface de correction standard**.*

3.4. Les jeux de versions

Les photos retouchées avec la méthode de correction automatique sont enregistrées sous un jeu de versions, c'est-à-dire que Photoshop Elements 7.0 crée une copie de l'image corrigée, en préservant l'original, à l'instar de logiciels de correction d'image professionnels.

Le jeu de versions est donc une pile qui contient l'image originale ainsi que ses versions retouchées.

La vignette représentant la photo corrigée affiche alors en haut et à droite une icône représentant deux rectangles bleus superposés ainsi qu'un pinceau. La vignette est aussi surlignée par un cadre de couleur grise et une flèche sur la partie droite permet de développer la pile d'images pour pouvoir comparer les différentes versions.

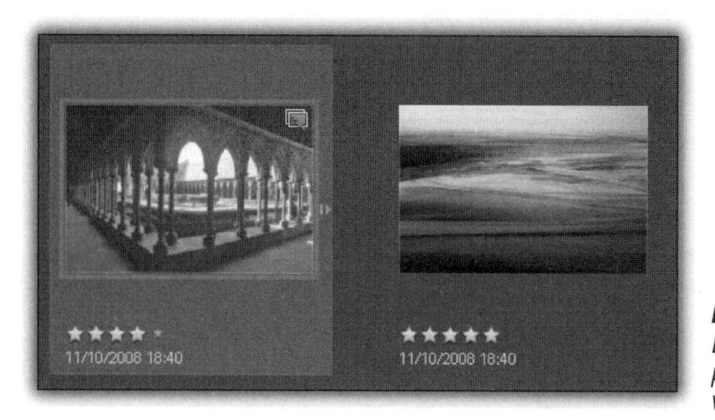

Figure 3.15 : *L'image surlignée présente plusieurs versions*

Si vous développez une pile d'images corrigées, vous vous apercevrez que Photoshop Elements a nommé différemment les différentes versions.

Un clic du bouton droit sur la vignette ouvre un menu contextuel qui donne accès à diverses opérations concernant l'orientation et la retouche d'image, la notation et les étiquettes. En ce qui concerne les jeux de versions, vous disposez d'une icône *Jeu de versions*, visible en haut et à droite sur la vignette, donnant accès à des fonctions pour manipuler tout ou partie d'une pile de photos : **Développer le jeu de versions**, **Réduire les éléments dans le jeu de versions**, **Convertir le jeu de versions en éléments individuels**, **Revenir à la version originale**, **Supprimer le ou les éléments du jeu de versions** et **Définir comme élément supérieur**.

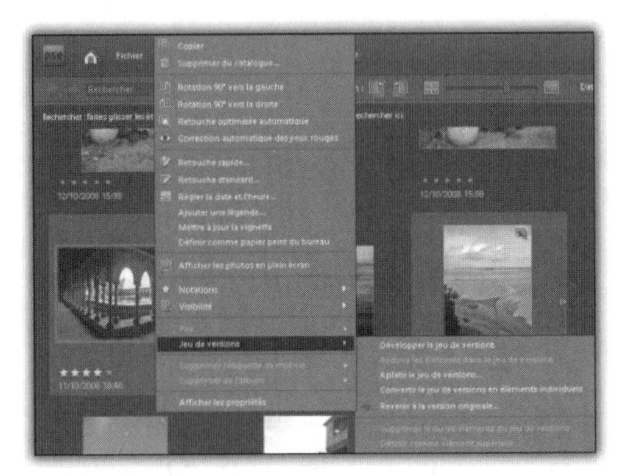

Figure 3.16 :
Le menu permettant d'accéder aux réglages des jeux de versions

Dans les autres modes de retouche, une boîte de dialogue vous demande si l'image corrigée doit être enregistrée en tant que copie de l'image originale ou doit remplacer celle-ci.

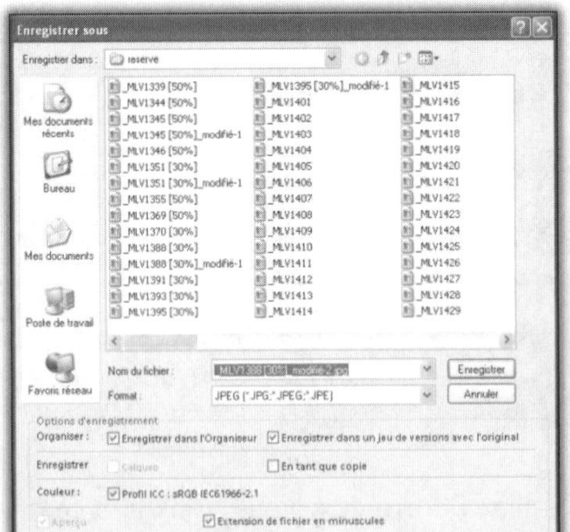

Figure 3.17 :
La fenêtre d'enregistrement des fichiers

Si vous modifiez une image dans un autre mode, la vignette correspondant à celle-ci apparaît avec une information sur un bandeau rouge portant l'inscription "Modification en cours", dans l'Organiseur.

Figure 3.18 :
Le message d'alerte indique que l'image est actuellement utilisée

3.5. L'interface de correction rapide

À partir de l'Organiseur, vous pouvez accéder au module de correction rapide en cliquant sur **Éditeur**, puis en choisissant la commande **Retouche rapide**.

Dans l'interface **Édition**, accessible depuis le menu de bienvenue, le module de correction rapide s'active d'un clic sur le bouton **Rapide**, sous les onglets **Modifier**, **Créer** et **Partager**.

Si vous avez sélectionné une image dans l'Organiseur, et que vous ayez ensuite cliqué sur le bouton **Retouche rapide**, celle-ci s'ouvre automatiquement dans l'interface sélectionnée.

Figure 3.19 :
Le bouton permettant d'accéder à la correction rapide

L'interface qui s'affiche se compose de deux volets. À gauche, figurent quelques outils précédemment utilisés. Sur la droite, un menu propose plusieurs fonctions réglables via des curseurs.

Figure 3.20 : *L'interface de correction rapide*

Sur la gauche de l'interface, vous trouverez des outils connus : **Zoom**, **Main** et **Recadrage**.

Le **Zoom**, dont l'icône représente une loupe, permet d'agrandir l'image à l'écran. Lorsque vous sélectionnez cet outil, vous pouvez cliquer, en haut de l'écran, sur le bouton **Adapter à l'écran**, pour que l'image affichée occupe toute la place disponible, vous permettant d'intervenir de manière plus précise.

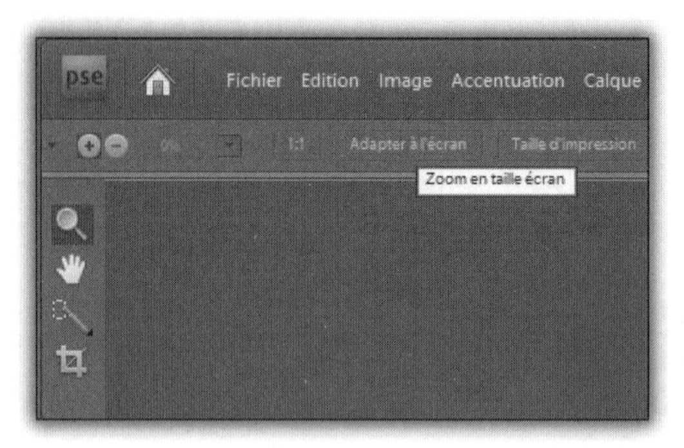

Figure 3.21 : *Des outils rudimentaires puisque la correction est prise en charge de manière automatique par le logiciel*

L'outil **Main** permet de déplacer l'image, si celle-ci est plus grande que la surface d'affichage. Vous pouvez accéder directement, à tout moment, à cet outil bien pratique en appuyant sur la Barre d'espace et en la maintenant enfoncée.

Mais un nouvel outil fait son apparition : la **Sélection rapide**. Celui-ci mérite votre attention dans la mesure où il s'agit d'un outil de sélection de type baguette magique très largement amélioré.

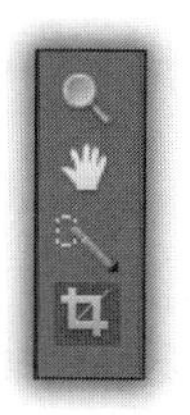

Figure 3.22 : *La barre d'outils rudimentaires*

Grâce à lui, vous pouvez effectuer rapidement et automatiquement une sélection d'après la couleur et la texture lorsque vous cliquez ou faites glisser le curseur sur une zone. L'utilisation de cet outil est très intuitive, ce qui est un avantage indéniable.

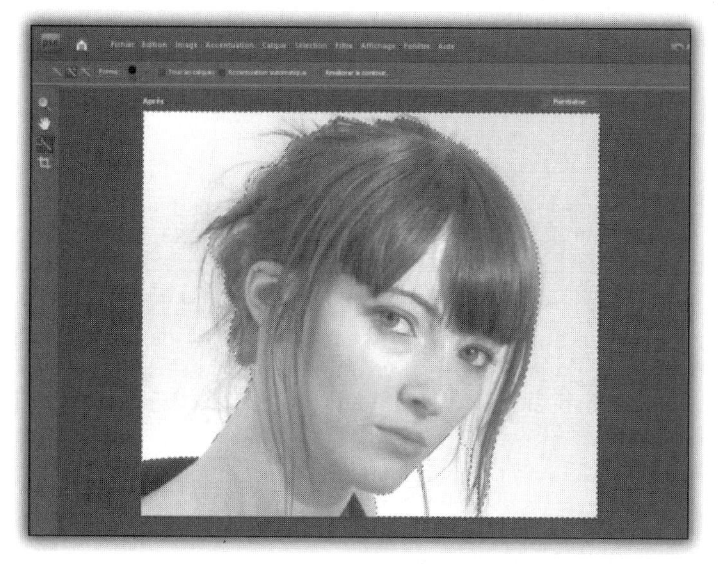

Figure 3.23 : *L'outil de sélection rapide est extrêmement efficace*

3.6. Opérer des sélections instantanément

Avec l'outil **Sélection rapide**, vous allez affiner les réglages à l'aide d'un menu que vous trouverez en haut et à gauche de l'interface qui lui est dédiée.

Figure 3.24 : *La barre d'options permet d'affiner le degré de précision des outils*

Les trois icônes représentant les baguettes permettent successivement de créer une nouvelle sélection, d'ajouter ou de soustraire des éléments à la sélection.

À quoi sert une sélection ?

Via une sélection réalisée à l'aide de l'outil **Lasso**, **Rectangle de sélection**, **Baguette magique** ou encore **Sélection rapide** comme ici, vous êtes en mesure d'intervenir sur une zone tout en protégeant le reste de l'image. Aucun risque alors de déborder avec le pinceau, l'outil ne fonctionne que dans la zone sélectionnée.

Il en est de même si vous utilisez un filtre d'effets spéciaux, la correction des couleurs ou si vous copiez une portion d'image pour faire un montage composite à partir de plusieurs photographies.

À l'écran, la sélection est symbolisée par une série de tirets blancs et noirs, dessinant le pourtour de celle-ci.

Vous pouvez choisir la dimension et l'aspect de la forme de la sélection à travers plusieurs réglages : le *Diamètre*, la *Dureté*, le *Pas*, l'*Angle* et, pour peu que vous disposiez d'une tablette graphique, l'*Épaisseur*, par pression du stylet.

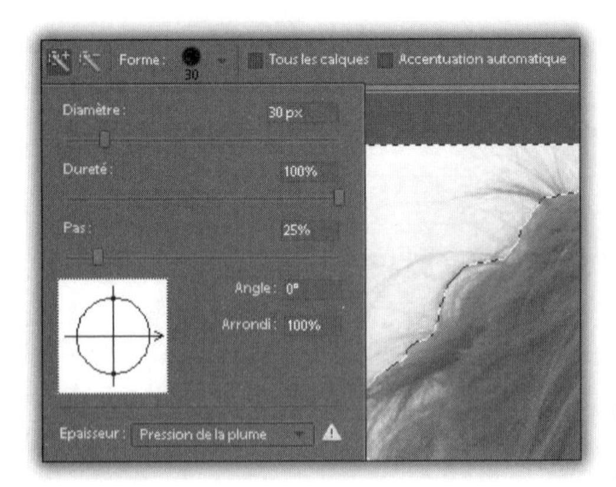

Figure 3.25 : *Tout est réglable, pour encore plus d'efficacité*

Pour effectuer la sélection, vous êtes libre d'utiliser tous les calques en validant la case à cocher *Tous les calques*, si l'image en contient plusieurs évidemment, ou simplement l'un d'entre eux, ce qui est le cas si vous travaillez sur une photo issue de votre appareil de prise de vue.

Vous pouvez aussi accentuer le contour de la sélection en cliquant sur la case *Accentuation automatique*.

Enfin, le bouton **Améliorer le contour** ouvre une boîte de dialogue pour que vous puissiez régler trois curseurs. L'un lisse la sélection, c'est-à-dire diminue les bords dentelés de celle-ci. L'autre ajoute un contour progressif, c'est-à-dire adoucit le contour de la sélection en le rendant progressivement flou. Le dernier curseur contracte/dilate la sélection, c'est-à-dire diminue ou augmente le contour de celle-ci.

Enfin, un clic sur une icône offre la possibilité de visualiser la sélection sous la forme d'un aplat de couleur semi-transparent qui se superpose à l'image.

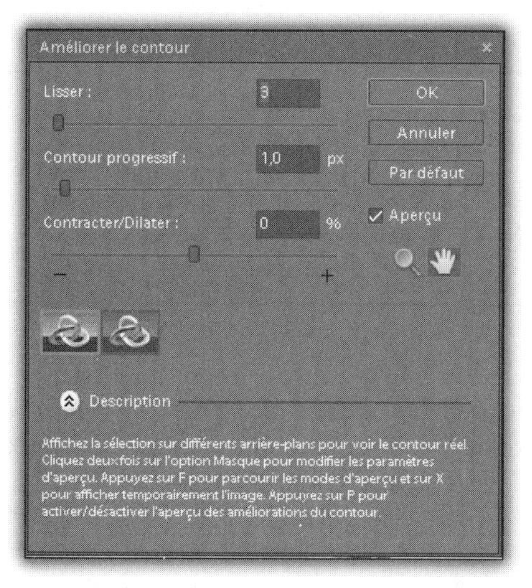

Figure 3.26 :
Cette boîte de dialogue, aux paramètres dignes d'un logiciel professionnel, vous interdira tout échec lorsque vous voudrez faire des sélections

Comme vous le voyez, cet outil très simple propose de nombreux réglages.

Figure 3.27 :
Le simple fait de régler la dimension d'un outil suffit à le rendre plus efficace

En bas de l'écran, deux boutons permettent d'effectuer des rotations, dans le sens des aiguilles d'une montre ou dans le sens anti-horaire.

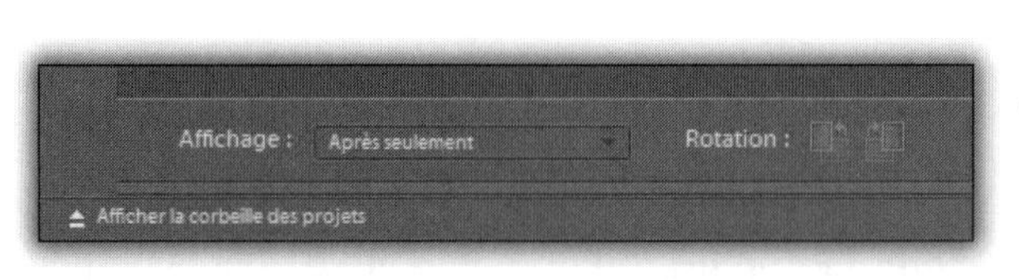

Figure 3.28 : *La corbeille des projets permet l'affichage, sous la forme de vignettes, des images utilisées*

Enfin, un clic sur **Afficher la corbeille des projets** permet de voir, sous la forme de vignettes, quelles images sont actuellement utilisées. Ce même bouton permet de **Masquer la corbeille des projets**.

Sur la droite de l'écran, vous pouvez découvrir les différents outils qui vont vous permettre d'effectuer les corrections.

Sur la droite de l'interface de retouche rapide, vous retrouvez des réglages, dont certains ont déjà été évoqués, sous la forme de cinq sections : *Général*, *Éclairage*, *Couleur*, *Netteté*, et *Retouche*.

Affichage des sections masquées

Des petites flèches sont visibles, à côté de chaque titre de section. La flèche peut pointer vers la droite, ou vers le bas. Si la flèche pointe vers la droite et que vous cliquiez dessus, la boîte de dialogue correspondante s'ouvre. Dans le cas contraire, elle se ferme. La lecture des différents menus est ainsi optimisée.

Si certains outils sont semblables, d'autres offrent tout de même un paramétrage plus précis, puisqu'un système de curseurs permet d'intervenir sur la plupart d'entre eux : correction automatique des yeux rouges, réglage de l'éclairage, de la couleur et de la netteté.

La section *Général* propose la correction déjà abordée dans l'interface disponible dans l'Organiseur, à savoir la retouche optimisée. Ce réglage est proposé ici avec deux options. La première vient sous la forme d'un bouton **Auto**, pour une utilisation strictement identique au réglage proposé dans l'Organiseur. La seconde est un curseur *Gain*, qui permet un réglage progressif. Vous pouvez, en un seul geste, opérer la correction des couleurs, et améliorer des détails des tons clairs et des tons foncés.

Plus le curseur est placé vers la droite, plus l'effet de correction est intense. Après correction, vous validez ou annulez le réglage en cliquant sur le bouton adéquat.

Figure 3.29 :
La retouche automatisée

La section *Éclairage* présente les réglages de niveaux et de contraste. Le réglage des niveaux est identique à celui disponible dans l'interface de l'Organiseur. Il faut utiliser l'interface de retouche standard pour accéder à des réglages manuels avec cet outil.

Le réglage du contraste, lui aussi, est identique à la commande disponible dans l'Organiseur. Cette fonction ressemble à la correction des niveaux, mais son utilisation affecte seulement les niveaux de gris, sans incidence sur les couleurs.

Si vous cliquez sur le bouton **Auto**, le réglage est automatique. Les trois curseurs, *Éclaircir les tons foncés*, c'est-à-dire les niveaux de gris proches du noir, *Obscurcir les tons clairs*, c'est-à-dire les niveaux de gris proches du blanc, et *Contraste de tons moyens*, c'est-à-dire la gamme de gris situés dans les tons moyens de l'image, permettent d'intervenir de manière plus précise, puisque les trois niveaux de gris sont paramétrables séparément.

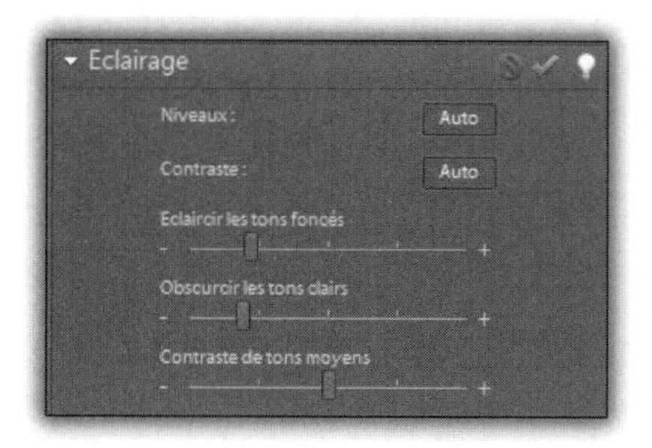

Figure 3.30 :
Les curseurs permettent de régler tout ce qui concerne la lumière et les tons de la photo

ASTUCE

Vous avez droit à l'erreur !

Les flèches bleues, **Annuler** et **Rétablir**, permettent de revenir, ou d'avancer, dans les étapes. Vous pouvez aussi cliquer sur le menu **Edition**, puis sur la commande **Annuler** ou **Rétablir**. Enfin, l'appui sur la touche Ctrl+Z a la même incidence.

Dans la section *Couleur*, un bouton **Auto** permet ici encore un réglage automatique, comparable à celui disponible dans l'interface de l'Organiseur. Trois curseurs permettent d'intervenir respectivement sur la saturation, la teinte, la température, ainsi que le ton de l'image.

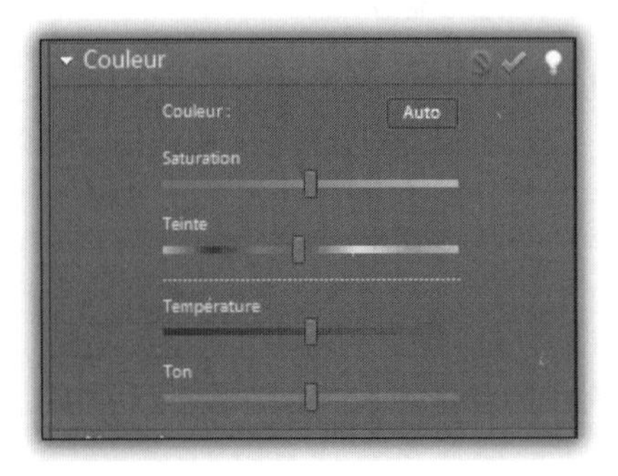

Figure 3.31 :
Les curseurs permettant le réglage de la couleur

Le curseur *Saturation* règle l'intensité des couleurs. Quand vous poussez le curseur vers la droite, la couleur devient plus vive ; si vous le poussez vers la gauche, l'image semble être en noir et blanc.

Le curseur *Teinte* change la couleur d'une partie de l'image que vous avez sélectionnée, ou la tonalité générale de l'image.

Le curseur *Température* corrige une erreur de réglage de la balance des blancs au moment de la prise de vue par exemple. La tonalité générale de l'image, suivant la position du curseur, va d'une dominante bleutée à une tonalité générale orangée.

Enfin, le curseur *Ton* agit de façon similaire sur l'image, mais en allant d'une tonalité magenta à une tonalité verte.

La section *Netteté* offre bien évidemment un bouton de réglage **Auto**, ainsi qu'un curseur, pour un réglage précis. Pour utiliser cette fonction de manière optimale, il est conseillé d'afficher l'image à 100 % de sa taille. Pour cela, utilisez l'outil **Loupe**. En effet, c'est le seul moyen de voir quelles modifications vont être apportées.

La plupart des images issues d'un appareil photo nécessitent une accentuation avant leur impression. Mais un mauvais réglage peut être désastreux. Utilisez cette fonctionnalité avec minutie. Une accentuation trop forte peut faire ressembler votre photo à une vieille peinture craquelée !

Figure 3.32 :
Le réglage de la netteté dans l'interface de retouche guidée

La dernière section disponible dans l'interface de correction rapide est *Retouche*. Elle propose quatre outils : **Retouche des yeux rouges**, **Blanchit les dents**, **Transforme un ciel gris en ciel bleu** et **Filtre rouge contraste élevé**. Point de curseur cette fois, mais quatre icône permettant d'intervenir sur l'image.

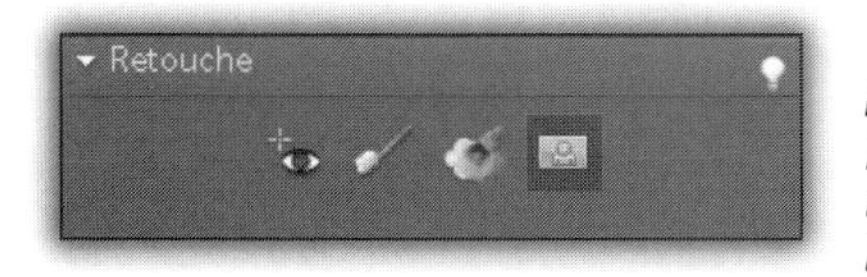

Figure 3.33 :
La nouvelle palette d'outils de correction rapide, exclusivité de Photoshop Elements 7

L'outil **Retouche des yeux rouges** a le même effet que l'outil disponible dans l'interface d'édition standard, sauf que les corrections se font ici en un seul clic. L'outil fonctionne bien si la couleur des yeux est effectivement rouge. Si certaines parties de l'iris présentent une autre dominante, utilisez l'outil de correction disponible dans l'interface d'édition standard.

L'outil **Blanchit les dents** fonctionne de la même manière. Le fait d'opérer une sélection applique automatiquement la correction.

L'outil **Transforme un ciel gris en ciel bleu** permet de transformer un ciel gris en une zone affichant une dominante bleue, pour lui donner un aspect plus agréable. Vous pouvez utiliser les fonctions disponibles dans la barre d'options pour modifier la zone si besoin, notamment le bouton **Ajouter à la sélection** ou **Retirer de la sélection**.

Figure 3.34 :
Ici encore, un réglage de l'outil est possible

Quant au dernier outil, appelé **Filtre rouge contraste élevé**, au-delà de la simple conversion en noir et blanc, il permet notamment de créer une image dans laquelle vous ne voulez conserver qu'une seule couleur, en sélectionnant l'intégralité de l'image, sauf les éléments de couleur rouge par exemple.

Tous ces outils sont appliqués au pinceau, de la même manière que vous choisissez un pinceau pour la **Forme de sélection**. Exploitez les réglages disponibles dans la barre d'options pour régler l'outil de manière optimale.

Pour comparer l'image avant et après correction, cliquez sur le bouton **Affichage**, en bas et à gauche de l'interface, et choisissez l'une des options : **Avant et après – Horizontal** ou **Avant et après – Vertical**.

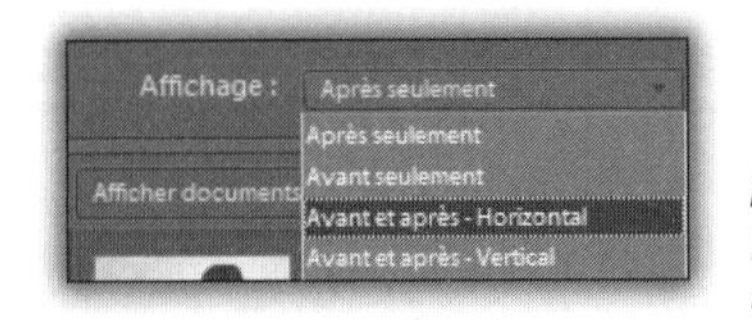

Figure 3.35 :
Le menu permettant l'affichage des photos avant et après correction

*Reportez-vous au chapitre **L'interface de correction standard** pour prendre connaissance des différentes manières d'affiner les sélections, pour un résultat plus précis.*

Pour conserver les changements opérés sur l'image, n'oubliez pas de sauvegarder celle-ci, car Photoshop Elements ne le fait pas automatiquement.

3.7. L'interface de correction guidée

Le module de correction guidée comprend sept grandes familles d'outils : **Modifications de base apportées à la photo**, **Éclairage et exposition**, **Correction colorimétrique**, **Activités guidées**, **Photomerge**,

Scripts automatisés et **Effets photographiques**, donnant accès à des commandes détaillées ici.

Chaque outil est associé à une interface spécifique, ce qui fait de ce module le système le plus simple à utiliser de Photoshop Elements 7.0.

En effet, les techniques à mettre en œuvre sont toujours décomposées en instructions à suivre. C'est un module qui peut convenir parfaitement aux personnes qui débutent, ainsi qu'à ceux qui souhaitent être guidés avant de passer à l'interface de retouche standard, plus complète, mais aussi un peu plus sophistiquée.

Vous pouvez accéder à l'interface de retouche guidée à partir de l'Organiseur, en cliquant sur le menu **Éditeur/Correction guidée**.

Figure 3.36 :
Le bouton permettant d'accéder aux interfaces de correction

Vous pouvez aussi, à partir de l'éditeur, cliquer sur le bouton **Guidée**.

Figure 3.37 :
Le bouton permettant l'accès à la retouche guidée

Une fois l'interface de retouche guidée affichée, vous trouvez, sur la gauche, seulement deux icônes : celle de l'outil **Loupe**, ainsi que celle de l'outil **Main**, permettant de se déplacer dans l'image affichée. C'est peu, et cela montre bien que cette interface n'est pas destinée à l'utilisateur qui souhaite prendre des initiatives !

Cependant, l'interface de retouche guidée permet d'effectuer la plupart des corrections qu'un utilisateur a besoin d'opérer lorsqu'il s'agit de retoucher et de corriger une photographie.

Sur la droite, un court texte vous explique l'utilisation des outils disponibles. Plusieurs fonctions permettent d'accéder à des commandes spécifiques. En règle générale, vous avez simplement à déplacer un ou plusieurs curseurs vers la droite ou vers la gauche, pour effectuer les transformations.

Il vous suffit, ensuite, pour finaliser une correction, de cliquer sur le bouton **Terminer**. Si les modifications ne vous conviennent pas, vous pouvez choisir d'annuler celles-ci, en cliquant sur le bouton du même nom.

Avant de finaliser une opération, vous avez l'opportunité de cliquer sur le bouton situé à droite et en bas de l'interface, nommé par défaut **Après seulement**. Un clic sur ce dernier affiche l'option **Avant et après – Horizontal**. Ainsi, vous pouvez comparer l'image avant et après correction, sur le même écran, puisque les images sont affichées côte à côte. Un clic supplémentaire sur le même bouton permet l'affichage vertical.

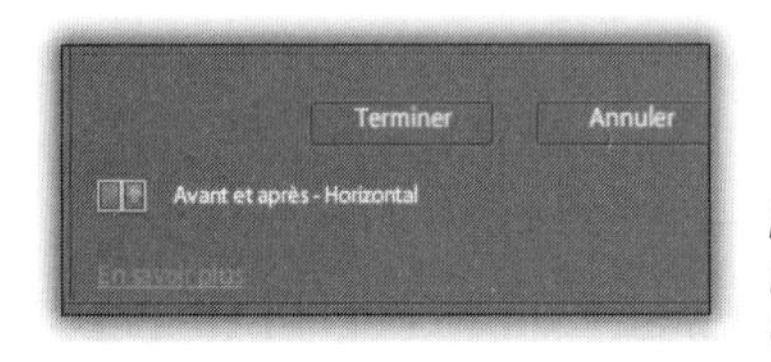

Figure 3.38 :
L'affichage des images avant et après, une option de plus

Pour utiliser de nouveau l'image dans l'Organiseur, enregistrez-la. Sinon, un bandeau rouge, portant l'inscription "Modification en cours" et arborant une icône en forme de cadenas, sera visible, vous informant que l'image en question est utilisée dans l'éditeur.

Figure 3.39 :
Ici aussi, si la photo est en cours de modification, c'est indiqué

3.8. Opérer des modifications de base sur les photos

La première interface proposée permet de **Recadrer la photo**, de **Faire pivoter et/ou redresser la photo** et de **Régler la netteté**.

*Reportez-vous à la section **Effectuer des corrections d'un simple clic depuis l'Organiseur** dans ce même chapitre. Tous les modules disponibles dans l'interface de retouche guidée permettent une correction automatique, équivalente aux réglages automatiques disponibles dans l'interface de correction de l'Organiseur.*

Faire pivoter et/ou de redresser la photo est la deuxième fonction proposée. Un clic sur cet outil affiche l'espace de travail du module choisi.

Les fonctions sont divisées en deux parties. La première, *Rotation et/ou redressement*, fait pivoter une photo dans le sens horaire ou antihoraire. Cliquez simplement sur l'une ou l'autre des deux icônes.

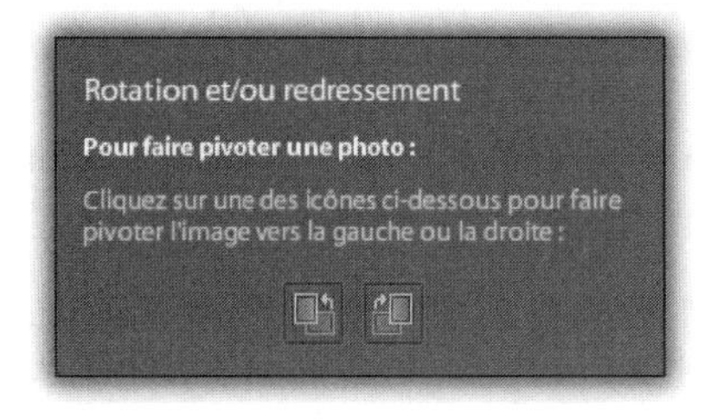

Figure 3.40 :
Les options de rotation

La seconde fonction redresse une image selon un axe précis que vous dessinerez à l'aide de la souris.

Un bouton d'option permet de conserver la taille de l'image, en acceptant que celle-ci laisse apparaître des zones vides – la zone de travail est alors adaptée à l'image entière – ou de conserver la taille de la zone de travail (voir Figure 3.41).

Quelle que soit la méthode choisie, il faudra certainement recadrer l'image car elle laissera apparaître des zones vides (voir Figure 3.42).

Pour redresser une photo :
Cliquez sur l'outil Redressement ci-dessous, puis tracez une ligne sur votre photo. L'image va pivoter en respectant l'angle de la ligne.
Outil Redressement
Pendant le pivotement ou le redressement :
Conserver la taille de l'image
Recadre la zone de travail pour l'adapter à l'image entière.
Conserver la taille de la zone de travail
Recadre l'image pour l'adapter à la zone de travail.
Rétablir

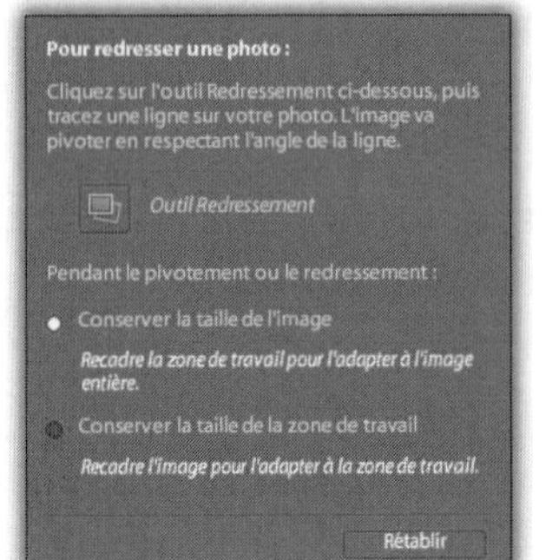

Figure 3.41 :
La boîte de dialogue permettant de préciser votre intention

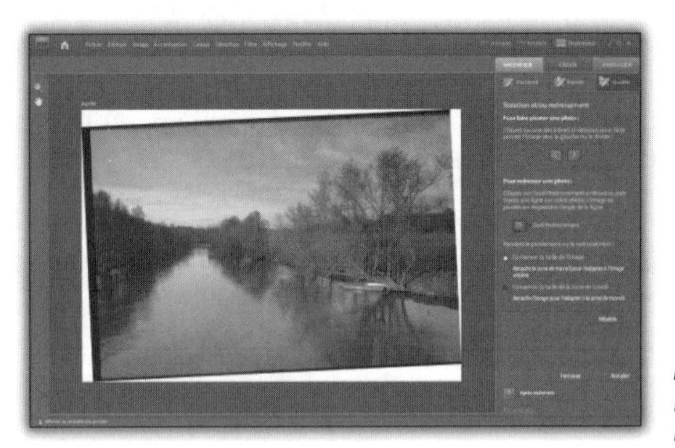

Figure 3.42 :
La vue globale de l'interface

La dernière fonction disponible règle la netteté. Elle est accessible d'un clic sur la commande du même nom.

Cette opération s'appelle parfois "accentuation". Elle consiste à augmenter la clarté et la précision de l'image. L'outil accentue les contours flous d'une photo.

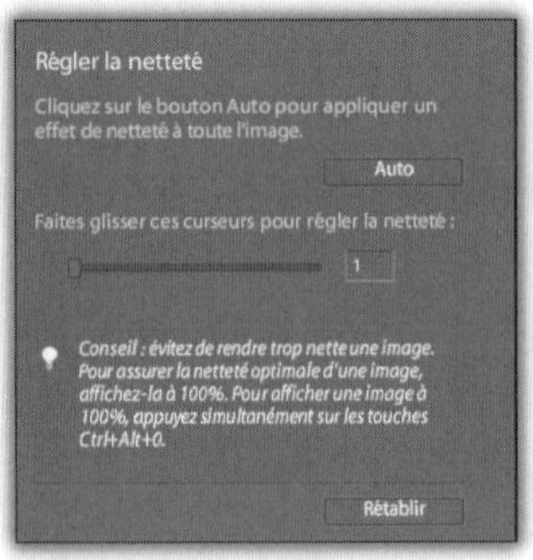

Régler la netteté
Cliquez sur le bouton Auto pour appliquer un effet de netteté à toute l'image.
Auto
Faites glisser ces curseurs pour régler la netteté :
1
Conseil : évitez de rendre trop nette une image. Pour assurer la netteté optimale d'une image, affichez-la à 100%. Pour afficher une image à 100%, appuyez simultanément sur les touches Ctrl+Alt+0.
Rétablir

Figure 3.43 :
Réglage de la netteté

Cela dit, utilisez cette fonction avec parcimonie car un réglage trop appuyé augmente le risque de rendre l'image très granuleuse. Cependant, bien géré, ce réglage donne des tirages sur papier de bien meilleure qualité.

Afficher l'image à 100 %

Pour surveiller avec un maximum de précision les effets de l'outil de réglage de netteté, il est fortement recommandé d'utiliser la loupe et d'afficher l'image à 100 %. C'est seulement de cette manière que vous visualiserez les effets de cette fonction, parfois dévastatrice.

Le bouton **Auto** fonctionne correctement, mais vous obtiendrez évidemment un réglage beaucoup plus subtil en jouant sur les valeurs du curseur. Sur la capture d'écran, l'effet est volontairement très prononcé pour être visible à l'impression.

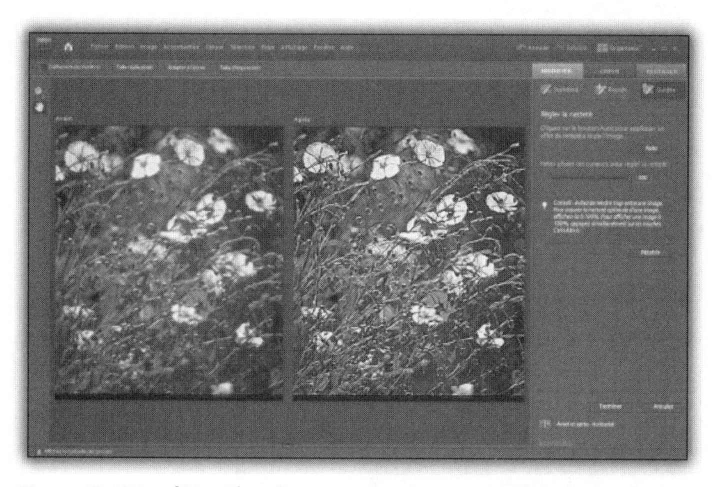

Figure 3.44 : *Attention à ne pas trop pousser les curseurs sous peine de dénaturer totalement l'image*

3.9. L'éclairage et l'exposition

Le menu **Éclairage et exposition** propose trois fonctions : **Éclaircir ou obscurcir**, **Luminosité et contraste** et **Régler les niveaux**.

La commande **Éclaircir et obscurcir** améliore les tons foncés et les tons clairs ainsi que le contraste de l'image. Lorsque vous l'activez, l'interface qui s'affiche permet d'éclaircir ou d'assombrir une photo.

Ici encore, vous pouvez opter pour un réglage automatique ou manuel. Bien entendu, c'est ce dernier qui laisse la plus grande latitude, au prix de quelques essais. Vous passerez donc un peu plus de temps à la correction de votre photo.

Trois curseurs sont à votre disposition pour corriger l'aspect général de l'image : *Éclaircir les tons foncés*, qui modifie uniquement les zones foncées, *Obscurcir les tons clairs*, qui modifie uniquement les zones claires, et *Contraste des tons moyens*, qui modifie uniquement les zones moyennement lumineuses.

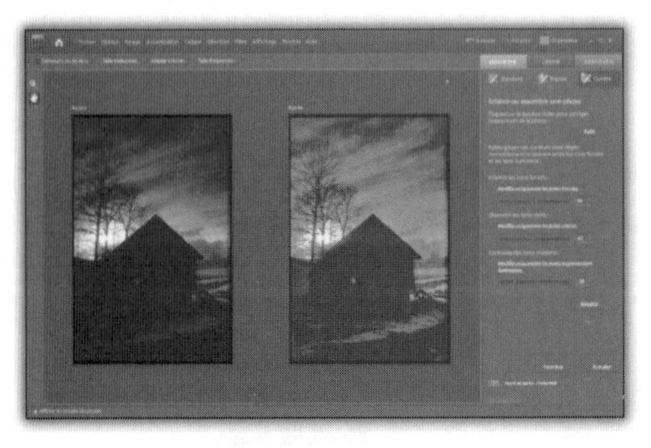

Figure 3.45 :
Le réglage de l'exposition

Les deux curseurs disponibles via le menu **Luminosité** et **contraste** règlent la luminosité et le contraste : dans un premier temps, les zones sombres de l'image sont éclaircies, et, dans un second temps, l'écart entre les zones claires et sombres est ajusté.

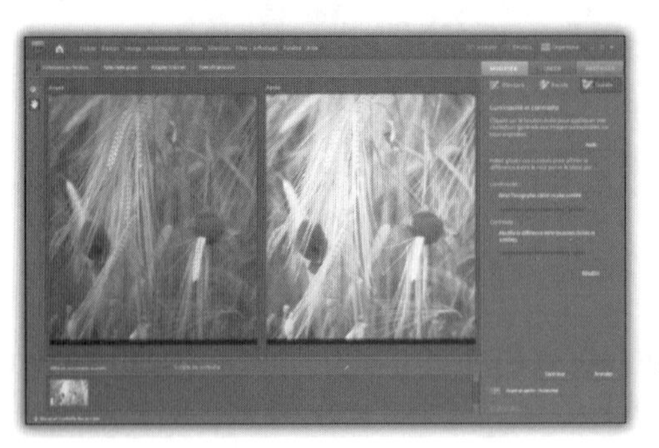

Figure 3.46 :
Le réglage de la luminosité et du contraste

Là encore, vos réglages seront plus fins si vous utilisez les fonctions de luminosité et de contraste manuellement.

3.10. La correction colorimétrique

Ce module de retouche permet d'améliorer de façon générale les couleurs, de supprimer une dominante et de corriger le teint de la peau à travers trois interfaces : **Améliorer les couleurs**, **Supprimer une dominante de couleur** et **Corriger la coloration de peau**.

Via le menu de retouche guidée **Améliorer la couleur**, vous pouvez corriger la teinte, c'est-à-dire la couleur, ainsi que la saturation, c'est-à-dire l'intensité des couleurs et la luminosité générale de l'image.

Cette correction se présente sous la forme de trois curseurs : *Teinte*, *Saturation* et *Luminosité*.

Figure 3.47 : *Le réglage permettant d'améliorer les couleurs*

Le curseur vous laisse gérer manuellement ces trois valeurs. Un bouton **Auto** corrige rapidement l'image. Le bouton **Rétablir** rétablit l'image dans son état d'origine.

Un clic sur le menu **Supprimer une dominante de couleur** donne accès à un réglage sous la forme d'une icône représentant une pipette.

Figure 3.48 : *La pipette permet de prélever une couleur dans l'image*

Votre curseur prend alors la forme d'une pipette. Ensuite, repérez dans votre image une zone qui devrait être neutre (blanche, grise ou noire), pour corriger la balance des blancs.

Corriger ou appliquer une dominante de couleur

Si ces outils corrigent bien évidemment une dominante de couleur, vous pouvez aussi détourner leur utilisation pour appliquer volontairement une dominante spécifique telle qu'une coloration sépia, bleue ou orangée suivant votre inspiration.

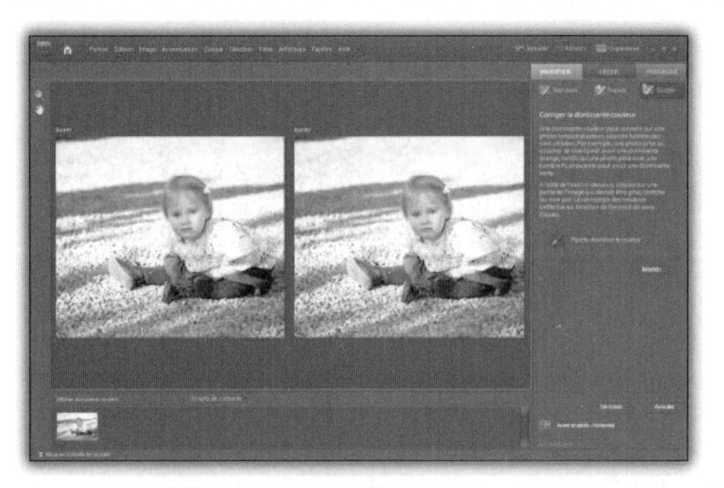

Figure 3.49 : *Difficile de voir la différence dans un ouvrage en noir et blanc, mais ça marche !*

3.11. Obtenir des tons chair réalistes

Le bouton **Corriger la coloration de peau** donne accès à un réglage accessible en deux temps. D'abord, vous pouvez régler la coloration de la peau en cliquant sur l'icône représentant une pipette. Vous avez alors la possibilité de corriger la dominante de couleur d'un visage. Le réglage sera différent suivant l'endroit du visage sur lequel vous allez cliquer. Plusieurs essais seront peut-être nécessaires.

Vous pouvez ensuite affiner ce réglage de base à l'aide de trois curseurs, pour rehausser le hâle d'une personne un peu pâle, corriger un excès de rougeur ou la couleur dominante de l'image.

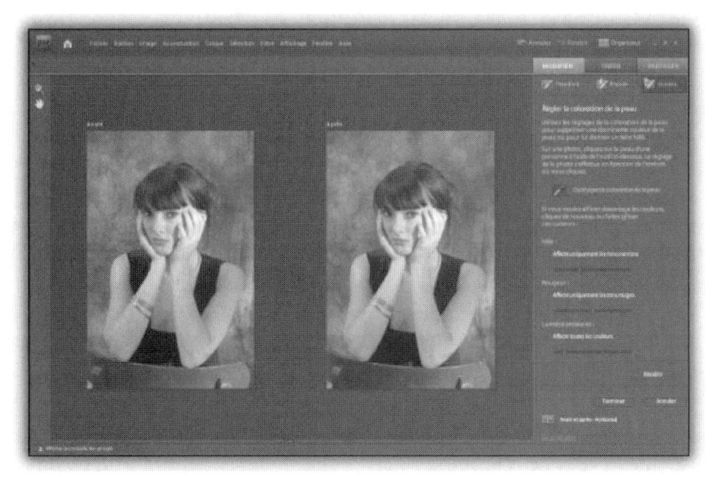

Figure 3.50 : *Si vous avez envie de donner un teint halé à votre modèle, c'est possible*

Le menu **Activités guidées** donne accès à trois fonctions : **Retoucher des rayures, imperfections ou déchirures**, **Guide sur la modification de photos** et **Corriger la distorsion en trapèze**. Ce dernier vous guide pas à pas dans les opérations les plus simples et les plus courantes sur des images directement issues de votre carte mémoire par exemple.

La première fonction, **Retoucher des rayures, imperfections ou déchirures**, utilise deux outils : le **Correcteur de tons directs** et le **Correcteur**.

Pour utiliser le **Correcteur de tons directs**, cliquez sur l'icône représentant un petit pansement auquel s'ajoute une zone de sélection.

Figure 3.51 : *L'outil de correction de tons directs est très efficace, lui aussi*

Un curseur permet de choisir la dimension du **Correcteur**, suivant l'importance de la zone à modifier. Ensuite, cliquez sur la partie à corriger.

Vous avez le droit à l'erreur !

Un énorme avantage de la retouche d'image numérique est que vous avez droit à l'erreur. N'hésitez pas à effectuer des tests, quitte à faire des erreurs, elles sont formatrices ! Conservez toujours votre image originale à l'abri en travaillant sur des copies. Usez et abusez du bouton d'annulation, disponible via le menu **Edition/Annuler**. Le raccourci clavier est Ctrl+Z. Cette commande vous permet de revenir plusieurs étapes en arrière.

Gérer facilement la taille des outils

L'efficacité de certains outils est en liaison directe avec la dimension de ceux-ci. Vous pouvez bien entendu utiliser la barre d'options pour modifier la taille des outils. L'inconvénient de cette méthode : vous ne voyez pas à quoi correspond la modification, jusqu'à ce que vous ayez à nouveau placé le curseur sur l'image.

Une méthode pratique pour visualiser en temps réel la dimension d'un outil est d'utiliser la touche * (deuxième touche à gauche de la touche M de votre clavier). À chaque fois que vous cliquez sur cette touche, vous augmentez la dimension de l'outil choisi. Si vous pressez en même temps la touche Maj, vous diminuez la dimension de l'outil.

3.12. Supprimer facilement des éléments indésirables

Grâce au **Correcteur**, vous pouvez dupliquer une partie de l'image pour peindre avec celle-ci. Cet outil sert par exemple à effacer des détails gênants.

Pour utiliser le **Correcteur**, il faut tout d'abord mémoriser une partie de l'image. En ce sens, placez le curseur sur la zone à dupliquer, puis appuyez et maintenez enfoncée la touche Alt. Le curseur prend la forme d'une cible.

Placez le curseur sur la zone à dupliquer et cliquez. La zone est à présent numérisée et vous pouvez dessiner avec cette zone mémorisée. Cliquez autant de fois que nécessaire jusqu'à ce que la rayure ou la zone à supprimer disparaisse.

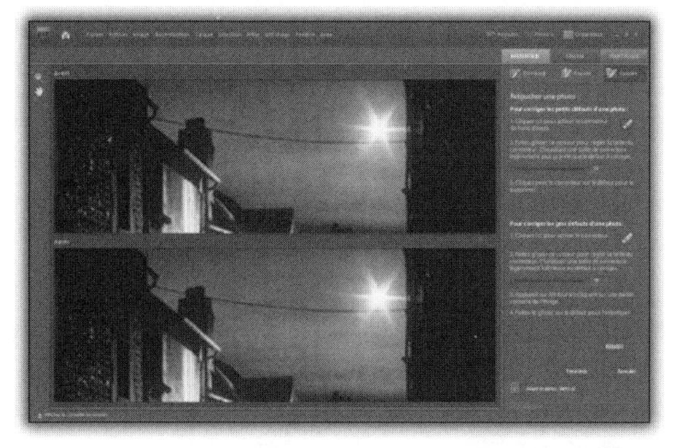

Figure 3.52 : *cet outil permet de gommer de nombreuses imperfections, comme des poussières*

Le **Guide sur la modification de photos** reprend les outils déjà évoqués dans ce chapitre, selon une suite logique. Il vous accompagne pas à pas, depuis les images copiées à partir de votre carte mémoire vers une version finalisée de celles-ci.

Sont utilisés successivement le **Recadrage**, **Éclaircir ou assombrir une photo** (tons foncés, tons moyens et tons clairs), **Retoucher une photo** (le **Correcteur de tons directs** et le **Correcteur**) ainsi que **Régler la netteté**.

La fonction **Corriger la distorsion en trapèze** corrige les effets de distorsion correspondant aux déformations de l'objectif. Ces défauts apparaissent notamment lorsque vous photographiez un monument ou un immeuble, situé plus haut que vous. Les effets de perspectives horizontale et verticale déforment les objets.

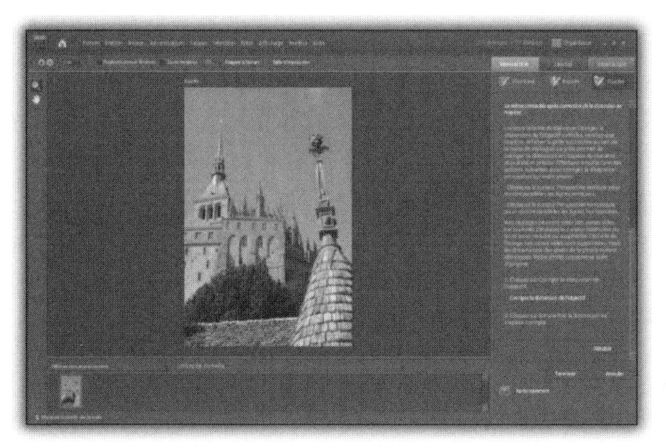

Figure 3.53 : *Des outils disponibles jusqu'ici sur des logiciels professionnels bien plus onéreux*

Pour accéder à l'interface qui permet ces corrections, cliquez sur le bouton **Corriger la distorsion de l'objectif**.

Un menu vous permet de corriger les effets de déformation en coussinet ou en barillet. Le vignettage peut être corrigé pareillement, à l'aide de deux curseurs. Vous pouvez ainsi corriger les coins de la photographie, qui sont parfois plus foncés que le reste de l'image.

La seconde partie de l'interface offre la possibilité de corriger les effets de perspective horizontale et verticale.

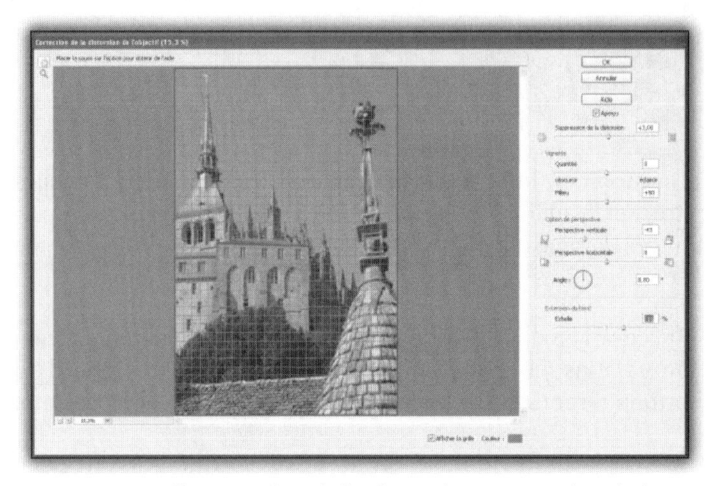

Figure 3.54 : Suppression de la distorsion, correction de la perspective, des outils de précision à la portée de tous

Enfin, l'option *Extension des bords* permet de zoomer dans l'image pour supprimer les bords blancs apparus au moment du recadrage.

Après avoir validé vos corrections en cliquant sur le bouton OK, admirez le résultat en affichant l'image avant et après correction.

3.13. La technologie Photomerge

Le menu **Photomerge** donne accès à trois outils : **Prise de vue de groupe**, **Visages** et **Nettoyage de scène**.

Ce volet de l'interface de retouche guidée mérite toute votre attention. Il vous est certainement arrivé de prendre des photos d'un groupe de personnes, lors de réunions familiales par exemple. Or, il est rare d'obtenir une image sur laquelle tous les participants sont à leur avantage. Il y a toujours un enfant agité qui n'a pas écouté vos consignes, un étourdi qui tourne la tête, un autre ferme les yeux alors que son voisin vous fait une grimace ! Vous recommencez votre prise de vue, mais c'est au tour d'un tonton facétieux de jouer les élèves dissipés ! Pas moyen d'obtenir une image dans laquelle tout le monde est à son avantage.

Heureusement, Photoshop Elements 7.0 est là pour vous secourir et vous aider à obtenir LA photo parfaite !

L'interface **Prise de vue de groupe** propose deux outils : le **Crayon** et la **Gomme**.

Sur l'image de droite, le grand-père regarde amoureusement son épouse, mais tourne malheureusement la tête. Sur la photo de gauche, le grand-père est attentif, mais l'une de ses petites-filles, fatiguée de poser, a perdu son beau sourire.

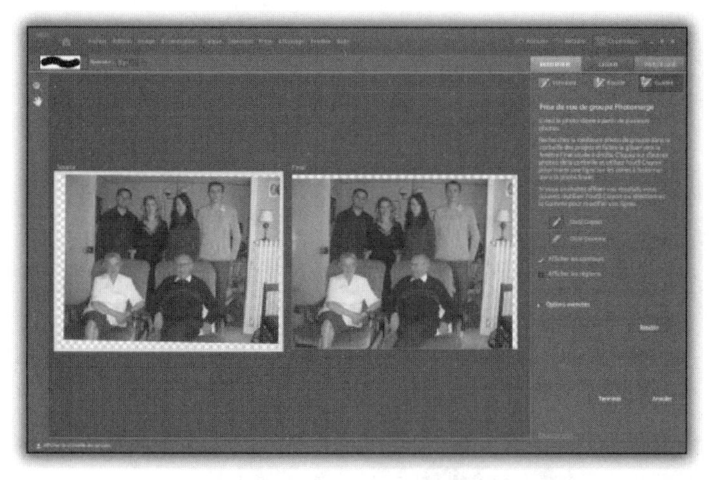

Figure 3.55 : *La fonction Photomerge est particulièrement spectaculaire, faites apparaître ou disparaître des personnages en un clic de souris*

C'est ici que l'utilisation de la fonction **Prise de vue de groupe** intervient.

Pour utiliser cette fonction, il faut sélectionner plusieurs photos dans l'Organiseur. Deux suffisent, mais vous pouvez en choisir plus si besoin. Vérifiez que la corbeille des projets est ouverte, en bas de l'écran : les vignettes des photos que vous allez utiliser doivent être visibles.

Naturellement, la fonction **Prise de vue de groupe** ne peut être utilisée si vous sélectionnez une seule image.

1. Placez à droite, dans la fenêtre finale, la photo la plus aboutie à partir de votre corbeille d'images.
2. Dans la fenêtre de gauche, placez successivement la ou les photos qui serviront à fabriquer la photo finale. Pour cela, cliquez sur l'une des vignettes disponibles dans la corbeille, et en maintenant enfoncé le bouton de la souris, déplacez l'image vers le cadre vide prévu à cet effet au centre de l'écran.
3. Utilisez l'outil **Crayon** pour surligner la ou les zones à fusionner dans l'image finale. Un trait simple suffit. Cette zone est alors copiée et collée avec un effet de fusion dans l'image finale. Magique ! Les cases à cocher *Afficher les contours* et *Afficher les régions* offrent un meilleur contrôle des opérations.
4. Avec l'outil **Gomme**, corrigez une zone que vous auriez placée par erreur.

La photo finale est parfaite ! Nul besoin d'utiliser des outils sophistiqués de sélection de zones, le montage est invisible.

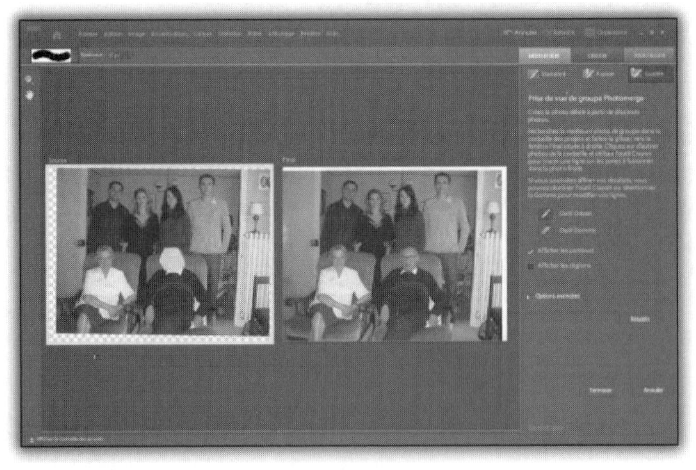

Figure 3.56 : *Il suffit de surligner l'endroit que vous voulez corriger, c'est tout, le logiciel se charge du reste*

Si le montage ne fonctionne pas parfaitement, cela dépend, en fait, des photos que vous voulez retoucher. Vous pourrez toujours faire appel aux options avancées de cet outil, en cliquant sur le bouton ad hoc.

Vous pouvez alors utiliser l'outil **Alignement**, qui permet de placer des marqueurs sur les images, pour opérer une meilleure juxtaposition des différents éléments, et rapprocher ainsi plus précisément les zones similaires.

Figure 3.57 :
Pour des cas un peu compliqué, un outil permet d'orienter le logiciel pour lui indiquer ce qu'il doit faire

Ensuite, cliquez sur le bouton **Aligner les photos** pour opérer la transformation. C'est cet outil qui permet d'utiliser la fonction **Visages**, décrite à présent.

La prochaine fois que vous photographierez un groupe, pensez à faire plusieurs clichés. Photoshop Elements fera le reste pour vous fournir la photo de groupe idéale.

L'outil **Visages** permet de réaliser un montage photographique à partir de plusieurs portraits. Cette fonction crée un portrait parfait à partir de plusieurs photos de la même personne ou encore compose un portrait amusant à partir de plusieurs visages.

Le principe est le même que pour le montage des photos de groupe. Le résultat sera d'autant plus remarquable que les portraits initiaux seront réalisés sous le même angle et avec un éclairage semblable.

Tout d'abord, avec la technologie Photomerge, vous êtes en mesure d'aligner les photos pour que les éléments à modifier s'intègrent au mieux dans la nouvelle image composite. Ensuite, vous pourrez par exemple placer les yeux d'une personne sur le visage d'une autre.

1 Placez deux images dans la corbeille des projets, puis disposez chacune d'entre elles dans sa fenêtre respective.

2 Pour aligner au mieux les images, vous pouvez utiliser l'outil **Alignement**, qui permet de placer trois marqueurs, un pour chaque œil, ainsi que la bouche, et ce sur chacune des photos.

Figure 3.58 : *L'outil permet de mélanger des visages très facilement*

3 Cliquez sur le bouton **Aligner les photos** pour placer les visages sur le même axe.

Figure 3.59 : *Trois points sont à placer : les yeux et la bouche*

4 Maintenant que les deux visages ont la même inclinaison, cliquez sur l'outil **Crayon** pour le sélectionner.

5 À présent, en sélectionnant les pupilles de l'image de gauche – cliquez successivement sur chacune d'elles –, vous les placerez automatiquement au bon endroit pour découvrir un nouveau regard !

Figure 3.60 : *Le résultat est immédiat*

La fonction **Nettoyage de scène** permet d'effacer des personnages ou des objets, pour obtenir un paysage, ou une scène de rue, sans éléments gênants. C'est une nouvelle fonction de Photoshop Elements 7.0. Elle est tout à fait remarquable.

Elle permet, à partir de plusieurs photos réalisées depuis un même point de vue, de retirer de la scène des éléments indésirables. Cette fonction vous sera certainement utile lorsque vous aurez envie de réaliser une photo représentant un monument célèbre par exemple. Si vous faites plusieurs photos, vous pourrez faire disparaître de l'image finale les touristes se déplaçant devant l'édifice.

Pour cela, choisissez tout d'abord plusieurs photos représentant la même scène. Plus les images seront ressemblantes, plus l'opération sera réalisée avec efficacité.

De la même manière que vous avez "peint" sur les visages, dans la scène de groupe, vous allez peindre sur les éléments que vous voulez déplacer sur la scène finale, c'est-à-dire celle qui est située à droite.

Ouvrez tout d'abord les images dont vous avez besoin, elles seront disponibles dans la corbeille des projets.

Pour plus de facilité, placez sur cette fenêtre, à droite, la photo qui vous semble la plus proche de l'image finale.

Figure 3.61 : *Faites disparaître des personnages d'une scène avec cette fonction*

Placez ensuite l'une des images qui va vous servir pour effectuer la transformation, dans la fenêtre de gauche. Pour cela, cliquez sur sa vignette, dans la corbeille des projets.

Utilisez l'outil **Crayon** pour surligner l'élément que vous voulez faire disparaître, dans la fenêtre de droite. Vous pouvez aussi dessiner deux lignes sur la fenêtre de gauche pour encadrer la partie de l'image que vous voulez déplacer.

Figure 3.62 : *Ici encore, le simple fait de surligner la zone à corriger suffit*

Sur l'image finale, le personnage a totalement disparu et le logiciel a réussi à recréer les éléments manquants, à condition bien entendu, que ceux-ci soient présents sur l'une des photos utilisées pour l'opération.

Figure 3.63 : *Deux clics de souris plus tard, le tour est joué !*

Pour finaliser les corrections, cliquez sur le bouton **Terminer**, visible sur la gauche et en bas de l'interface **Nettoyage de scène Photomerge**.

Vous pouvez utiliser l'outil **Gomme** pour corriger une ligne tracée par erreur.

L'outil **Crayon** permet au besoin d'ajouter des personnages dans une scène.

Accéder aux outils Photomerge depuis l'éditeur

Les fonctions Photomerge sont aussi accessibles, dans l'éditeur, depuis le menu **Fichier/Nouveau**. Le menu déroulant donne la possibilité d'accéder à **Prise de vue de groupe Photomerge**, **Visages Photomerge** et **Nettoyage de scène Photomerge**.

Photoshop Elements 7.0 emprunte à son grand frère Photoshop, la possibilité d'utiliser des scripts, c'est-à-dire, une suite d'actions enregistrées que l'utilisateur peut reproduire, automatiquement, à l'identique.

Pour y accéder, cliquez sur la commande **Action Player**, dans le menu **Scripts automatisés**.

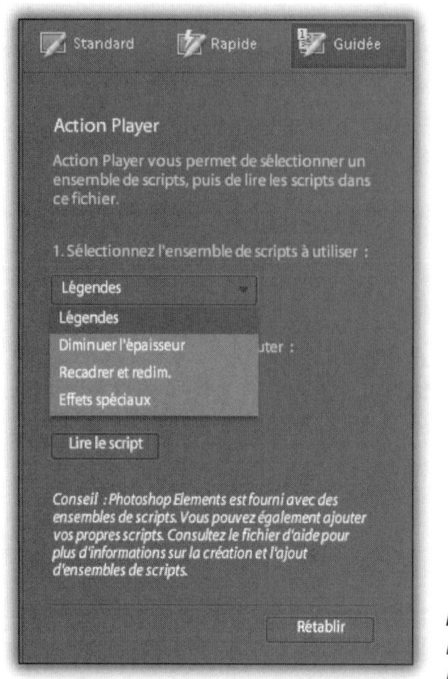

Figure 3.64 :
Des opérations automatisées par l'intermédiaire des scripts

Ensuite, cliquez sur le bouton **Lire le script** pour exécuter la commande.

Utiliser les scripts de Photoshop

Vous pouvez utiliser les scripts fabriqués dans Photoshop, à condition, bien entendu, que les commandes exploitées existent aussi dans Photoshop Elements.

Pour cela, copiez les fichiers d'actions de Photoshop, portant l'extension *.atn*, à l'emplacement *C:\Documents and Settings\All Users\Application Data\Adobe\Photoshop Elements\7.0\Locale\fr_FR\Workflow Panels\actions* si vous utilisez Windows XP, ou dans *C:\ProgramData\Adobe\Photoshop Elements\7.0\Locale\fr_FR\Workflow Panels\actions* si vous utilisez Windows Vista.

Le dernier menu, **Effets photographiques**, donne accès aux commandes **Dessin au trait**, **Effet Film diapo saturé**, ainsi que **Photo ancienne**.

Dessin au trait permet de transformer une photographie pour lui donner l'aspect d'un croquis réalisé à l'aide d'un crayon à papier.

Cette opération est réalisée en trois étapes. La première consiste à cliquer sur le bouton **Croquis au crayon** : cela fait ressortir les contours de l'image. La deuxième étape permet de **Régler l'opacité du calque**. Cela fait ressortir certaines couleurs. La troisième permet d'intervenir sur la commande **Niveaux**, pour augmenter le contraste général de l'image.

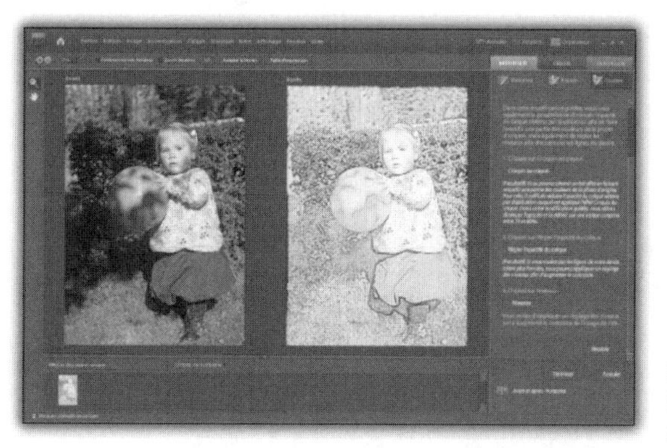

Figure 3.65 : *Des effets de dessin au crayon*

L'**Effet Film diapo saturé** produit des couleurs très vives, comme celles obtenues avec certains films argentiques. Le procédé peut être appliqué plusieurs fois, jusqu'à l'obtention de l'effet désiré. Pour cela, cliquez plusieurs fois sur le bouton **Appliquer**.

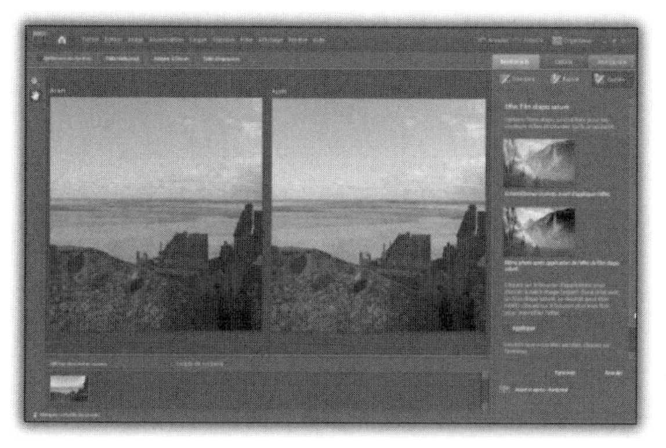

Figure 3.66 : *Des effets des films argentiques*

La commande **Créer une photo ancienne** donne l'occasion de renouer avec les images sépia. Trois niveaux de contraste sont disponibles : **Journal**, **Urbanisme/Instantanés** et **Paysages saisissants**.

Le bouton **Tonalité** règle les valeurs de niveaux de gris. Vous pouvez y accéder à l'aide de la commande **Niveaux** (Ctrl+L). La commande **Texture** ajoute du grain à l'image. Enfin, la commande **Teinte/Saturation** applique une couleur générale à l'image.

Figure 3.67 : *Une photo ancienne en un tour de main*

À présent que vous maîtrisez les commandes de correction d'image de manière quasi automatique, il est temps de passer au système de retouche standard qui, s'il demande un peu plus d'investissement personnel, est celui qui apporte le plus de satisfaction.

Chapitre 4

Jouer avec les calques

L'utilisation des calques est un atout majeur de Photoshop Elements 7.0. Les calques font toute la différence entre un logiciel basique et un logiciel aux performances professionnelles. Ils permettent de travailler sur une partie de l'image, sans en affecter la totalité. Lorsqu'un calque est sélectionné, on intervient seulement sur celui-ci, en préservant les autres éléments de la composition qui ne sont pas situés dessus.

4.1. Travailler avec la palette des calques

Imaginez les calques comme une superposition de feuilles d'acétate transparentes, ou encore de fines lames de verre.

Lorsque vous utilisez un logiciel basique, tous les éléments de votre composition sont placés sur le même plan. À cause de cela, votre image est figée. Si vous avez placé un disque de couleur bleue devant un rectangle de couleur rouge, impossible, à moins de recommencer tout le dessin, de faire passer le rectangle derrière le disque.

Avec les calques, tout est différent. Chaque élément est placé sur un niveau différent. Libre à vous de modifier ensuite l'ordre des parties de l'assemblage. Dans notre exemple, il sera tout à fait possible de modifier la position et l'ordre du rectangle et du disque, et ce, même après avoir enregistré le fichier sur le disque dur. Par défaut, un calque est transparent, là où il n'y a pas de pixels.

De plus, un calque peut avoir différentes fonctions, selon qu'il s'agit d'un calque standard, d'un calque de texte, d'effet ou de réglage.

La palette des calques est accessible sur la droite de l'interface de retouche standard. Le calque le plus proche du bas de l'écran est celui qui est en dessous des autres ; il est nommé *Arrière-plan*. Les autres calques sont "posés" au-dessus, les uns sur les autres. Vous pouvez changer l'emplacement d'un calque par rapport à un autre en cliquant dessus, en maintenant enfoncé le bouton de la souris et en déplaçant le calque jusqu'à l'emplacement souhaité, au-dessus ou en dessous.

Vous pouvez créer des calques, par exemple pour dessiner, à l'aide de l'outil **Pinceau**, certains éléments, sans affecter le reste de l'image. Pour cela, il faut cliquer sur le calque au-dessus duquel vous souhaitez ajouter le nouveau calque. Ensuite, cliquez sur l'icône *Nouveau calque*, en haut et à gauche de la palette des calques. Vous pouvez aussi cliquer sur la flèche double, en haut et à droite de la palette des calques, ou encore sur le menu **Calque/Créer un calque**.

Figure 4.1 :
Les calques permettent d'intervenir sur plusieurs niveaux de l'image

Vous pouvez afficher ou masquer les calques en cliquant sur la petite icône en forme d'œil, visible sur la gauche des calques. Après cette l'opération, tout ce qui est sur le calque sélectionné disparaît. Un second clic dans l'espace où s'affichait l'œil permet de faire apparaître de nouveau le calque masqué.

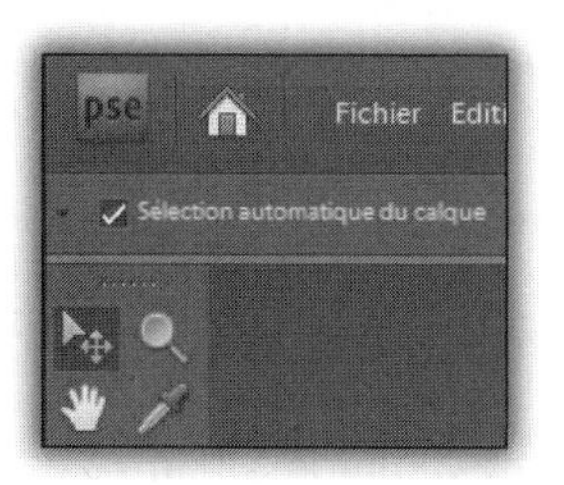

Figure 4.2 :
Dès que vous voulez déplacer un élément, utilisez l'outil de déplacement

Pour faciliter la sélection des calques lorsque vous utilisez l'outil de sélection, vous pouvez cocher la case *Sélection automatique*, dans le menu de paramétrage de l'outil. Ainsi, il vous suffira de cliquer sur un élément d'un calque, pour que celui-ci soit automatiquement sélectionné. Autrement, la sélection devra être opérée d'un sur la vignette du calque, dans la palette des calques.

Un seul calque à la fois

Vous ne pouvez travailler que sur un calque à la fois. Parfois, vous pouvez avoir l'impression qu'un outil ou une fonction ne donne pas le résultat escompté, c'est peut-être, tout simplement, parce que vous n'avez pas sélectionné le bon calque dans la palette des calques ! Pensez

à sélectionner tout d'abord le calque sur lequel vous souhaitez intervenir, et tout se passera bien !

Par défaut, les parties vides, transparentes, d'un calque, sont symbolisées par un quadrillage gris et blanc.

Pour faciliter votre travail, il est conseillé de nommer vos calques. Par défaut, Photoshop Elements les nomme *Calque 1*, *Calque 2*, *Calque 3*, etc. Difficile, dans ces conditions, de se souvenir de ce que chaque calque contient.

Vous pouvez donner un nom à vos calques en double-cliquant sur leur nom dans la palette. Une zone de texte vous permet de renommer chaque calque avec un libellé plus évocateur. Validez votre choix en appuyant sur la touche [↵] du clavier, ou en cliquant sur la vignette du calque, en dehors de la zone contenant le nom de celui-ci.

4.2. Associer des éléments de clichés différents grâce aux calques

Suite à l'utilisation de certaines fonctions, les outils de texte et de forme notamment, vous avez peut-être constaté que, sur la droite de l'espace de travail, un changement s'opérait dans la fenêtre des calques.

Vous avez certainement en mémoire des reportages sur des studios de création de dessins animés, dans lesquels on voyait un dessin représentant un décor ; au-dessus de celui-ci, un autre, sur feuille transparente, représentait un personnage ; un autre encore, un titre ou une expression.

Le système de calques de Photoshop Elements fonctionne de la même manière. Chaque élément laisse voir le suivant à travers ses zones de transparence.

Le calque situé en bas de la palette est le fond, l'arrière-plan. Celui qui est en haut de la palette est au-dessus des autres, au premier plan. Cette technique permet de travailler sur un élément sans crainte d'intervenir sur un autre. Par exemple, si vous placez un personnage sur un décor, vous pourrez continuer à repositionner celui-ci si besoin, sans limite de temps puisqu'il est totalement indépendant du calque d'arrière-plan, et ce, même si vous avez enregistré votre document sur le disque dur, pour peu que vous ayez pris soin de le sauvegarder au format Photoshop (extension *.psd*).

Sur l'image représentant la fenêtre des calques, la photo affichée comprend quatre calques : le plus bas dans la liste se nomme *Arrière-plan*. Il s'accompagne d'une icône représentant un verrou. Cela veut dire que le calque est verrouillé et qu'il est impossible de le transformer, de peindre dessus par exemple, tant que cette option est activée.

Le calque qui est au-dessus de l'arrière-plan, le *Calque 2*, qui représente un enfant, est une sélection provenant d'une seconde photo, qui a été copiée puis collée.

Le troisième calque est un calque de réglage, associé au calque précédent. Le symbole représentant une flèche vers le bas en témoigne. Cela veut dire que les réglages effectués n'affecteront que le *Calque 2* et pas les autres. L'icône représentant le réglage des niveaux permet de savoir quel réglage est utilisé. Le rectangle blanc symbolise un masque de fusion.

Le quatrième calque, représentant une colombe stylisée, a été créé à l'aide de l'outil **Forme personnalisée** associé à un effet d'estampage. Un style a été appliqué car le symbole "fx" apparaît à côté du nom du calque.

Figure 4.3 : *Des montages personnalisables à l'infini sont disponibles*

Une image peut ainsi avoir plusieurs "épaisseurs" : ce sont les calques. Il s'agit en quelque sorte de feuilles de plastique transparent superposées contenant chacune un ou plusieurs éléments. Les calques peuvent être de différents types : les calques standard (les images par exemple), les calques de remplissage, qui permettent d'appliquer une couleur ou un dégradé de couleurs, les calques de réglage et les calques de texte et de forme.

Vous pouvez ajouter et dupliquer les calques. Pour cela, cliquez sur la double flèche en haut et à droite de la palette des calques. Un menu déroulant vous propose de créer un nouveau calque que vous pouvez nommer de manière à le distinguer rapidement. Par défaut, Photoshop Elements 7.0 nomme les calques en les numérotant. Ce menu vous permet, entre autres, de dupliquer et de supprimer des calques.

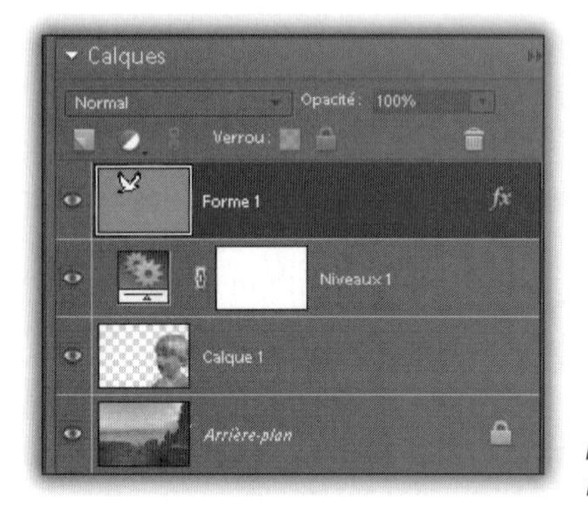

Figure 4.4 :
Le menu des calques en détail

Vous pouvez aussi les déplacer en cliquant sur un calque dans la palette des calques et en maintenant le bouton de la souris enfoncé. Votre curseur se transforme alors en main. En déplaçant le curseur, vous déposez le calque à l'emplacement voulu dans la pile. Vous modifiez ainsi l'ordre des calques.

Déplacer un calque sur un autre, de manière qu'ils se superposent parfaitement

En cliquant sur la vignette d'un calque et en déplaçant le curseur sur une seconde image affichée dans l'interface de Photoshop Elements, vous pouvez ajouter ce calque à la composition. Malheureusement, celui-ci ne sera pas toujours placé exactement au centre de cette image.

Pour que les images se superposent exactement, maintenez la touche [Maj] enfoncée, pendant que vous déplacez le calque sur la nouvelle image. Ainsi, celui-ci se superposera exactement sur la composition.

Dans la palette des calques, vous pourrez vous assurer qu'un nouveau calque est présent car sa vignette doit apparaître dans la liste.

Toujours dans la palette des calques, pour supprimer l'un d'entre eux, il existe un autre moyen que l'utilisation du menu déroulant. Il faut le sélectionner, maintenir le bouton de la souris enfoncé et déplacer le curseur vers l'icône représentant une corbeille. Attention, vous ne pouvez pas ouvrir cette corbeille pour en étudier le contenu et le restaurer, comme vous pouvez le faire avec la Corbeille de Windows. Pour revenir sur un effacement malencontreux, utilisez la fonction **Annuler** de Photoshop.

À gauche de chaque calque symbolisé dans la palette, vous apercevez une icône en forme d'œil. Cette icône permet, lorsque vous cliquez dessus, d'afficher ou de masquer un calque.

Pour protéger un calque, sélectionnez l'icône en forme de verrou. L'icône représentant une page qui se tourne permet, quant à elle, de créer un nouveau calque.

L'icône représentant trois maillons d'une chaîne permet de lier des calques pour les déplacer simultanément par exemple. Pour cela, sélectionnez le premier calque, appuyez ensuite sur la touche Ctrl gauche et cliquez sur le ou les calques que vous voulez associer au premier. Plus tard, vous pourrez rompre les liens en cliquant sur cette icône, si vous avez besoin de les dissocier.

L'icône représentant un cercle divisé en deux parties blanche et noire permet, lorsqu'elle est sélectionnée, d'ajouter un calque spécial appelé "calque de réglage".

Figure 4.5 :
Le menu permettant de créer tous les types de calques disponibles avec Photoshop Elements

4.3. Corriger une photo comme un pro avec les calques de réglage

Vous aurez parfois besoin de tester des réglages avant de finaliser ceux-ci. Pour cela, les calques de réglage sont très pratiques. Ces derniers superposent l'effet au calque sélectionné, sans intervenir directement sur celui-ci, le préservant ainsi.

De plus, il est possible de corriger l'effet à nouveau ou même de remettre le calque dans son état initial sans le dénaturer aucunement. Le calque sur lequel s'applique les réglages n'est pas modifié.

Les calques de remplissage permettent de déposer un voile de couleur ou un dégradé sur l'image. (Les valeurs de correction données ici dépendent de l'image traitée, il faut faire des essais.)

1. Ouvrez une image que vous avez, volontairement ou non, sous-exposée (image trop sombre).
2. Dans la palette des calques, cliquez sur l'icône *Créer le calque de réglage*.
3. Choisissez l'option *Niveaux*. Une boîte de dialogue s'ouvre.

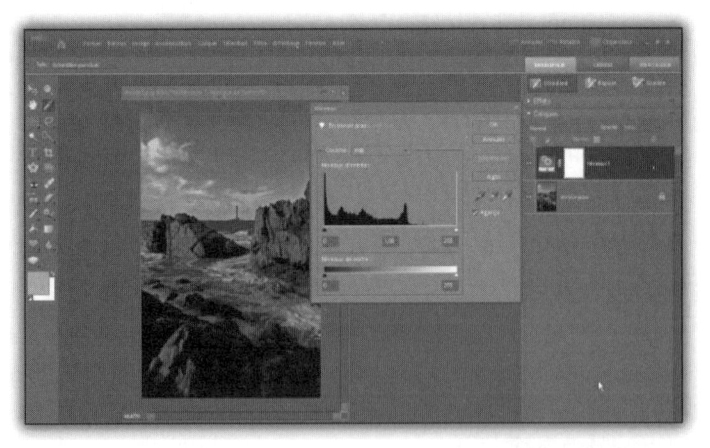

Figure 4.6 : *La boîte de dialogue permettant le réglage des niveaux*

4. Entrez la valeur `176` dans la case de réglage de niveau d'entrée des tons clairs. L'image devient plus claire et les niveaux sont mieux équilibrés.
5. Cliquez sur l'outil **Sélection rapide**.

6 Sélectionnez le ciel.

7 Créez un nouveau calque de réglage de type *Teinte et saturation*.

8 Entrez les valeurs +180 dans la case *Teinte* et -21 dans *Luminosité*. Un second calque de réglage a été créé avec, surlignée en noir sur l'icône de la vignette du masque de fusion, la zone sur laquelle s'effectuent les réglages.

Figure 4.7 : *Les réglages d'un calque de teinte et de saturation*

9 De nouveau, utilisez l'outil **Sélection rapide** pour sélectionner les rochers au premier plan.

10 Créez un nouveau calque de réglage de type *Niveaux*.

11 Entrez la valeur 91 dans la case de réglage de niveau d'entrée des tons clairs pour redonner un peu de clarté aux rochers.

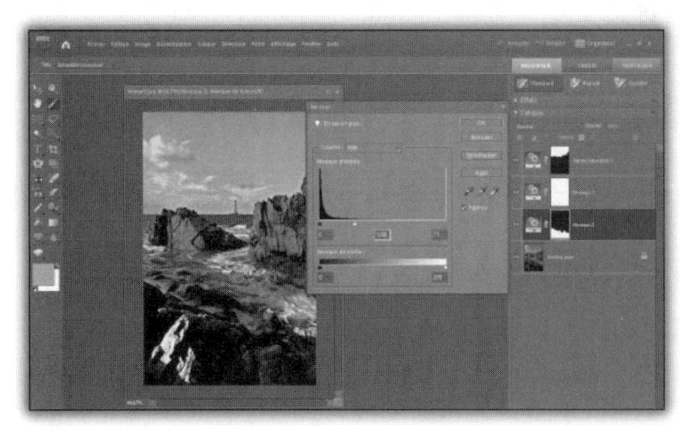

Figure 4.8 : *Vous pouvez créer différents calques de même type pour affiner la correction*

12 Double-cliquez sur la vignette du calque *Niveaux 1*. Une boîte de dialogue s'ouvre. Entrez la valeur `155` dans la case de réglage de niveau d'entrée des tons clairs pour éclaircir la tonalité générale de l'image.

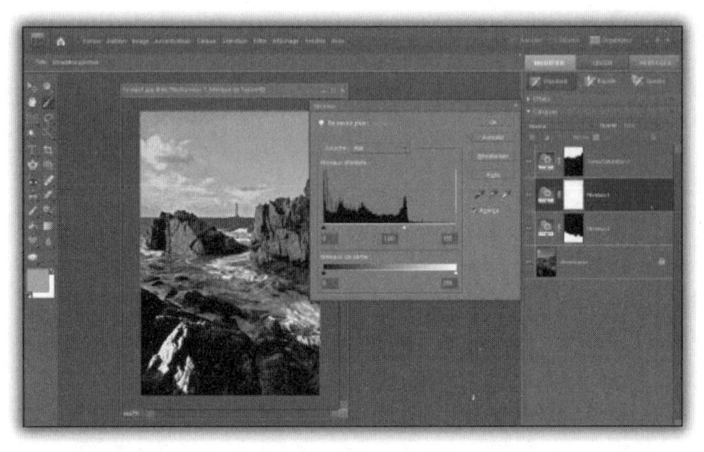

Figure 4.9 : *Second calque de réglage des niveaux*

Cette série de manipulations vous a permis d'effectuer une suite de réglages dans des conditions que seuls permettent les calques de réglage.

Enregistrement des calques

Pour enregistrer une image contenant des calques, il est important de la sauvegarder en *.psd*. Vous avez certainement coutume d'enregistrer vos fichiers en *.jpg*. Ce format est pratique mais présente quelques faiblesses ; il dénature notamment l'image en cas de trop forte compression. De plus, il l'aplatit. Les calques ne sont alors pas récupérables. Attention donc avant de finaliser votre composition dans ce format. Dans le doute, pour anticiper une éventuelle correction, enregistrez en *.psd*. Réservez le *.jpg* au document final.

4.4. Les masques de fusion

Photoshop, le grand frère de Photoshop Elements, permet depuis longtemps l'utilisation des masques. Les masques permettent notamment d'effectuer des montages photo parfaits, notamment de fondre parfaitement différents éléments dans une composition.

Pour créer un masque de fusion, il faut tout d'abord créer un calque de réglage des niveaux. Pour cela, cliquez sur l'icône *Créer un calque de réglage*, puis sur *Niveaux*.

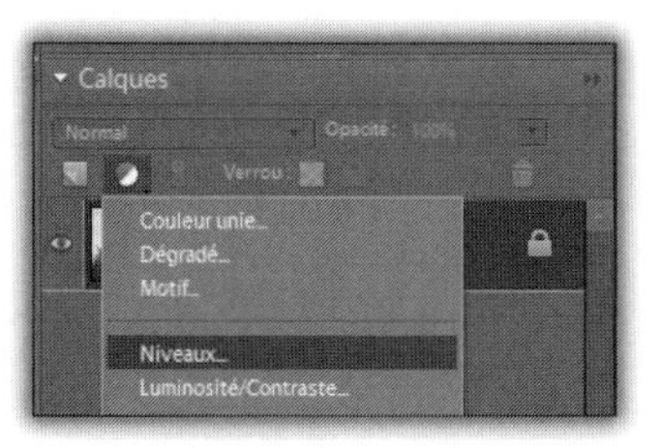

Figure 4.10 :
Cette fois, vous détournez un calque de réglage de sa fonction initiale pour aller encore plus loin

Ne touchez pas aux réglages, cliquez juste sur le bouton OK.

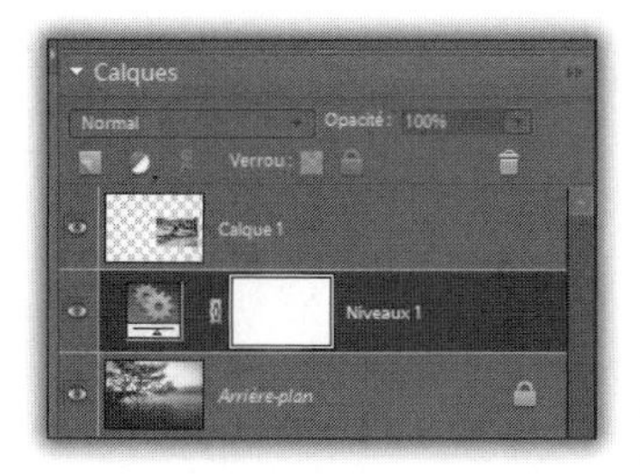

Figure 4.11 :
N'intervenez pas sur le réglage

Placez votre curseur entre le calque de réglage et le calque sur lequel vous voulez intervenir. Appuyez sur la touche Alt. Le curseur se transforme en deux cercles imbriqués. Cliquez alors sur le bouton gauche de la souris.

Une petite flèche noire pointant vers le calque de réglage apparaît sur la vignette du calque situé juste au-dessus, indiquant que les opérations qui vont être effectuées à présent sur le calque de réglage auront un effet sur le calque relié par la flèche.

Figure 4.12 :
Vérifiez bien que la petite flèche sur la gauche de la vignette est visible

Sélectionnez le calque de réglage. Vérifiez que la couleur de dessin est le noir et la couleur d'arrière-plan le blanc. Si ce n'est pas le cas, le plus simple est de cliquer sur l'icône *Couleur de premier plan et d'arrière-plan par défaut*.

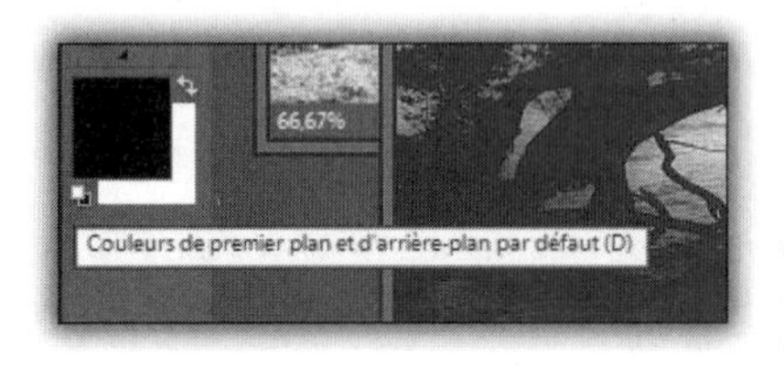

Figure 4.13 :
Un réglage par défaut, pour une utilisation professionnelle

Si vous sélectionnez ensuite l'outil **Pinceau** et que vous peigniez alors que le calque de réglage est sélectionné, vous voyez apparaître l'image placée sur le calque situé en dessous, sur toutes les zones où le pinceau est passé. L'effet est d'autant plus efficace si vous choisissez une forme de pinceau à bord humide.

Utiliser l'outil Dégradé avec un masque de fusion

Au lieu d'utiliser le pinceau, vous pouvez aussi choisir l'outil **Dégradé**. Dans certaines circonstances (cela dépend des images), le résultat est encore plus spectaculaire. Attention : choisissez bien le dégradé allant du noir au blanc.

Les zones noires laissent apparaître le calque sous-jacent, alors que les zones blanches restent opaques. Rien ne vous empêche de peaufiner le travail en utilisant le dégradé et l'outil **Pinceau** conjointement. Pour vérifier la forme du masque de sélection, cliquez sur la vignette, dans la palette des calques, tout en maintenant la touche Alt du clavier enfoncée.

4.5. Jouer avec les modes de fusion

Au cours de votre découverte de Photoshop Elements 7.0, vous avez sans doute expérimenté ou tenté d'utiliser les modes de fusion des calques. Leur rôle peut sembler compliqué de prime abord, mais il y a un grand intérêt à passer un peu de temps à mieux comprendre pourquoi tant de professionnels les utilisent.

Lorsque vous corrigez une image avec la commande **Niveaux** ou **Régler les courbes de couleur**, vous modifiez aussi la saturation des couleurs. Cela peut s'avérer gênant. Pour opérer des corrections minutieuses, il est parfois utile de créer un calque de réglage et de modifier le mode de fusion de celui-ci afin d'intervenir précisément sur certaines caractéristiques de l'image sans en modifier d'autres.

L'application de différents modes de fusion vous offre aussi la possibilité d'interagir sur la manière dont les pixels d'un calque se comportent avec ceux du ou des calques inférieurs.

Paramétrez les modes de fusion des calques à partir de la palette des calques, en développant le menu déroulant **Définir le mode de fusion pour le calque**, disponible en haut et à gauche de ladite palette. Le mode par défaut est Normal.

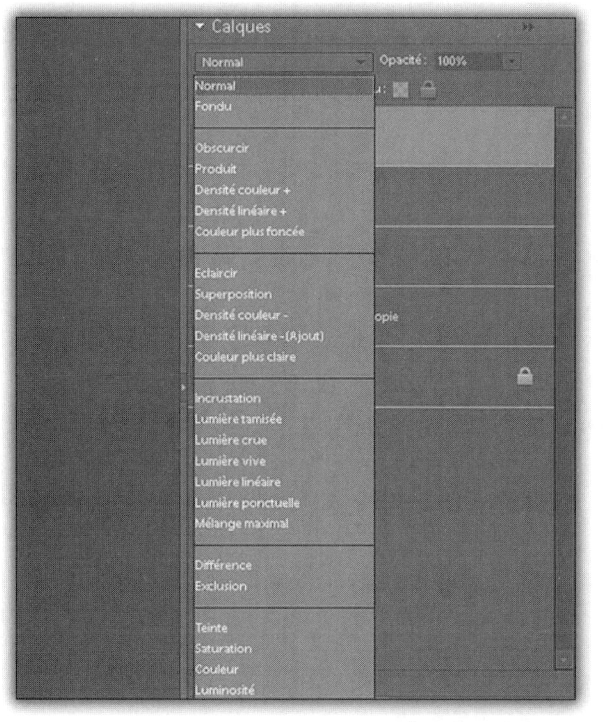

Figure 4.14 : *Ici encore, vous entrez dans les entrailles du logiciel*

En mode Normal, les pixels conservent leur couleur initiale. Vous pouvez juste interférer sur l'opacité du calque pour créer un effet de superposition (voir Figure 4.15).

En mode Fondu, le calque est fondu avec les autres calques par un motif de pixels créé de manière aléatoire. Ce mode n'est visible que si les calques ont une opacité inférieure à 100 % (voir Figure 4.16).

Figure 4.15 :
La superposition des calques par défaut, le mode de fusion est normal

Figure 4.16 :
Le mode de fusion Fondu

En mode Obscurcir, la couleur du calque supérieur est visible si elle est plus foncée que celle du calque inférieur.

Figure 4.17 :
Le mode de fusion Obscurcir

En mode Produit, les valeurs chromatiques sont multipliées avec les valeurs du calque inférieur pour un résultat obligatoirement plus foncé. Si la couleur est multipliée avec du blanc, elle reste inchangée.

Figure 4.18 : *Le mode de fusion Produit*

En mode Densité couleur +, les valeurs chromatiques de chaque couche sont analysées et l'image est assombrie en fonction des couleurs du calque supérieur.

Figure 4.19 : *Le mode de fusion Densité couleur +*

En mode Densité linéaire +, l'effet est sensiblement identique au précédent, mais il est plus prononcé qu'en mode Densité couleur +.

Figure 4.20 : *Le mode de fusion Densité linéaire +*

En mode Couleur plus foncée, les valeurs chromatiques sont analysées et c'est la valeur la plus sombre qui est affichée.

Figure 4.21 : *Le mode de fusion Couleur plus foncée*

En mode Éclaircir, les valeurs chromatiques d'un calque et du calque inférieur sont comparées. Une couleur n'est affichée que si elle est plus claire que celle présente directement en dessous.

Figure 4.22 : *Le mode de fusion Éclaircir*

En mode Superposition, ce sont les valeurs inverses des calques qui sont multipliées pour un résultat présentant une valeur toujours plus claire.

Figure 4.23 : *Le mode de fusion Superposition*

En mode Densité couleur –, l'image est éclaircie en fonction des valeurs chromatiques du calque supérieur.

Figure 4.24 : *Le mode de fusion Densité couleur –*

En mode Densité linéaire – (Ajout), c'est l'effet inverse du mode Densité linéaire + qui est appliqué pour un résultat encore plus lumineux.

Figure 4.25 : *Le mode de fusion Densité linéaire –*

En mode Couleur plus claire, l'effet obtenu affiche la valeur chromatique la plus forte après comparaison des calques.

Figure 4.26 : *Le mode de fusion Couleur plus claire*

En mode Incrustation, les couleurs sont superposées ou multipliées suivant que le calque contient plus ou moins 50 % de niveaux de gris. Le calque supérieur est incrusté dans le calque inférieur.

Figure 4.27 : *Le mode de fusion Incrustation*

En mode Lumière tamisée, l'effet est comparable à un mode Incrustation, mais avec un résultat plus doux.

Figure 4.28 : *Le mode de fusion Lumière tamisée*

En mode Lumière crue, l'effet est plus prononcé qu'en mode Incrustation.

Figure 4.29 : *Le mode de fusion Lumière crue*

En mode Lumière vive, l'effet obtenu augmente ou diminue la densité des couleurs. Suivant le pourcentage de gris dans l'image, le contraste est augmenté ou diminué.

Figure 4.30 : *Le mode de fusion Lumière vive*

En mode Lumière linéaire, l'effet est identique au mode Lumière vive, mais de manière plus prononcée.

Figure 4.31 : *Le mode de fusion Lumière linéaire*

En mode Lumière ponctuelle, le mode Éclaircir est appliqué aux couleurs claires et le mode Obscurcir aux couleurs foncées. Ce mode est essentiellement utilisé pour des effets spéciaux.

Figure 4.32 : *Le mode de fusion Lumière ponctuelle*

En mode Mélange maximal, l'image est postérisée et n'affiche qu'un petit nombre de couleurs : blanc, noir, rouge, vert, bleu, jaune, cyan et magenta.

Figure 4.33 : *Le mode de fusion Mélange maximal*

En mode Différence, les valeurs chromatiques du calque supérieur sont soustraites ou additionnées selon la couleur la plus lumineuse.

Figure 4.34 : *Le mode de fusion Différence*

En mode Exclusion, l'effet est équivalent au mode Différence, mais le résultat est moins contrasté.

Figure 4.35 : *Le mode de fusion Exclusion*

En mode Teinte, les valeurs de teinte du calque inférieur sont remplacées par celles du calque supérieur, sans modification de la luminance et de la chrominance.

Figure 4.36 : *Le mode de fusion Teinte*

En mode Saturation, l'effet appliqué est identique au mode Teinte, mais basé sur les valeurs de saturation du calque.

Figure 4.37 : *Le mode de fusion Saturation*

En mode Couleur, les valeurs de saturation et de teinte du calque supérieur remplacent celles du calque inférieur en préservant la luminance.

Figure 4.38 : *Le mode de fusion Couleur*

En mode Luminosité, l'effet appliqué est identique au mode Couleur, mais en intervenant seulement sur la valeur de luminance.

Figure 4.39 : *Le mode de fusion Luminosité*

En expérimentant, vous tirerez au mieux parti des modes de fusion des calques, dans la mesure où le même effet variera énormément suivant qu'il est appliqué à une image ou à une autre, suivant que vous l'appliquez à un calque de type image ou à un calque de type réglage.

Chapitre 5

L'interface de correction standard

L'interface de correction standard de Photoshop Elements 7.0 est le cœur d'un système de correction et de composition d'image exceptionnel, n'ayant réellement que très peu de choses à envier à des logiciels professionnels. Ici, vous pouvez non seulement améliorer l'aspect de vos photos, mais aussi créer des calques, ajouter du texte ou des formes, utiliser des effets et des filtres, vous pouvez travailler sur des zones précises préalablement sélectionnées, et bien d'autres choses encore.

En haut de l'interface de correction standard, vous allez trouver, en premier lieu, la barre des menus, qui présente les menus habituels, disponibles pour la plupart dans les interfaces précédentes. Mais certaines options sont seulement accessibles ici, alors qu'elles étaient grisées auparavant.

La plupart des commandes disponibles dans ces menus proposent une équivalence sous la forme d'un raccourci clavier. Avec l'habitude et la pratique, vous trouverez parfois plus rapide et plus efficace d'utiliser ces raccourcis. Vous mémoriserez au fur et à mesure les fonctions dont vous avez besoin le plus souvent, comme ouvrir un fichier (Ctrl+O) ou annuler une opération (Ctrl+Z).

Figure 5.1 : *Le menu principal permettant la sauvegarde des fichiers*

Sous la barre de commandes principale vient une barre d'options. Celle-ci présente les réglages en rapport avec l'outil que vous êtes en train d'utiliser. Son contenu change suivant la commande sélectionnée dans la barre d'outils verticale.

Par exemple, si vous sélectionnez l'outil **Déplacement**, les réglages inhérents à cet outil sont visibles sur cette barre secondaire.

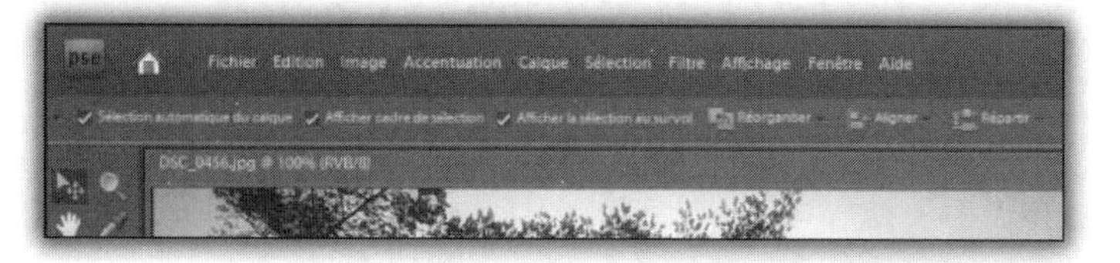

Figure 5.2 : *La barre d'options permet de gérer les paramètres de l'outil utilisé*

À droite de l'interface, vous trouvez les palettes. Par défaut, la palette des effets ainsi que la palette des calques sont ouvertes. Vous pouvez masquer les palettes en plaçant le curseur sur la ligne verticale qui délimite les palettes et l'interface principale. Le curseur se transforme en une double flèche. Si vous cliquez, les palettes se rétractent sur la droite de l'interface, pour vous offrir un espace de travail plus important.

Pour faire réapparaître les palettes, placez le curseur sur la droite de l'interface, à l'endroit où il se transforme en une double flèche. Si vous cliquez, les palettes apparaissent de nouveau.

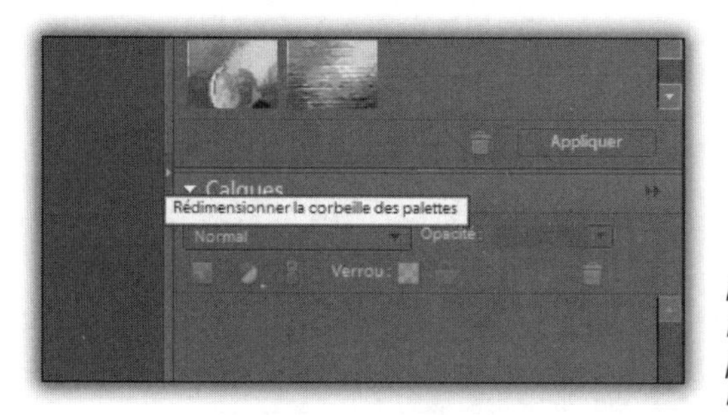

Figure 5.3 : *Masquer la corbeille des palettes permet d'optimiser l'espace de travail*

Vous pourrez afficher d'autres palettes si besoin, en cliquant dans le menu **Fenêtre** de la barre principale. Les palettes ouvertes sont flottantes, c'est-à-dire que vous pouvez les déplacer partout sur l'écran, en effectuant un cliquer-déplacer sur la barre de titre de la palette. Mais vous pouvez aussi les placer dans l'interface qui leur est dédiée en effectuant un glisser-déplacer.

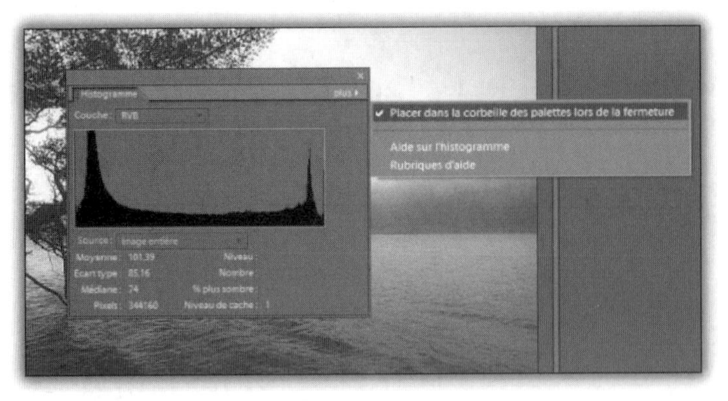

Figure 5.4 : *Vous pouvez gérer l'affichage des palettes, un moyen supplémentaire de personnaliser votre interface*

Vous pouvez les placer sur la droite de l'interface, mais aussi cliquer sur la petite flèche, en haut et à droite de chaque palette. Un menu contextuel apparaît. Cliquez alors sur la commande **Placer dans la corbeille des palettes lors de la fermeture**. Lorsque vous cliquez sur la croix de fermeture de la fenêtre, elle s'insère naturellement dans la liste des palettes.

Figure 5.5 : *L'interface complète d'édition standard*

Chaque palette est dotée d'une double flèche noire en haut et sur la droite de sa fenêtre. En cliquant dessus, vous ouvrez un menu permettant de personnaliser l'aspect de la palette, et vous obtenez des informations afférentes à la palette en question.

En bas de l'interface de correction standard, vous retrouvez la corbeille des projets, déjà évoquée. Ici s'affichent les images ouvertes avec lesquelles vous pouvez travailler.

Si vous cliquez du bouton droit sur l'une des vignettes, un menu contextuel permet par exemple d'afficher le nom des images, pour mieux les repérer, et propose quelques opérations simples, comme les rotations. De plus, si vous double-cliquez sur l'une des vignettes, cette photo apparaît au premier plan. Vous pouvez aussi masquer la corbeille des projets, en cliquant sur le bouton **Masquer la corbeille des projets**, en bas et à gauche de l'interface principale.

Un menu pour créer un fichier vide

La plupart du temps, vous utiliserez des photos dans Photoshop Elements, mais vous pouvez avoir besoin de créer un fichier vide, pour faire un montage d'images, réaliser un logo, ou concevoir un dessin pour une carte de vœux par exemple.

Dans ce cas, pensez à la commande **Menu/Nouveau/Fichier vide**, qui génère un fichier vide. Choisissez l'unité de mesure parmi celles proposées, *cm*, *pouces* ou *pixels*, suivant la destination du document final ; éventuellement utilisez les paramètres prédéfinis. Ceux-ci permettent de créer instantanément un document aux bonnes dimensions ou aux dimensions homothétiques, comme les formats destinés à l'impression de photographies.

5.1. La palette Annuler l'historique

Il arrive toujours un moment où l'on fait des erreurs en corrigeant des images. Heureusement, l'informatique a apporté à l'utilisateur la possibilité de revenir en arrière et de modifier une action.

Pour cela, vous pouvez bien entendu utiliser les flèches bleues **Annuler** et **Rétablir**, en haut de l'interface. Vous pouvez annuler une ou plusieurs opérations en utilisant le raccourci clavier Ctrl+Z.

Un autre moyen, plus souple, est disponible. Pour cela, ouvrez la palette *Annuler l'historique*. Elle est accessible via le menu **Fenêtre/Annuler l'historique**.

Figure 5.6 :
La palette d'annulation de l'historique

Lorsque cette palette est ouverte, elle permet de voir, ligne par ligne, les dernières étapes des corrections effectuées précédemment. Chaque fois que vous effectuez une action, celle-ci est enregistrée dans la liste.

Chaque fois que vous cliquez sur l'une des actions disponibles dans la liste, vous affichez l'image dans l'un de ses précédents états. Vous pouvez aussi utiliser le curseur affiché sur la gauche de la palette. En faisant glisser ce curseur, vous pouvez accéder directement à une étape choisie.

De cette manière, vous pouvez revenir à une étape postérieure. L'action la plus récente est située en bas de la palette.

En haut de la palette, une vignette est affichée à côté du nom de l'image. En cliquant dessus, vous retrouvez votre photo dans son état initial.

5.2. La palette d'outils de l'interface de retouche standard

La palette d'outils de l'interface de correction standard se situe à gauche de l'interface standard. Elle est divisée en six parties marquées par un séparateur gris foncé. Chaque partie correspond à un type spécifique d'outil : sélection, retouche, affichage, peinture, dessin ou texte.

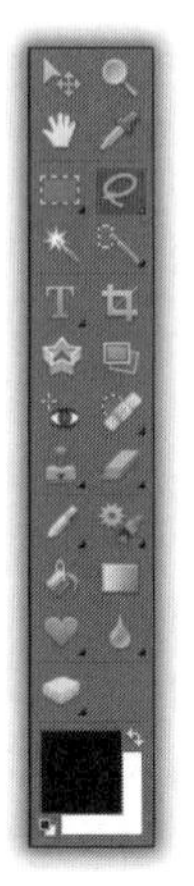

Figure 5.7 :
La palette d'outils, très complète

Un seul outil dans la main

Lorsque vous avez choisi un outil, il reste sélectionné jusqu'à ce que vous en choisissiez un autre. À aucun moment, vous ne pouvez avoir les mains vides.

À chaque fois que vous placez le pointeur sur un outil, le nom de celui-ci s'affiche sous la forme d'une info-bulle. Parfois, un lien donne accès à une description complète de celui-ci, sous la forme d'une aide en ligne, à condition bien entendu que vous soyez connecté à Internet.

Les quatre premiers outils sont dédiés à la mesure et à la navigation. Ce sont successivement l'outil **Déplacement**, le **Zoom**, la **Main** et la **Pipette**.

Figure 5.8 : *Les premiers outils permettent de gérer l'affichage*

Avec l'outil **Déplacement**, coupez et déplacez une sélection de pixels vers un nouvel emplacement dans la même image, ou copiez un ensemble de pixels vers une nouvelle image, par exemple pour placer un personnage dans un nouveau décor.

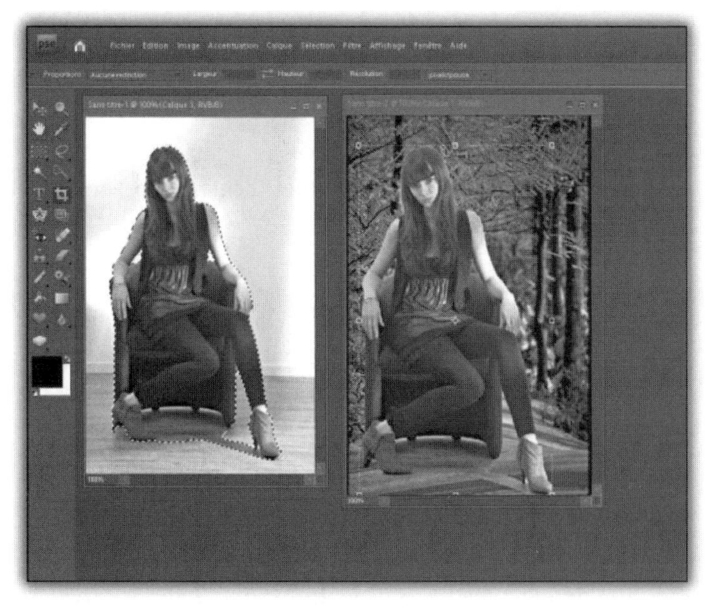

Figure 5.9 : *Un personnage sur un fond neutre est toujours plus facile à détourer*

Avec le **Zoom**, affichez les images en choisissant un grossissement ou une réduction à l'écran plus ou moins importante. L'utilisation de cet outil ne transforme pas le fichier image mais seulement son affichage à l'écran.

Avec l'outil **Main**, déplacez-vous dans une image fortement agrandie.

Les outils ont de la mémoire

Les outils sont paramétrables grâce à la barre d'options. Lorsque vous cliquez sur un outil, un menu dédié apparaît dans la barre.

La plupart des outils mémorisent les réglages que vous avez effectués précédemment. Si vous paramétrez un outil, puis que vous en utilisez quelques autres, avant de revenir au premier, il conserve les réglages entrés précédemment.

Si cette fonction est source de désagréments plus que d'avantages, cliquez sur la flèche juste en dessous de l'icône *PSE*, situé en haut de l'écran. Un menu vous permet de **Réinitialiser cet outil** ou de **Réinitialiser tous les outils**.

5.3. Les outils de sélection

Principe d'utilisation

Une sélection opérée sur une image vous permet d'intervenir seulement sur une partie de celle-ci. C'est notamment très efficace si l'image que vous corrigez ne contient pas de calques.

L'interface d'édition standard propose deux types d'outils de sélection. Certains outils permettent une sélection automatique, d'autres sont des outils de sélection manuelle.

Les outils de sélection manuelle, comme le **Rectangle de sélection**, permettent de dessiner des formes de sélection géométriques, alors qu'un outil comme le **Lasso** permet de sélectionner une forme de sélection dessinée à la main.

Pour travailler correctement avec les sélections manuelles, souvenez-vous de quelques trucs et astuces.

Tout d'abord, vous pouvez déplacer une sélection que vous venez de dessiner, si vous n'avez pas encore relâché le bouton de la souris, en appuyant sur la [Barre d'espace] et en déplaçant le curseur.

Si vous cliquez sur la touche [Maj] lorsque vous dessinez une sélection rectangulaire ou ovoïde, vous tracez un carré ou un cercle.

Lorsque vous souhaitez parfaire une sélection en ajoutant ou en retranchant un élément, utilisez l'outil souhaité en cliquant sur la touche [Maj] pour ajouter, ou sur la touche [Alt] pour retrancher un élément à la sélection.

Un raccourci clavier est très utile lorsque vous travaillez avec les sélections : [Ctrl]+[D]. Il permet de désélectionner. C'est plus rapide que de cliquer sur le menu **Sélection/Désélectionner**.

L'affichage des pixels clignotants de la sélection est parfois gênant visuellement. Un raccourci clavier permet de masquer temporairement la sélection : [Ctrl]+[H]. Il ne s'agit pas ici de désélectionner, mais de masquer celle-ci : le tour de la sélection disparaît. En utilisant de nouveau cette combinaison de touches, vous faites réapparaître la sélection.

Parfois, il est plus aisé de sélectionner la zone sur laquelle vous ne souhaitez pas intervenir, par exemple sur une image complexe dont le fond présente une grande zone homogène. Utilisez alors le raccourci clavier [Maj]+[Ctrl]+[I], pour intervertir la sélection. Vous pouvez accéder à cette commande en cliquant sur le menu **Sélection/Intervertir**, mais c'est moins pratique.

Les outils de sélection automatique, comme la **Baguette magique**, fonctionnent sur la base de sélection de tonalités et de couleurs. La barre d'options permet de régler la précision des outils.

Les outils de sélection en détail

La **Pipette** permet de prélever une couleur dans une image pour utiliser celle-ci à l'aide d'un outil comme le **Pinceau**.

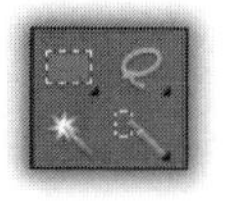

Figure 5.10 :
Les outils de sélection

Viennent ensuite les outils de sélection : le **Rectangle de sélection**, l'**Ellipse de sélection**, le **Lasso**, le **Lasso magnétique**, le **Lasso polygonal**, la **Baguette magique**, la **Sélection rapide** et la **Forme de sélection**.

Déployer les outils multiples

Certaines icônes présentent un petit triangle noir en bas et à droite. Si vous cliquez dessus sans relâcher le bouton de la souris, un sous-menu présente une ou plusieurs variations de l'outil en question, de la même manière qu'un menu déroulant propose des fonctions supplémentaires. Ici, le texte est remplacé par des icônes.

Le **Rectangle de sélection** et l'**Ellipse de sélection** ont un fonctionnement semblable. Avec le premier, dessinez rapidement un rectangle pour le copier, le couper ou le déplacer. Idem avec le second, si ce n'est que la forme est une ellipse.

À ce stade de votre découverte du logiciel, prenez l'habitude, à chaque fois que vous utilisez un outil, d'examiner les réglages disponibles pour celui-ci, dans la barre d'options.

Par exemple, avec le **Rectangle de sélection** ou l'**Ellipse de sélection**, observez les fonctions supplémentaires en haut de l'interface.

Tout d'abord, quatre boutons permettent de créer une **Nouvelle sélection**, d'**Ajouter à la sélection**, de **Soustraire de la sélection** ou encore de **Sélectionner l'intersection**.

Choisissez au besoin la valeur du contour progressif, de 0 à 250 pixels, pour ajouter un bord flou à la sélection.

Cochez si vous le souhaitez l'option *Lissage* pour lisser la transition du contour.

Enfin, via le menu déroulant, choisissez le mode de sélection : *Normal*, *Proportions fixes* ou *Taille fixe*. Entrez des valeurs de largeur et de hauteur pour une sélection devant respecter des dimensions précises.

Figure 5.11 : *La barre d'options de l'un des outils de sélection : la Sélection rectangulaire*

À côté de l'icône représentant un rectangle se trouve l'outil **Lasso**, qui se décline en un **Lasso magnétique** et un **Lasso polygonal**.

Avec le **Lasso**, détourez une forme à main levée. C'est un exercice périlleux, mais l'outil permet parfois de finaliser une sélection rapidement.

Avec le **Lasso magnétique**, sélectionnez une forme par son contraste. Souvent, le personnage ou l'objet, la forme, se détache du fond de manière plus ou moins nette. Cet outil s'ancre littéralement à la forme que vous détourez, pour peu que vous ayez affecté une valeur haute à l'option permettant de gérer la fréquence à laquelle les points sont ajoutés. Attention, plus le nombre est important, plus l'outil est consommateur de mémoire.

Avec le **Lasso polygonal**, tracez des segments rectilignes. Placez le premier point en cliquant à un endroit, puis déplacez le curseur à l'endroit où vous souhaitez que le premier segment finisse. Cliquez à nouveau jusqu'à ce que tous les segments soient tracés. Si vous placez le curseur près du point initial, un petit cercle apparaît. Si vous cliquez, la forme se ferme. Si vous double-cliquez, la figure se ferme automatiquement par un dernier segment tracé depuis votre curseur jusqu'au point initial.

Le **Lasso polygonal** est particulièrement pratique dès lors que vous avez à sélectionner des formes avec des lignes droites.

REMARQUE

Vous avez le droit à l'erreur

Si, lorsque vous utilisez le **Lasso magnétique** ou le **Lasso polygonal**, un ou plusieurs points vous paraissent mal placés, appuyez autant de fois que nécessaire sur la touche [Suppr] pour les effacer successivement.

Avec la **Baguette magique**, sélectionnez d'un clic des pixels de valeurs chromatiques approchantes. C'est la valeur affectée à l'option *Tolérance*, de 0 à 255, qui permet de sélectionner une zone plus ou moins étendue. Cet outil donne de très bons résultats pour la sélection d'un ciel bleu ou de la mer par exemple.

Avec la **Sélection rapide**, réalisez des sélections de façon quasi automatique. Soit vous cliquez, soit vous cliquez et faites glisser le curseur sur une zone pour sélectionner une couleur et une texture.

La déclinaison de cet outil – et son complémentaire – est la **Forme de sélection**. Après avoir choisi une forme et une dimension de pinceau, ajoutez ou retranchez avec précision des pixels à la sélection, réalisée par exemple avec l'outil **Sélection rapide**. L'outil **Forme de sélection** peut être utilisé en mode Sélection ou Masque (à activer via le menu déroulant **Mode**). En mode Sélection, vous avez la possibilité d'étendre la sélection. En mode Masque, vous retranchez des pixels à la sélection ; spécifiez une valeur d'opacité d'incrustation ainsi qu'une couleur dans le sélecteur de couleurs.

Changer d'outil

Il est parfois peu aisé de réaliser une sélection parfaite. Les outils, aussi performants soient-ils, ont leurs limites.

Vous pouvez peaufiner une sélection commencée avec un outil tel le **Rectangle de sélection**, en choisissant un autre outil, comme le **Lasso**, en cliquant sur la touche Maj pour ajouter à la sélection et en dessinant la sélection complémentaire.

Certains outils, comme la **Sélection rapide** ou la **Forme de sélection**, ne nécessitent pas l'appui sur la touche Maj ; vous pouvez donc les utiliser pour améliorer ou modifier une sélection déjà effectuée.

5.4. Le réglage Améliorer le contour pour améliorer les sélections

Si vous voulez améliorer une sélection, Photoshop Elements propose la fonction **Améliorer le contour**.

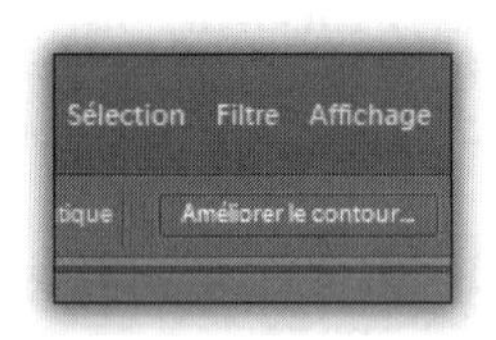

Figure 5.12 :
Un bouton ouvre une boîte permettant un réglage très précis des sélections

Pour l'utiliser, cliquez sur le bouton du même nom, accessible dans la barre d'options de chaque outil de sélection. Une boîte de dialogue propose alors plusieurs réglages qui permettent de définir plus précisément vos sélections.

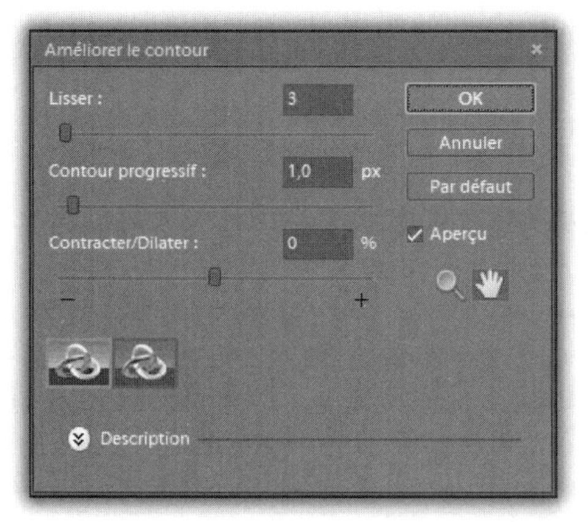

Figure 5.13 : *La boîte de dialogue Améliorer le contour, pour une sélection encore plus précise*

Par exemple, si vous cliquez sur le bouton **Couleur d'incrustation personnalisée**, la zone sélectionnée est colorée en rouge, et vous pouvez voir celle-ci beaucoup plus précisément.

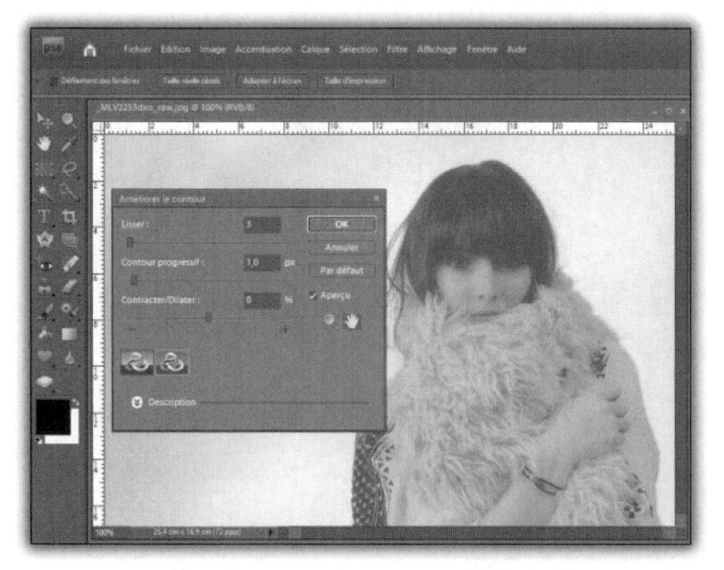

Figure 5.14 : *L'un des paramètres permet de surligner en rouge la sélection effectuée*

Les trois curseurs, *Lisser*, *Contour progressif* et *Contracter/Dilater*, permettent respectivement de supprimer les bords dentelés sur le contour d'une sélection, d'adoucir le contour en générant un bord flou, et de contracter ou de dilater le contour de la sélection.

Ces dispositifs améliorent de manière importante la finesse et la qualité des sélections, de façon beaucoup plus efficace que si vous opériez avec un simple outil.

5.5. Sauvegarder et récupérer une sélection

Vous aurez peut-être besoin, à un moment donné, d'utiliser la même sélection sur plusieurs images. Dans ce cas, pour éviter un travail fastidieux qui consisterait à recommencer plusieurs fois la même opération, Photoshop Elements permet de sauvegarder une sélection pour la récupérer plus tard.

Pour cela, une fois la sélection opérée, cliquez sur le menu **Sélection/Mémoriser la sélection**.

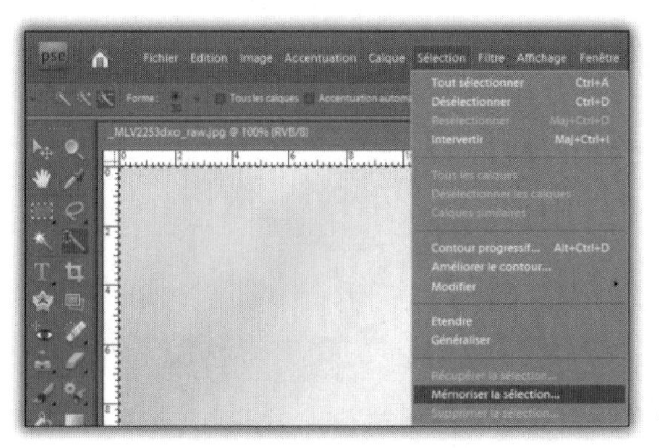

Figure 5.15 : *Ce menu permet de mémoriser une sélection pour l'utiliser plus tard, sans avoir à recommencer le travail*

Une boîte de dialogue vous invite à donner un nom à cette sélection.

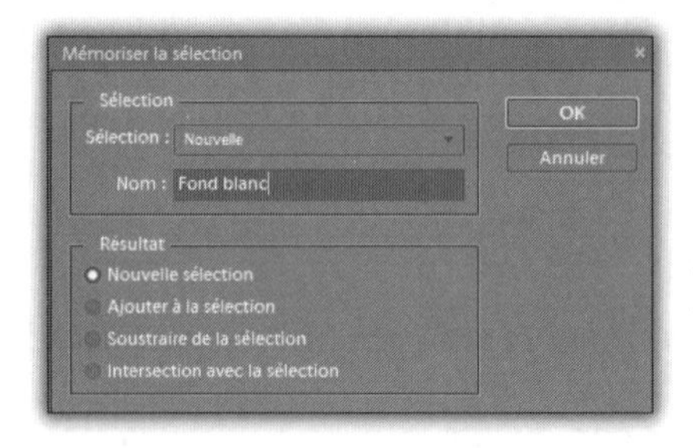

Figure 5.16 : *Si vous mémorisez plusieurs sélections ou plusieurs étapes de sélection, donnez-leur un nom caractéristique*

Un clic sur le bouton OK mémorise la sélection, et vous pouvez la récupérer à n'importe quel moment.

Pour cela, cliquez sur le menu **Sélection/Récupérer la sélection**. Une boîte de dialogue s'affiche et vous demande le nom de la sélection à récupérer. En effet, vous pouvez, à partir de la même image, enregistrer plusieurs sélections en leur donnant un nom différent.

Cette technique est particulièrement intéressante dans le cas de sélections complexes. Vous pouvez ainsi enregistrer plusieurs étapes d'une même sélection pour pouvoir utiliser celle qui convient le mieux.

5.6. L'outil Texte

L'outil **Texte** permet, par défaut, de saisir un texte horizontal, comme dans un traitement de texte traditionnel. Cliquez sur l'icône *Texte* et maintenez le bouton de la souris enfoncé pour accéder à d'autres options : *Texte vertical*, *Masque de texte horizontal* et *Masque de texte vertical*.

Figure 5.17 : *La palette des outils Texte*

L'interface propose les réglages qui permettent d'optimiser l'outil à travers de nombreuses options.

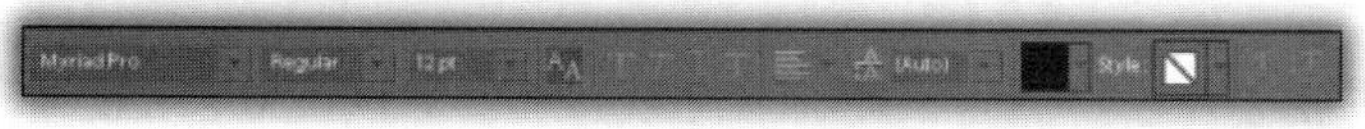

Figure 5.18 : *La barre d'options de l'outil Texte permet de gérer l'aspect de celui-ci*

Le menu horizontal de la barre d'options qui s'affiche propose bien évidemment de **Définir la famille de police**. Vous pouvez aussi **Définir le style**, **Définir le corps**, appliquer un effet de texte **Lissé**, **Faux gras**, **Faux italique**, **Souligné** et **Barré**. Il est possible de **Définir l'interligne** et de **Définir la couleur du texte**.

Un clic sur le menu déroulant **Définir le style** permet d'afficher la liste des polices disponibles sur votre ordinateur. Sur la droite du menu, un aperçu permet d'avoir une idée de la forme des lettres si cette police est utilisée.

Figure 5.19 :
La liste des polices peut être très longue

Afficher un aperçu des polices

La liste déroulante qui permet d'afficher les polices ne suffit pas toujours si l'on veut avoir une idée précise du résultat obtenu, d'autant plus que le nombre de polices disponible est souvent important.

Pour avoir une vision plus précise, saisissez un texte. Après cela, cliquez, dans la barre d'options, sur le nom de la police : elle est alors surlignée.

Chaque clic sur les touches ↓ et ↑ vous permet de naviguer dans la liste des polices, tout en affichant le texte sélectionné avec la forme de la police en question, vous permettant un choix plus aisé.

Vous pouvez aussi intervenir sur la taille de la police, le style ou la couleur de la même manière.

Le menu déroulant **Définir le style** permet de choisir l'aspect de la police parmi les options **Regular**, **Bold** et **Italic**, suivant la police.

Le menu déroulant **Définir le corps** permet de gérer la grandeur du texte affiché.

Le bouton **Lissé** doit toujours être sélectionné car il permet d'éviter les effets de crénelage sur les contours du texte.

Les options *Définir l'alignement* et *Définir l'interligne* sont utiles si vous créez un texte avec plusieurs lignes.

Le bouton **Définir la couleur du texte** donne accès à un menu déroulant qui permet de choisir la couleur du texte.

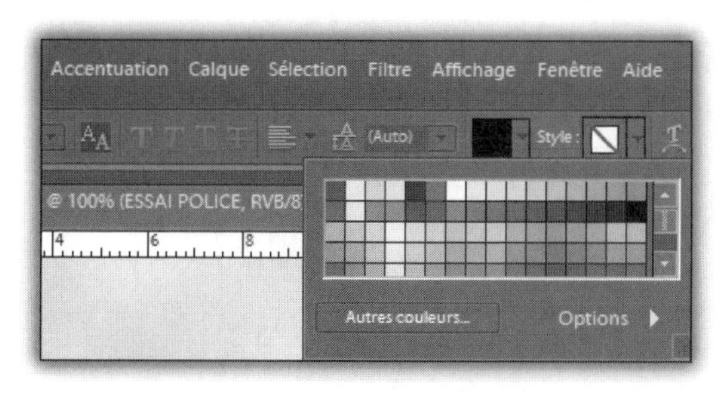

Figure 5.20 : *La partie de la barre d'options de l'outil Texte permettant de choisir la couleur de celui-ci*

Un clic sur le menu déroulant **Style** affiche de nombreux effets. Ombres, biseautages, effets photographiques ou effets spéciaux, à vous d'explorer les nombreuses possibilités !

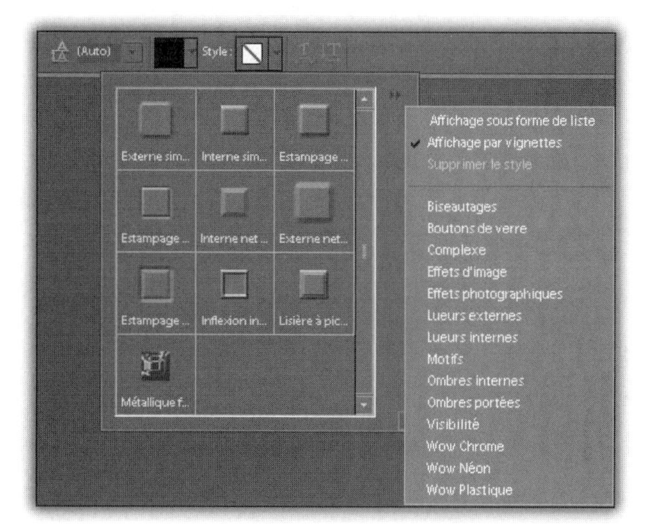

Figure 5.21 : *Les effets de style : ombrage, biseautage...*

Enfin, les deux dernières icônes permettent de créer un texte déformé et de modifier l'orientation du texte. Ces options sont accessibles à partir du moment où le texte a été saisi. Dans le cas contraire, elles sont grisées.

Figure 5.22 : *Le menu de déformation du texte*

Choisir la bonne couleur

Plusieurs outils utilisent une ou plusieurs couleurs. C'est le cas de l'outil **Texte**. Vous avez différents moyens de sélectionner une couleur.

Tout d'abord, vous pouvez utiliser l'outil **Pipette**. Si vous choisissez cet outil et cliquez sur une zone de l'image présentant la couleur qui vous intéresse, celle-ci devient la couleur de premier plan, celle que vous utiliserez avec le pinceau ou le crayon par exemple.

Un autre moyen est de cliquer sur la couleur de premier plan, située en bas de la palette des outils. Une boîte de dialogue s'ouvre. Elle vous permet de choisir une couleur parmi toutes celles proposées par le logiciel. Vous pouvez de même choisir la couleur d'arrière-plan.

Lorsque vous avez créé un texte, un calque spécifique, dont la vignette présente la lettre *T*, est généré. Cela est important car il vous permettra d'intervenir, plus tard, sur ce même texte, même si vous avez enregistré le fichier, à condition, bien sûr, de conserver celui-ci au format PSD, ou dans un autre format qui conserve les calques.

5.7. Les outils de recadrage

Les outils de recadrage sont le **Recadrage**, l'**Emporte-pièce** et le **Redressement**.

Vous connaissez déjà l'outil **Recadrage** puisque vous l'avez découvert dans le module de modification automatique.

Sélectionner et recadrer des carrés et des cercles

Que ce soit avec les outils de sélection ou de recadrage, vous aurez peut-être besoin de dessiner une sélection ou un cadre ayant les proportions exactes d'un cercle ou d'un carré. Pour cela, tout en déplaçant votre curseur pour dessiner la forme, appuyez sur la touche [Maj]. Ainsi, vous forcez la proportion et dessinez un cercle ou un carré parfait.

Cette manipulation vaut aussi pour d'autres outils de sélection.

Avec l'outil **Emporte-pièce**, découpez une photographie avec la forme de votre choix. Son utilisation est très simple.

1. Sélectionnez tout d'abord l'outil **Emporte-pièce** dans la palette d'outils.
2. Cliquez sur le menu déroulant **Forme** dans la barre d'options. En cliquant sur la double flèche, vous ouvrez un sous-menu aux multiples commandes (voir Figure 5.23).
3. Cliquez sur l'un des thèmes proposés pour faire apparaître les formes disponibles dans celui-ci.
4. Choisissez une forme de détourage. C'est sous cet aspect que se présentera la photographie découpée.
5. À ce stade, vous pouvez définir les proportions et la taille de la forme grâce au menu déroulant **Options de forme**.
6. Entrez une valeur de contour progressif si vous souhaitez un contour adouci vers les bords.

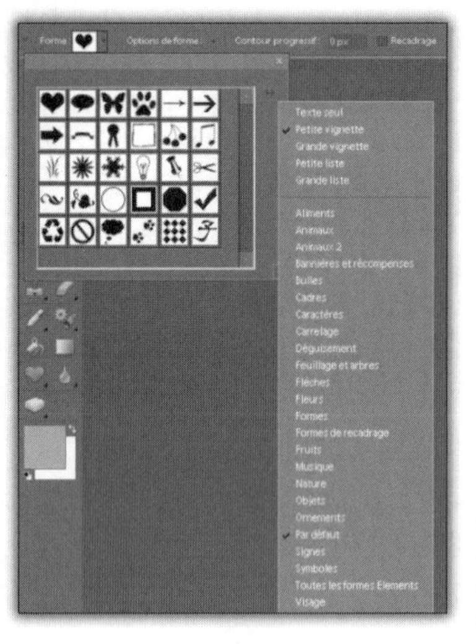

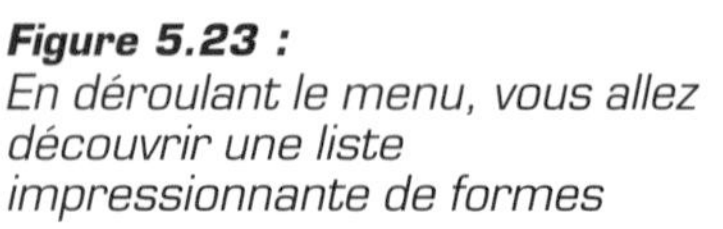

Figure 5.23 :
En déroulant le menu, vous allez découvrir une liste impressionnante de formes

7 Faites glisser le curseur pour dimensionner la forme. Vous pouvez aussi déplacer la forme en cliquant à l’intérieur de celle-ci tout en déplaçant le curseur.

8 Si l’aspect de l’image vous convient, validez votre choix avec le bouton vert (la touche [↵] convient aussi), sinon cliquez sur le bouton **Annulation** (ou appuyez sur la touche [Echap]).

Figure 5.24 :
Certaines formes permettent de créer des effets de bord, pour personnaliser l’affichage des photos

*Vous trouverez les informations concernant le redressement de photo au chapitre **Retoucher des images**.*

5.8. Les outils de retouche

Figure 5.25 :
La partie de la palette d'outils autorisant la correction des photos

L'outil **Retouche des yeux rouges** ainsi que le **Correcteur de tons directs** et l'outil **Correcteur** ont déjà été évoqués. Voyons plutôt comment fonctionnent le **Tampon de duplication** et le **Tampon de motif** ainsi que les différentes gommes : la **Gomme**, la **Gomme d'arrière-plan** et la **Gomme magique**.

Avec le **Tampon de duplication**, prélevez une portion d'image pour dupliquer des objets, corriger des imperfections ou encore faire disparaître des éléments de la photographie.

1. Pour utiliser le **Tampon de duplication**, sélectionnez tout d'abord cet outil dans la palette d'outils.
2. Ensuite, vous pouvez définir la forme, le mode de fusion (le mode Normal recouvre les pixels existants par de nouveaux pixels), l'opacité, si le tampon est aligné ou pas sur le point d'origine, si l'action concerne tous les calques ou le calque actif uniquement.

***Figure 5.26 :** Le tampon de duplication permet d'ajouter ou de supprimer des éléments sur une image*

3 Une fois les choix effectués, cliquez sur la zone d'origine tout en maintenant la touche Alt gauche enfoncée. Votre pointeur prend la forme d'une cible.

4 Placez le curseur à l'endroit où vous souhaitez déposer la portion d'image prélevée. Pendant ce temps, un repère, qui prend la forme d'une croix, suit le déplacement du curseur pour que vous puissiez visualiser plus précisément l'emplacement que vous dupliquez.

Figure 5.27 : *Un champ de coquelicots est créé rapidement, à partir d'un élément dupliqué*

L'outil **Tampon de motif** applique l'un des motifs prédéfinis, mais vous pouvez aussi fabriquer les motifs dont vous avez besoin.

En termes de fonctionnement, cet outil se rapproche, bien entendu, du **Tampon de duplication**, à ceci près que vous dupliquez une seule zone, disponible dans la bibliothèque initiale ou créée par vos soins.

L'utilisation des motifs préenregistrés s'effectue à partir d'une liste déroulante qui représente les motifs disponibles sous la forme de vignettes (voir Figure 5.28).

Vous pouvez choisir l'un des motifs en cliquant dessus et commencer à peindre avec celui-ci.

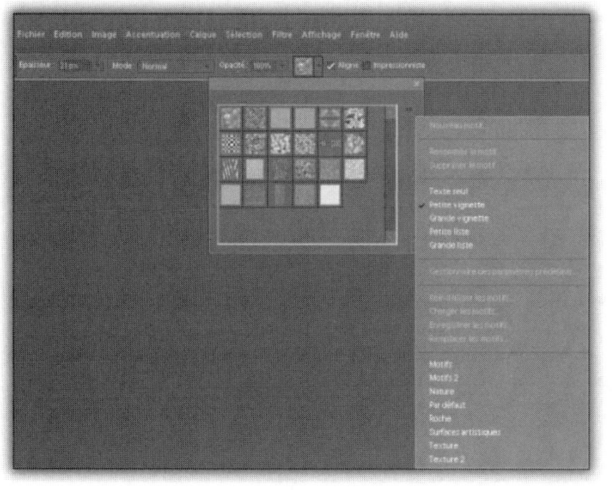

Figure 5.28 : *Des textures peuvent être appliquées avec le tampon de motif*

Plus intéressant, vous pouvez fabriquer vos propres motifs pour les appliquer à une photographie ou à une composition graphique. Voici comment procéder :

1 Tout d'abord, définissez une sélection rectangulaire sur une image. Attention, le contour progressif doit avoir la valeur de 0 px.

2 Une fois la sélection effectuée, cliquez sur le menu **Edition** et choisissez la commande **Définir le motif d'après la sélection**.

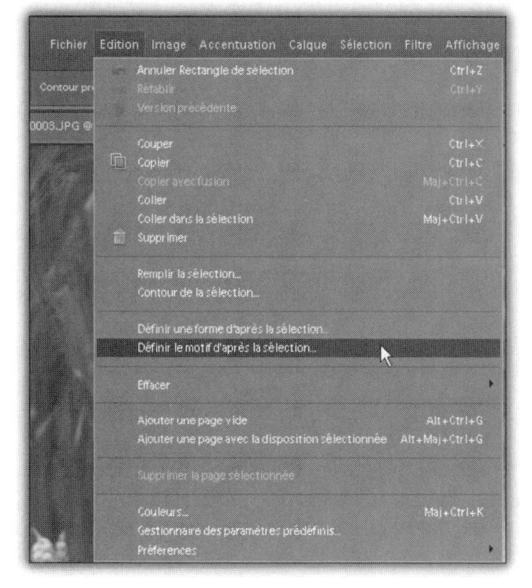

Figure 5.29 : *Le menu permettant la création de motifs*

3 Une boîte de dialogue s'ouvre alors. Entrez un nom pour caractériser ce motif.

4 À partir de ce moment, le motif est enregistré dans votre bibliothèque et apparaît dans la liste déroulante.

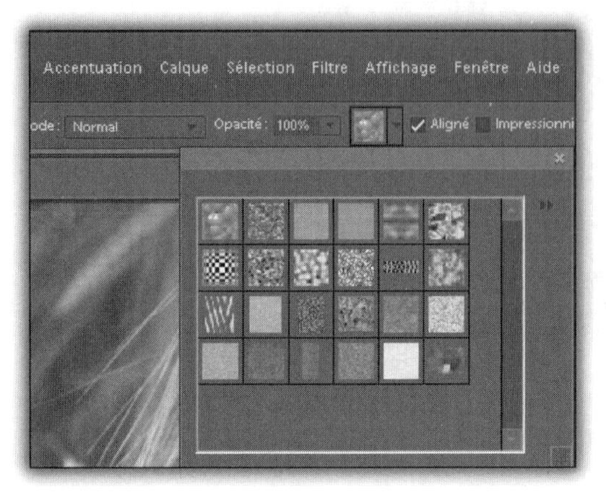

Figure 5.30 : *Vous pouvez créer vous-même des motifs qui apparaissent ensuite dans la liste disponible*

5 En sélectionnant le motif que vous venez de créer, vous pouvez l'appliquer à n'importe quelle photographie. Cliquez et maintenez le bouton de la souris enfoncé en déplaçant le curseur pour dupliquer le motif autant que nécessaire.

Vous avez déjà sans aucun doute utilisé l'outil **Gomme**. C'est un incontournable des logiciels de retouche d'image. Photoshop Elements 7.0 propose deux déclinaisons de l'outil de base : la **Gomme d'arrière-plan** et la **Gomme magique**.

Par défaut, quand vous utilisez la **Gomme**, vous laissez apparaître la couleur d'arrière-plan. Si vous n'avez pas changé cette couleur en choisissant l'une de celles disponibles dans la palette, la couleur d'arrière-plan est le blanc et la couleur de premier plan, celle qui vous sert à dessiner, est le noir.

Afficher la palette des couleurs

La palette des couleurs est accessible d'un clic sur le carré représentant la couleur de premier plan ou d'arrière-plan, sous la palette des outils. Une boîte de dialogue s'affiche alors, vous permettant de choisir une couleur à partir de cette boîte ou même dans une des images affichées dans Photoshop Elements 7.0, à l'aide de l'outil **Pipette**. La

REMARQUE

couleur de dessin ou d'arrière-plan devient alors celle que vous avez choisie.

La **Gomme d'arrière-plan** supprime des objets ou des détails gênants dans une image en rendant transparents les pixels de couleur. Une fois l'outil sélectionné, celui-ci prend la forme d'une cible. Si la cible chevauche une zone qui contient des pixels de valeur chromatique différente, ceux-ci ne sont pas effacés. Cet outil peut servir notamment pour détourer un objet en effaçant son environnement.

La **Gomme magique** efface des zones d'une image pour les rendre transparentes. Cette fonction est utile notamment lorsque vous voulez effectuer un montage à partir de plusieurs photographies.

La suppression de pixels s'effectue à partir de pixels de couleur similaire. La tolérance de l'outil peut être réglée à partir de l'option *Tolérance*.

Si vous utilisez cet outil sur une image ne contenant pas de calques, les zones effacées laissent la place à une grille de carrés gris et blancs, symbole de la transparence dans ce logiciel.

5.9. Les outils de dessin et de peinture

Ces outils sont un peu éloignés de la retouche de photographie puisqu'ils concernent un domaine réservé essentiellement aux graphistes. Cela dit, ils permettent, avec l'outil **Texte**, de créer des visuels pour des affiches, des pochettes de CD-Rom, une carte de vœux ou un faire-part par exemple.

Les outils de dessin et de peinture sont le **Crayon**, la **Forme dynamique**, le **Pot de peinture**, le **Dégradé** et la **Forme**.

Figure 5.31 : *Les outils de dessin*

Le **Pinceau** et le **Crayon** sont deux outils similaires qui déposent des traces de couleur sur une image. Pour chacun d'entre eux, vous pouvez choisir une forme, une épaisseur, le mode de fusion et l'opacité. Vous peindrez ou dessinerez toujours avec la couleur de premier plan.

L'outil **Forme dynamique** permet d'appliquer simplement de nombreux effets, ainsi que des réglages de couleur et de tonalité, sur une partie d'image. Le logiciel propose une cinquantaine d'effets spéciaux.

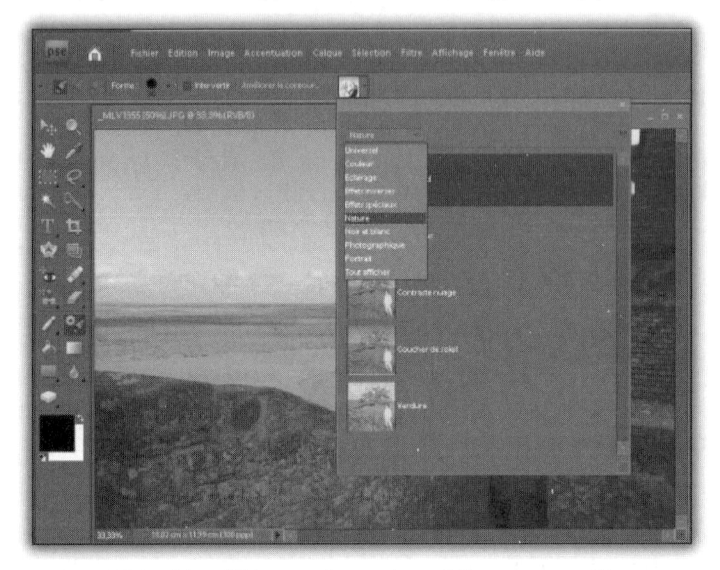

Figure 5.32 : *L'outil Forme dynamique fait son apparition avec cette nouvelle version de Photoshop Elements*

Dès lors que vous utilisez l'outil **Forme dynamique**, un calque de réglage est créé. Les corrections sont ainsi appliquées de manière temporaire et peuvent être ajustées par la suite. Supprimez ce calque pour annuler l'effet.

Figure 5.33 : *Un outil de sélection efficace*

L'outil **Forme dynamique** réalise des sélections à la manière de l'outil **Sélection rapide** et applique simultanément un réglage chromatique ou tonal. L'application de l'outil **Forme dynamique** a pour effet de délimiter une sélection par analogie de couleur et de texture. Le réglage est appliqué simultanément à la zone sélectionnée.

L'outil **Détail de forme dynamique**, quant à lui, applique le réglage à certaines parties de la photo. Privilégiez cet outil pour agir avec précision sur des détails infimes.

Une fois l'effet appliqué, la zone sur laquelle intervient la correction affiche plusieurs icônes représentant des pinceaux. Un clic sur l'une des icônes permet respectivement de créer une **Nouvelle sélection**, d'**Ajouter à la sélection**, ou encore de **Soustraire de la sélection**.

Figure 5.34 :
Les outils de réglage apparaissent au sein même de la sélection

Enfin, une icône rouge représentant deux petites roues crantées permet d'affiner les réglages. Double-cliquez sur celle-ci pour afficher la boîte de dialogue correspondant à la correction utilisée. Si vous cliquez du bouton droit sur cette icône, un menu contextuel vous propose de **Modifier les paramètres de réglage**, de **Supprimer le réglage** ou de **Masquer la sélection**.

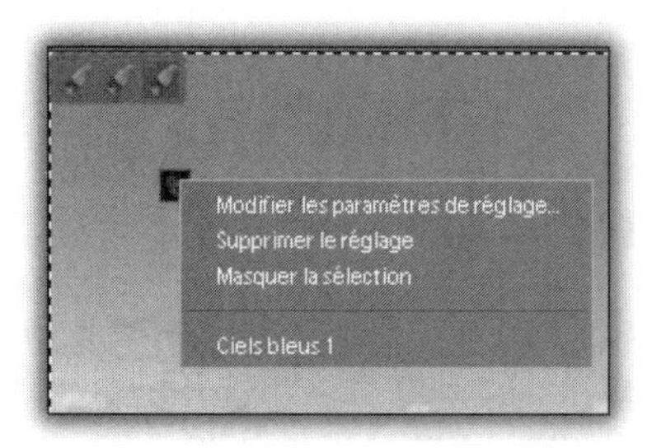

Figure 5.35 :
Un menu contextuel propose toutes les fonctions nécessaires

Le **Pot de peinture** est un outil très connu qui remplit une zone sélectionnée ou remplit, avec des pixels de couleurs approchantes, la couleur de premier plan. Vous trouverez bien entendu les options traditionnelles de réglage, *Mode*, *Opacité*, *Tolérance*, que vous connaissez déjà.

L’outil **Dégradé** dessine un dégradé qui part de la couleur de premier plan pour finir sur la couleur d’arrière-plan. Une bibliothèque de dégradés est disponible à partir du sélecteur de dégradés. Vous pourrez aussi définir votre propre bibliothèque.

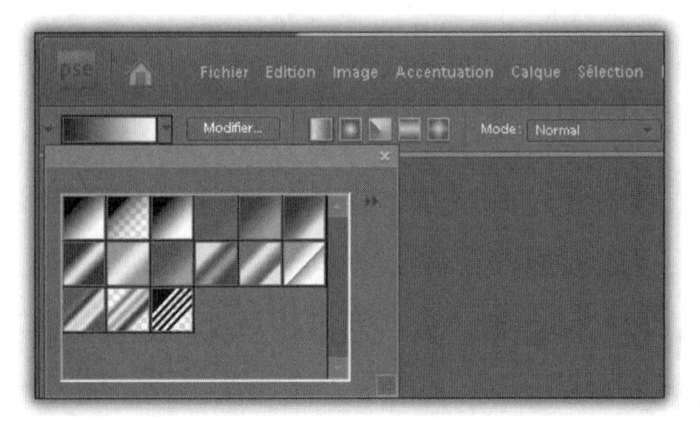

Figure 5.36 : *Le menu de choix et de réglage des dégradés*

Pour obtenir un dégradé, tracez une ligne tout en maintenant le bouton gauche de la souris enfoncé. Plus le point d’arrivée est éloigné du point initial, plus le dégradé s’étend sur une zone importante. Le dégradé prend aussi la direction du trait virtuel que vous avez tracé.

Par défaut, le dégradé prend une forme de **Dégradé linéaire**, une ligne droite entre le point de départ et celui d’arrivée. Vous pouvez opter pour un dégradé en forme de **Dégradé radial**, de forme circulaire, de **Dégradé incliné**, tracé autour du point de départ, de **Dégradé réfléchi**, de part et d’autre du point de départ, sous la forme d’un double dégradé linéaire, ou de **Dégradé en losange**, partant du point de départ vers l’extérieur, le point d’arrivée définissant un angle du losange.

5.10. Les outils de forme

Les outils de forme permettent de dessiner une figure prenant l’aspect d’un **Rectangle**, d’un **Rectangle arrondi**, d’une **Ellipse**, d’un **Polygone**, d’un **Trait**, d’une **Forme personnalisée** ainsi que d’une **Sélection de forme**.

REMARQUE

Images vectorielles, images bitmaps

Les images numériques issues des appareils photo, des photophones, webcams, caméscopes ou scanners, sont de type bitmap. Les pixels qui les composent sont enregistrés un par un. C'est le seul moyen d'obtenir des photographies réalistes qui rendent compte, dans tous les détails, de la texture d'une peau, d'une écorce d'arbre ou d'un paysage. Le revers de la médaille est que ces images occupent de la place sur leur support : disque dur, clé USB ou CD-Rom. Même si certains formats de fichier, comme le JPG ou JPEG, permettent de réduire le poids du document au prix d'une compression, les images de type bitmap pèsent lourd.

Les formes, dans Photoshop Elements, sont des images de type vectoriel. Elles sont caractérisées par des lignes et des courbes, à savoir leurs caractéristiques géométriques, et non par des pixels, même si ces données sont affichées en tant que pixels sur l'écran. Il en résulte des fichiers plus légers et donc plus simples à manipuler. Vous pouvez les redimensionner, les déplacer et les déformer sans perte de qualité.

Tous les outils de forme fonctionnent de la même manière. Après avoir sélectionné l'outil et une couleur, cliquez et déplacez le curseur sur l'image pour tracer la figure. Vous pouvez ensuite appliquer un style à la forme, c'est-à-dire un effet de biseautage, d'estampage et d'autres effets d'ombre portée ou des effets photographiques, de la même manière que vous le feriez avec l'outil **Texte**.

Figure 5.37 : *Ces effets peuvent être appliqués aux textes et aux formes*

Des icônes permettent l'addition, la soustraction, l'intersection et l'exclusion de formes. Vous pouvez ainsi, après avoir dessiné un rectangle, découper l'intérieur de celui-ci pour ne conserver que le pourtour afin de créer un cadre.

Si vous tracez une forme avec l'outil **Trait**, vous pouvez la transformer en lui donnant la forme d'une flèche grâce à un menu déroulant.

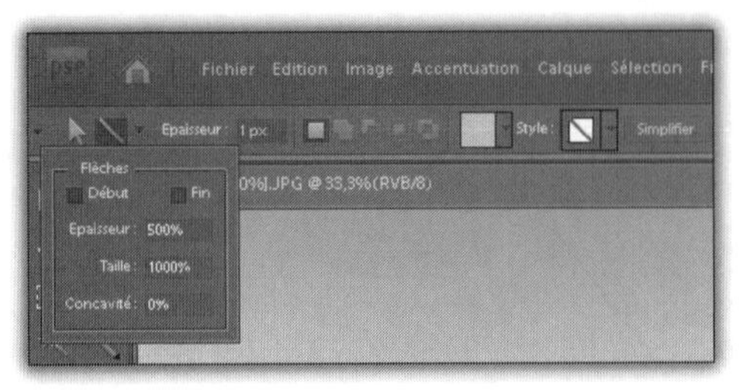

Figure 5.38 : *Le paramétrage de l'outil Trait*

Enfin, la sélection de forme vous autorise à modifier l'apparence de la forme dessinée puisque c'est le même outil que la **Transformation manuelle** qui apparaît à l'écran.

Une dernière option, commune à toutes les formes, vous permet de simplifier le calque. Cette fonction transforme la forme vectorielle en image de type bitmap. Si vous validez cette option, la figure perd définitivement ses fonctions vectorielles.

Il reste deux outils dans la palette, qui sont des outils de retouche au même titre que le **Correcteur de tons directs**, le **Tampon de duplication** ou la **Gomme**. Découvrez-les à présent.

5.11. Les outils Goutte d'eau et Éponge pour des effets photographiques réalistes

Ces deux outils sont la **Goutte d'eau** et l'**Éponge**. L'icône *Goutte d'eau* permet de développer les outils **Netteté** et **Doigt**. L'outil **Éponge** permet d'accéder aux outils **Densité –** et **Densité +**.

Figure 5.39 : *Des outils simples, qui occupent pourtant le photographe argentique pendant de très longues heures !*

L'outil **Goutte d'eau** adoucit les contours des objets en les rendant flous, à la manière d'un filtre d'atténuation. Les appareils photo numériques compacts ont tendance à privilégier autant le premier plan que l'arrière-plan, la gestion de la profondeur de champ étant rendue très difficile en raison de la petitesse du capteur qui enregistre l'image. L'outil **Goutte d'eau** trouve alors tout son intérêt.

L'outil **Netteté** accentue les contours d'une partie de l'image. Bien entendu, il ne rend pas nette une photographie floue ! Une utilisation trop marquée donne un aspect granuleux désagréable.

L'outil **Doigt** simule l'effet des traces que peut laisser un doigt étalant de la peinture fraîche. La couleur est prélevée au point de départ et s'étale au fur et à mesure du déplacement du curseur.

L'outil **Éponge** modifie la vivacité des couleurs. En appliquant l'**Éponge**, vous désaturez une zone de l'image, c'est-à-dire que les couleurs vont progressivement migrer vers une gamme de gris.

Les outils **Densité –** et **Densité +** corrigent l'exposition sur certaines zones d'une photographie. Vous pouvez, respectivement, éclaircir ou assombrir des zones de l'image, de la même manière que, dans un laboratoire photographique, vous pouvez masquer avec des caches ou faire ressortir certaines zones de l'image en les insolant plus longtemps. Avec un logiciel comme Photoshop Elements, cette opération est largement facilitée. De surcroît, le numérique vous laisse le droit à l'erreur ! Usez et abusez de la combinaison de touches Ctrl+Z.

5.12. La palette d'effets pour appliquer des filtres, des styles de calque et des effets photo

La plupart des filtres, contrairement aux calques de réglage, sont appliqués directement à l'image. Il est donc recommandé de dupliquer le calque initial pour retrouver la photographie dans son état premier si besoin.

La palette d'effets contient quatre icônes représentant dans l'ordre les filtres, les styles de calque, les effets de la photo. La dernière permet d'afficher l'ensemble des réglages possibles.

Figure 5.40 :
Le choix des différents types de filtres et effets

Il y a plusieurs moyens d'accéder aux filtres

Comme la plupart des fonctions disponibles dans Photoshop Elements 7.0, les filtres sont aussi accessibles à partir du menu **Filtre**. Certains d'entre eux ne sont d'ailleurs disponibles que par ce biais. N'hésitez donc pas à l'explorer ! La commande **Galerie de filtres** affiche une boîte de dialogue dans laquelle vous pouvez effectuer des réglages avec un aperçu de l'effet escompté.

Vous pouvez appliquer les filtres à tout ou partie de l'image. Si vous créez une sélection, le filtre est placé seulement sur la partie sélectionnée.

L'application d'un filtre à une image ayant un grand nombre de pixels peut mobiliser toutes les ressources de votre ordinateur et demander du temps. N'hésitez pas à utiliser la fonction d'aperçu, disponible pour la plupart des filtres, qui permet une prévisualisation de l'effet sur une partie de l'image.

Vous pouvez employer plusieurs méthodes pour appliquer un filtre. Il est possible de cliquer sur l'icône représentant chacun d'eux dans la palette des filtres et de déplacer celle-ci sur l'image. Suivant le filtre, une boîte de dialogue permettant des réglages s'affiche ou celui-ci est appliqué automatiquement.

5.13. Appliquer des filtres

Les filtres sont rangés, à partir du menu **Filtre**, dans plusieurs catégories.

Les filtres **Réglages** permettent d'intervenir sur la couleur, la luminosité et les niveaux de gris de l'image. C'est dans ce menu que vous trouverez les filtres photo permettant des corrections fines de l'image. En photo argentique, ceux-ci sont utilisés à la prise de vue ; en numérique, on les applique a posteriori.

Les filtres **Artistiques** simulent des effets de peinture et de dessin.

Les filtres **Bruit** permettent d'ajouter ou de réduire les effets de bruit dus à des images sous-exposées.

Les filtres **Flou** permettent d'atténuer tout ou partie de l'image.

Les filtres **Contour** donnent des aspects obtenus habituellement en peinture et dessin par l'application d'effets de forme et de contour à l'encre.

Les filtres **Déformation** permettent de déformer géométriquement l'image.

Les filtres **Esquisse** ajoutent une texture ou un effet de dessin.

Les filtres **Esthétiques** produisent un effet se rapprochant des techniques de peinture, comme l'aquarelle ou l'impressionnisme.

Les filtres **Pixellisation** rassemblent des pixels de valeurs chromatiques similaires.

Les filtres **Rendu** créent des déformations de type 3D ainsi que des effets de nuage et des effets lumineux.

Les filtres **Textures** de découpage et de profondeur peuvent simuler un vitrail, du grain, une mosaïque ou des effets de craquelure.

Les filtres **Vidéo** peuvent limiter les couleurs à celles susceptibles d'être affichées sur un écran de télévision.

Les filtres **Divers** permettent notamment de créer des effets personnels.

Les filtres **Digimarc** affichent un filigrane de ce type si celui-ci est disponible.

La photo suivante montre l'application de tous les filtres artistiques par zone, sur la même image (voir Figure 5.41).

Les modules externes

Si Photoshop Elements 7.0 ne propose pas assez de filtres à votre goût, vous avez encore la possibilité d'ajouter des filtres conçus par d'autres éditeurs. Si vous en installez, ceux-ci s'ajoutent à la liste de

ceux disponibles sous la forme d'un sous-menu **Modules externes** dans le menu **Filtre**.

Figure 5.41 : *Un patchwork de filtres appliqués sur une image*

L'utilisation des filtres sera abordée plus longuement au chapitre ***Les filtres en détail****.*

5.14. Ajouter de la profondeur avec des ombres portées, des biseaux, des lueurs et autres effets

Les styles de calque sont accessibles d'un clic sur la deuxième icône disponible dans la palette *Effets*. Vous pouvez aussi y accéder en cliquant sur le menu déroulant **Calque** et en sélectionnant la commande **Style de calque**.

La palette des styles de calque propose une série d'effets applicables d'un simple clic. Pour appliquer ceux-ci, effectuez les mêmes opérations que pour les filtres, à savoir, un cliquer-déplacer ou un double clic sur l'icône représentant l'effet.

Utilisez les styles de calque essentiellement pour personnaliser un texte ou une forme. Ces styles font ressortir un texte en lui appliquant un effet de biseautage, d'ombre ou d'estampage par exemple.

D'autres effets de style transforment fortement la forme ou le texte écrit.

Figure 5.42 : *Vous pouvez aller très loin dans la gestion des effets spéciaux appliqués aux textes*

Vous avez accès à des réglages pour affiner les effets obtenus à partir du menu **Calque** en choisissant la commande **Paramètres de style** du sous-menu **Style de calque**.

Une boîte de dialogue vous invite alors à paramétrer différents aspects de l'effet : angle d'éclairage, taille de la lueur, du biseau ou du contour.

Les principaux effets de style permettent d'apporter notamment :

- Une ombre portée : cet effet dessine un halo dont vous pouvez gérer la distance et l'angle, avec sa variante consistant en un effet d'ombre interne. Dans ce cas, l'ombre est dans la forme ou le texte visible.
- Une lueur externe : cet effet crée un halo lumineux autour d'un élément. Vous pouvez également produire un démarquage entre le fond et la forme. Il existe aussi un effet de lueur interne.
- Un biseautage : cet effet apporte du relief sur les contours des objets.

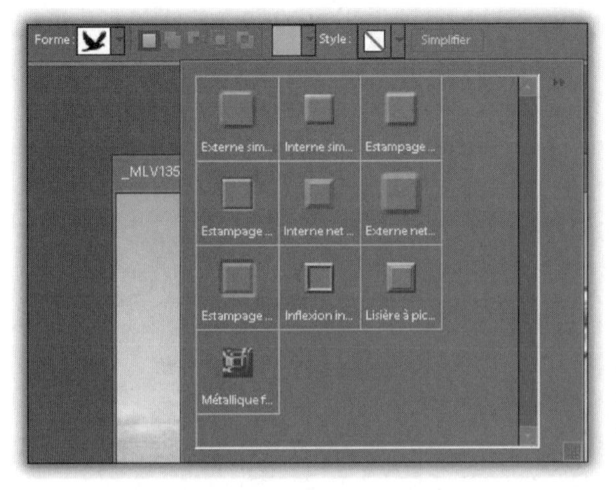

Figure 5.43 : *Les différentes possibilités d'appliquer les effets*

Complexité des effets et styles

Le nombre de réglages et la quantité d'informations qu'il est possible de paramétrer peuvent vous sembler un handicap. N'oubliez pas que chaque section contient des exemples sous la forme de vignettes, et ce pour chaque catégorie et sous-catégories.

De même, la case à cocher *Aperçu*, disponible dans la plupart des boîtes de dialogue des filtres et effets est là pour vous guider dans vos choix.

Enfin, ne négligez pas le fait que le numérique vous laisse toujours la possibilité de faire et refaire des tests sans détériorer votre document original. À vous d'en profiter !

5.15. Appliquer des effets photographiques et vieillir une photo en quelques clics

De même que pour les effets de style, la liste des effets photographiques est longue ; heureusement, les vignettes de prévisualisation vous guideront dans vos choix.

L'un des effets très prisés des utilisateurs est le vieillissement d'une image par coloration sépia. Cet effet est très simple à obtenir.

1 Ouvrez une image depuis votre catalogue.

2 Dans la palette *Effets*, cliquez sur l'icône *Effets de la photo*.

3 Dans la liste déroulante, sélectionnez *Couleurs monochromes*.

4 Double-cliquez sur la vignette *Teinte sépia* pour appliquer l'effet.

Figure 5.44 : *L'effet sépia fait toujours son "effet"*

5 Pour que l'effet soit encore plus marqué, choisissez *Photo ancienne* dans la liste déroulante.

6 Double-cliquez sur la vignette *Photo ancienne*.

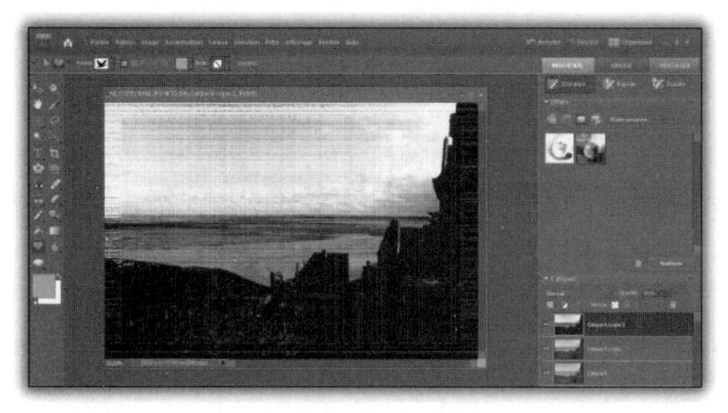

Figure 5.45 : *L'effet vieillissement*

7 Vous trouvez certainement que l'image est à présent trop sombre et vous avez raison ! C'est l'occasion de découvrir un nouveau réglage de la palette des calques : l'*Opacité*. En déplaçant le curseur, dont la valeur initiale est 100 %, vers la gauche, vous obtiendrez un effet beaucoup plus subtil. Sur cet exemple, la valeur retenue est 40 %.

Figure 5.46 : *Les deux effets superposés*

5.16. Corriger la perspective avec le filtre Corriger la distorsion de l'objectif

Parfois, par manque de recul en raison d'une position trop haute ou trop basse de l'appareil photo, ou encore par défaillance de certains objectifs, la perspective d'une scène est inadéquate.

RENVOI

*Vous avez déjà vu cette correction au chapitre **Retoucher des images**. Elle est abordée plus en détail ici.*

Le filtre **Corriger la distorsion de l'objectif** redresse l'image, mais aussi atténue des défauts de vignettage et de distorsion de l'objectif.

Une image prise au grand angle présente souvent des déformations, notamment lorsque le sujet photographié montre des lignes verticales. Cette photo a été prise en faible lumière. Les coins subissent un vignettage prononcé, c'est-à-dire un obscurcissement.

L'image étant réalisée avec un grand angle de faible qualité et le photographe manquant de recul, elle présente à la fois des défauts de perspective et de distorsion. Heureusement, le filtre **Corriger la distorsion de l'objectif** corrigera correctement la majeure partie de ces imperfections.

Ce filtre est capable aussi de rectifier une perspective inadéquate due à une inclinaison verticale ou horizontale de l'appareil. (Les valeurs de correction données ici pourront varier suivant l'image utilisée.)

1 Tout d'abord, chargez une image présentant des déformations de perspective dans l'éditeur standard, un monument par exemple.

2 Cliquez sur le menu **Filtre** puis activez la commande **Corriger la distorsion de l'objectif**.

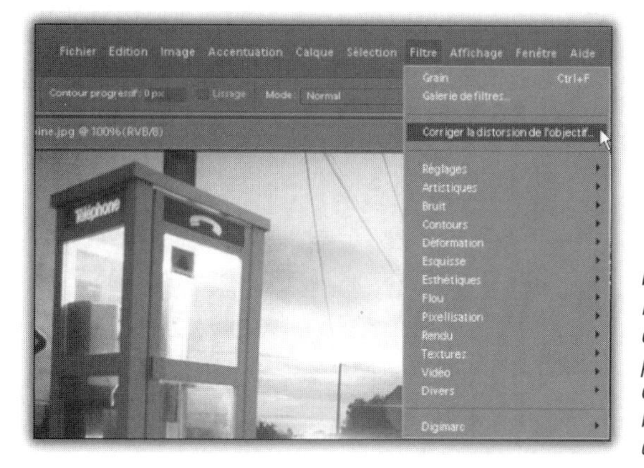

Figure 5.47 : *Les corrections de ce type étaient plutôt l'apanage de logiciels beaucoup plus onéreux*

3 L'interface habituelle laisse la place à une boîte de dialogue couvrant tout l'écran et aux nombreux réglages. La photo défectueuse présentant quasiment tous les défauts qui nous intéressent, vous allez pouvoir expérimenter chacun d'eux.

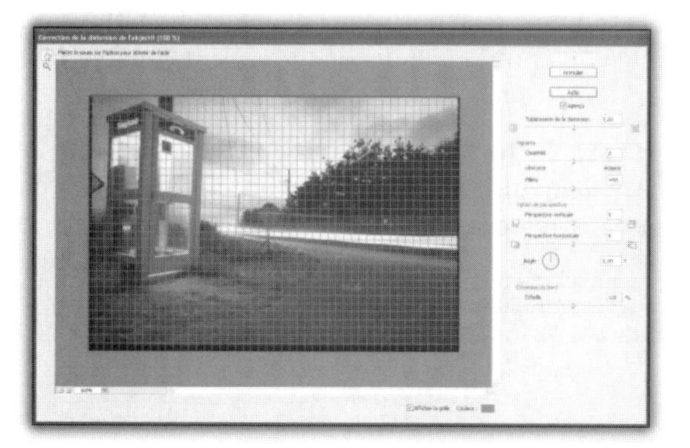

Figure 5.48 : *L'interface complète de correction de distorsion de l'objectif*

4 Assurez-vous que la case *Aperçu* est cochée. Cela vous permettra de vérifier en temps réel les corrections que vous allez apporter.

5 Tout d'abord, utilisez le curseur *Suppression de la distorsion*. Cette correction intervient sur des déformations caractéristiques des images prises au grand angle. Ce sont la distorsion en barillet et la distorsion en coussinet. La distorsion en barillet a tendance à faire "enfler" le sujet, on a l'impression que les lignes droites des bords de l'image ont envie de sortir du cadre. La distorsion en coussinet, quant à elle, produit l'effet inverse, c'est-à-dire que les lignes droites ont tendance à se déformer vers l'intérieur de l'image. Pour l'image en illustration, une correction de +4 semble adéquate.

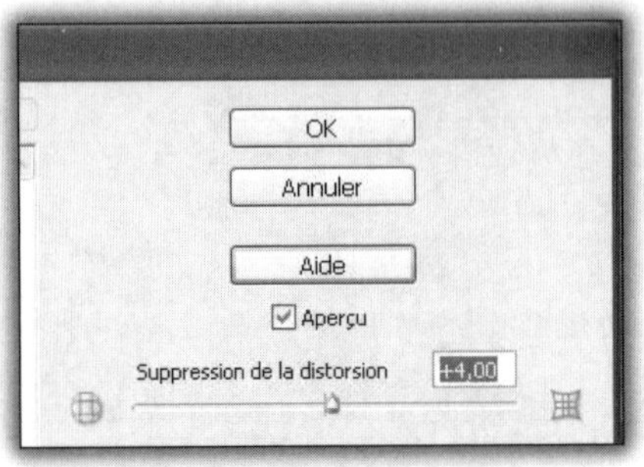

Figure 5.49 :
La validation des options

6 Vous pouvez à présent corriger l'effet de vignettage dans la section appelée *Vignette*, c'est-à-dire l'obscurcissement des coins de la photographie.

Le curseur *Quantité* permet de définir la quantité d'éclaircissement ou d'obscurcissement des bords de l'image. Comme vous avez coché *Aperçu*, vous pouvez nuancer progressivement l'effet en le visualisant en temps réel.

Le curseur *Milieu* agit sur une zone plus ou moins large de l'image. Une valeur inférieure agit sur une plus grande partie de la photo. Pour restreindre l'effet, entrez une valeur supérieure.

Entrez `+32` dans la case *Quantité* et `+60` dans la case *Milieu*.

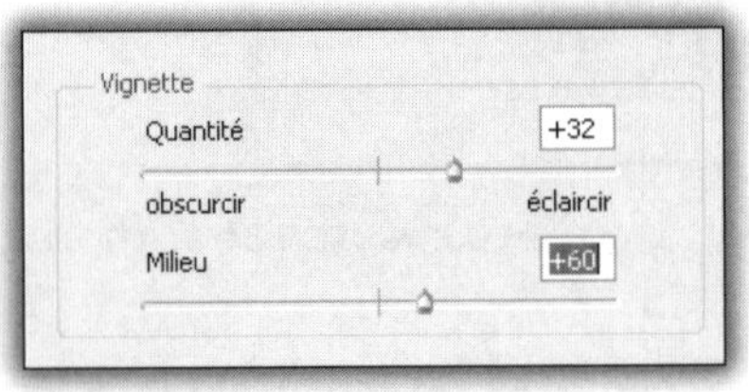

Figure 5.50 :
Le réglage de l'option de correction du vignettage

7 À présent, utilisez la section *Option de perspective*.

Le curseur *Perspective verticale* corrige l'inclinaison verticale de l'appareil de prise de vue. Utilisez la grille qui se superpose à la photographie pour trouver la bonne valeur.

Le curseur *Perspective horizontale* rectifie l'inclinaison de l'appareil en corrigeant les détails. Le curseur circulaire *Angle* permet d'affecter une rotation à l'image.

Une valeur de –8 pour la *Perspective verticale* et une valeur de 0 pour la *Perspective horizontale* semblent ici adéquates.

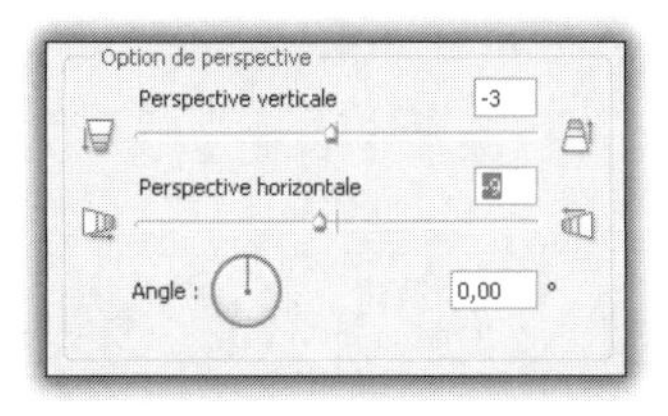

Figure 5.51 : *Le réglage de correction des options de perspective*

8 Enfin, utilisez l'outil *Extension du bord*, avec une valeur de 107%, pour éliminer les bords blancs.

Extension du bord
Echelle 107 %

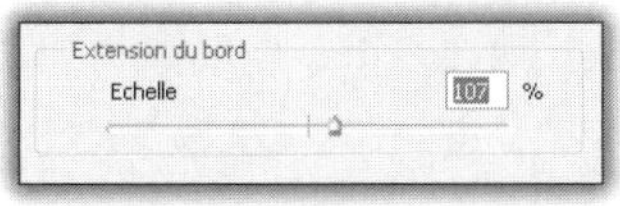

Figure 5.52 : *Ce réglage permet d'éliminer les bords blancs dus aux corrections de perspective*

9 Vous pouvez alors comparer l'image corrigée avec votre original en affichant les deux versions côte à côte.

Figure 5.53 : *Les images avant et après correction de la perspective*

Pour une retouche d'image rapide, vous pouvez aussi intervenir directement dans l'Organiseur.

À chaque module ses outils

Suivant le degré d'interaction choisi, vous avez, ou pas, accès à certains outils.

Chapitre 6

Les filtres en détail

Les filtres servent soit à corriger des photos, dans ce cas on dit qu'ils sont non destructeurs, soit à appliquer des effets spéciaux – ces effets peuvent être de type artistique, mais aussi permettre des transformations insolites, comme les effets de déformation –, dans ce cas, on parle de filtres destructeurs, dans la mesure où ils modifient en profondeur la structure des images.

Photoshop Elements propose un nombre important de filtres, mais vous pouvez aussi ajouter des filtres développés par des artistes, des techniciens ou des sociétés indépendantes. Vous devrez installer vous-même ces filtres, et ils apparaîtront dans le sous-menu **Modules externes** du menu **Filtre**.

6.1. Accéder aux filtres

Il y a trois manières d'accéder aux filtres dans Photoshop Elements 7.0. Tout d'abord, vous pouvez cliquer sur le menu **Filtre**, comme nous l'avons déjà vu. Un menu déroulant laisse apparaître la liste des filtres disponibles, classés par catégorie, comme nous l'avons déjà vu.

Figure 6.1 : *Le menu Filtre dévoile la liste des effets disponibles ; la liste est longue, d'autant plus que la plupart des filtres sont paramétrables, multipliant d'autant les possibilités*

C'est un moyen simple lorsque vous n'avez pas besoin de visualiser l'effet du filtre avant son application, ou lorsque vous connaissez très bien son utilisation.

Vous pouvez aussi utiliser la galerie de filtres. L'interface de la galerie permet d'afficher, sous forme de vignettes, l'effet que peut produire chaque filtre.

L'interface de la galerie de filtres est accessible d'un clic sur le menu **Filtre/Galeries de filtres**. La partie gauche de l'interface montre l'image sur laquelle vous intervenez. Au centre, une section permet de choisir quel filtre vous souhaitez utiliser. Plusieurs menus déroulants permettent de passer d'une catégorie à l'autre. Des vignettes montrent succinctement quel effet sera appliqué. Enfin, sur la droite, deux sections sont disponibles.

La première donne accès aux réglages du filtre si celui-ci le permet, sous la forme de plusieurs curseurs ou de zones de saisie de valeurs numériques. Les réglages varient en fonction du filtre utilisé.

Figure 6.2 :
L'interface permettant de régler les paramètres du filtre Placage de texture

En dessous de cette boîte de dialogue, une section permet de superposer des filtres, de la même manière que vous gérez les calques dans la palette des calques (voir Figure 6.3).

L'intérêt de la galerie des filtres est que vous pouvez voir l'effet du filtre appliqué à votre image, celle-ci étant affichée dans une dimension respectable.

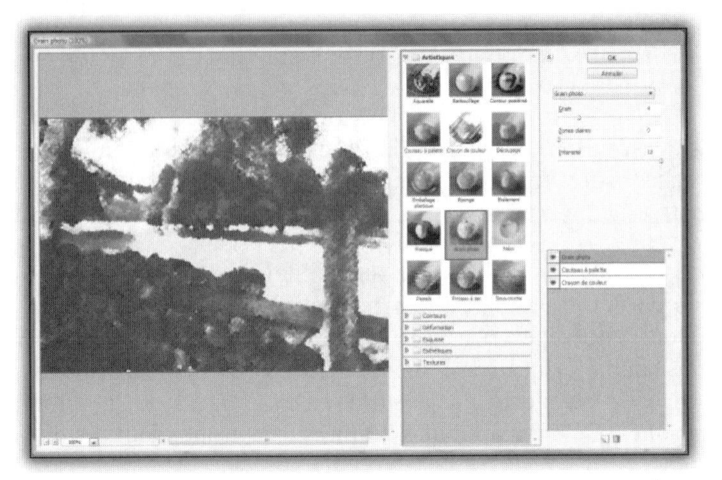

Figure 6.3 : *L'interface de la galerie de filtres, avec ses trois sections*

Si votre image est très grande, elle risque de ne pas être affichée dans son intégralité dans l'interface. Utilisez dans ce cas les boutons **+** et **–**, visibles en bas et à gauche. Ils permettent d'optimiser au mieux l'affichage.

Figure 6.4 :
Utilisez les commandes qui permettent d'optimiser l'affichage des éléments visibles dans l'interface

Cela dit, c'est toujours en affichant l'image à 100 % de sa taille que vous verrez avec le plus de précision l'effet du filtre et la transformation opérée.

L'utilisation de la galerie des filtres est très simple, dans la mesure où il s'agit de cliquer sur l'une des vignettes pour appliquer un filtre à l'image. L'intérêt de cette interface est que les filtres ne sont pas appliqués instantanément à l'image. Ce que vous voyez à l'écran est une prévisualisation de l'effet. Cela veut dire que vous pouvez changer d'avis à tout moment et choisir une autre option, sans affecter l'image originale.

Cette prévisualisation est donc instantanée. C'est seulement lorsque vous cliquerez sur le bouton OK que les filtres seront effectivement appliqués à l'image.

La section présentant la succession des filtres appliqués à l'image, sur la droite de l'interface, montre ou masque les effets si vous cliquez sur l'icône en forme d'œil, de la même manière que vous pouvez le faire pour les calques.

Une icône représentant une corbeille permet de supprimer les filtres. Une autre permet de dupliquer l'effet d'un filtre pour l'appliquer à nouveau. Pour cela, cliquez sur le filtre que vous voulez dupliquer puis sur l'icône *Nouveau calque d'effet*.

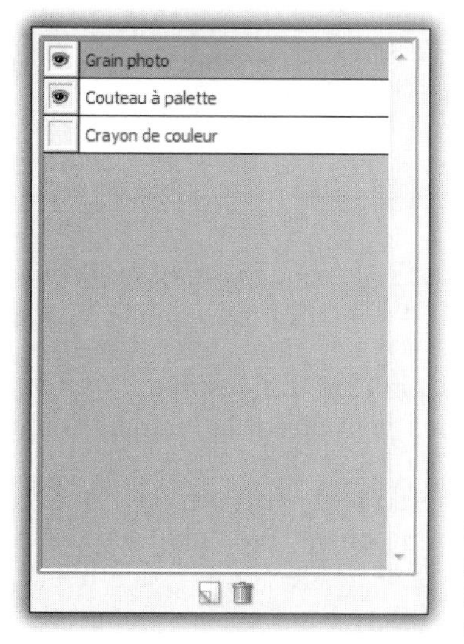

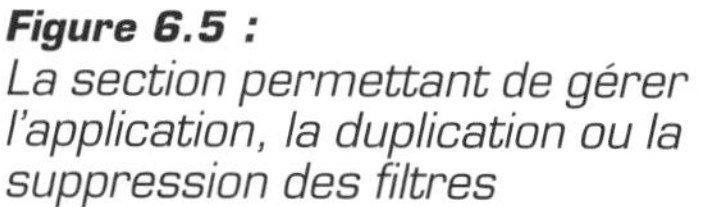

Figure 6.5 :
La section permettant de gérer l'application, la duplication ou la suppression des filtres

Lorsque vous cliquez sur l'icône *Nouveau calque d'effet*, par défaut c'est le dernier calque sélectionné qui est dupliqué. Par exemple, imaginez une liste de trois calques d'effet superposés : *Grain photo*, *Couteau à palette* et *Crayon de couleur*, du haut vers le bas. Si le filtre **Couteau à palette** est sélectionné au moment où vous cliquez sur l'icône *Nouveau calque d'effet*, alors c'est ce dernier qui est dupliqué.

Figure 6.6 :
Le dernier calque sélectionné était le calque Couteau à palette : celui-ci est donc dupliqué

Pour améliorer le rendu de votre image finale, vous pouvez changer l'ordre des calques : cliquez sur l'un deux, maintenez le bouton de la souris enfoncé, et relâchez-le là où vous souhaitez que le filtre en question soit appliqué. Le fait de changer l'ordre des calques peut modifier de manière importante le rendu final de l'image.

Attention : certains filtres proposés dans le menu **Filtre** ne sont pas disponibles dans cette interface.

Vous travaillez sur un seul calque à la fois

Si votre image contient plusieurs calques et que vous vouliez appliquer un filtre à la totalité de la photo, aplatissez-la. En effet, dans le cas contraire, le filtre sera appliqué au calque sur lequel vous travaillez, et pas aux autres.

L'effet ou les effets qui sont affichés dans la section correspondante seront appliqués lorsque vous cliquerez sur le bouton OK.

Si vous travaillez sur des images de très grandes dimensions, le temps nécessaire à l'application de certains filtres peut être relativement long.

Lorsque les filtres sont appliqués, vous ne pouvez pas corriger l'image, à moins d'utiliser l'historique pour revenir en arrière, ou les flèches **Annuler** et **Rétablir**. Mais temps que la galerie de filtres est affichée, toutes les modifications sont encore possibles. Rien ne vous empêche, dans une liste, d'intervenir sur un des premiers filtres appliqués. Tous les réglages, à l'aide des curseurs ou d'informations que vous entrez au clavier, sont toujours paramétrables. C'est tout l'intérêt de cette interface.

Enfin, la palette des effets, visible par défaut au-dessus de la palette des calques, permet aussi d'appliquer des filtres : soit vous double-cliquez sur l'une des vignettes visibles dans la palette, soit vous opérez un cliquer-déplacer pour déposer la vignette sur l'image (voir Figure 6.7).

Un menu déroulant, situé sur la droite de la palette des effets, permet d'afficher les filtres par catégorie.

Figure 6.7 :
La palette des filtres, visible dans l'espace de travail d'édition standard

Les effets seront abordés plus loin, dans ce même chapitre.

Certains filtres ne fonctionnent pas avec des images affichées dans un mode spécifique : Couleurs indexées, Noir et blanc. Ne vous étonnez pas si des commandes sont grisées.

Par défaut, les filtres affectent la totalité de l'image ou du calque. Mais si vous effectuez une sélection et appliquez un calque, celui-ci n'aura d'effet que sur la zone sélectionnée.

Figure 6.8 :
L'inconvénient de la galerie de filtres est qu'elle ne permet pas de travailler avec tous les filtres disponibles ; sur la partie gauche de l'image, la liste des familles de filtres disponibles dans la galerie, sur la droite, la liste disponible par le menu Filtre

6.2. Un filtre par l'exemple : le filtre Éclairage

Certains filtres méritent qu'on s'y attarde plus que d'autres. C'est le cas du filtre **Éclairage**. Celui-ci permet de simuler des effets d'éclairage sophistiqués en ajoutant et en déplaçant des sources lumineuses sur une photographie.

1 Ouvrez tout d'abord l'image sur laquelle vous voulez intervenir. Choisissez de préférence, pour débuter, une photo avec un éclairage plutôt homogène. Plus tard, vous pourrez travailler sur des images avec des caractéristiques techniques de lumière plus sophistiquées.

2 Le filtre **Éclairage** est disponible dans la palette des filtres. Pour y accéder, assurez-vous que la palette *Effets* est ouverte dans la corbeille des palettes. Cliquez ensuite sur l'icône *Filtres* et choisissez *Rendu* dans le menu déroulant. Six vignettes s'affichent. Celle correspondant au filtre **Éclairage** est la première. Double-cliquez sur cette vignette ou déplacez-la sur la photo, ouverte dans l'éditeur.

Figure 6.9 : *Le filtre Éclairage se trouve dans la palette Effets, le menu déroulant doit être positionné sur Rendu*

Vous pouvez aussi accéder au filtre par le chemin suivant : cliquez sur le menu **Filtre** dans l'éditeur standard, choisissez le sous-menu **Rendu**, puis cliquez sur la commande **Éclairage**.

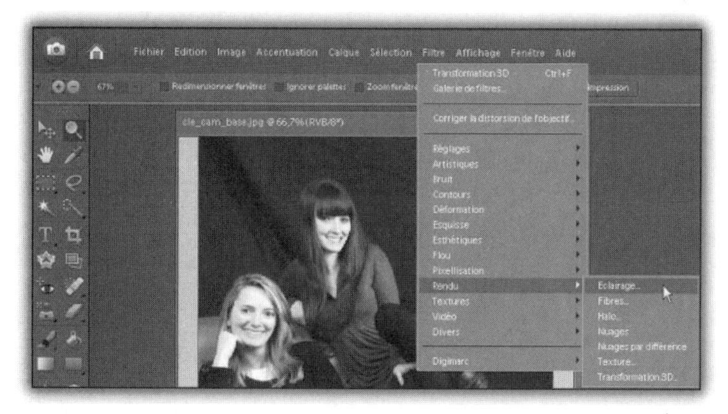

Figure 6.10 : Vous pouvez aussi cliquer sur la commande Éclairage en utilisant le menu déroulant Filtre, puis Rendu

3 La boîte de dialogue permettant d'entrer les paramètres du filtre s'affiche avec un réglage par défaut.

Eclairage
Style : Par défaut
OK
Enregistrer...
Supprimer
Annuler
Type : Projecteur
Activé
Intensité : Négative 35 Maxi
Cône : Etroit 69 Large
Propriétés :
Brillance : Mat 0 Brillant
Matière : Plastique 69 Métallique
Exposition : Sous 0 Sur
Ambiance : Négative 8 Positive
Texture : Sans
Blanc = haut
Relief : Plat 50 Montagneux
Aperçu

Figure 6.11 : La boîte de dialogue du filtre Éclairage est relativement complexe, mais de nombreux modèles sont disponibles pour vous accompagner

4 Pour commencer, vous pouvez tester les éclairages préenregistrés pour distinguer leur incidence sur l'image. Ceux-ci sont disponibles d'un clic sur le menu déroulant **Style** : éclairage *Bleu directionnel*, *5 sources plongeantes*, *Cercle lumineux*, vous n'avez que l'embarras du choix. Une fois votre exploration terminée, revenez au modèle appelé *Par défaut*. Le projecteur de base est symbolisé par un petit disque blanc. Il permet, lorsque vous cliquez dessus en maintenant le bouton de la souris enfoncé, de déplacer le projecteur. Le petit disque blanc est relié à une ligne ovoïde noire comprenant quatre carrés qui servent de poignées lorsque vous maintenez le clic et que vous déplacez le curseur sur l'aperçu de l'image. Ces poignées permettent de régler la forme et l'intensité de l'éclairage.

5 Augmentez la puissance du projecteur en déplaçant la poignée au milieu et à droite. Ensuite, déplacez le projecteur à l'aide du disque de couleur blanche pour éclairer un peu plus les personnages, comme sur la capture d'écran.

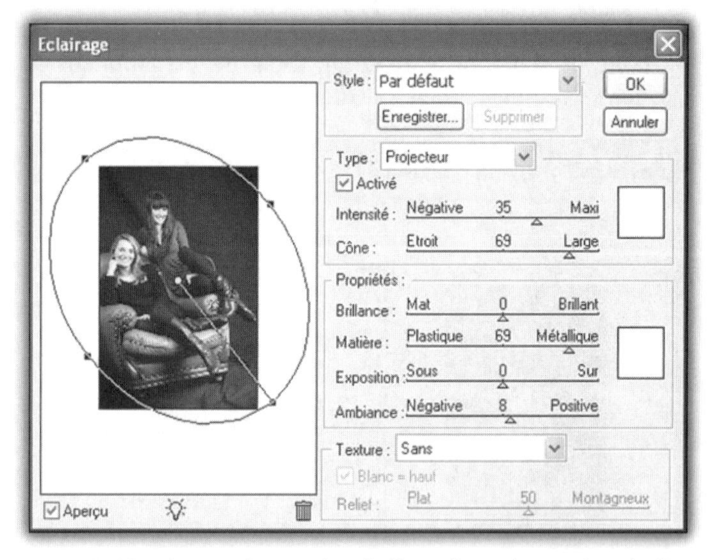

Figure 6.12 : *La partie gauche de l'interface de gestion du filtre permet de voir, en temps réel, les effets que vous souhaitez appliquer (vérifiez que la case Aperçu est cochée)*

6 Vous allez placer un projecteur supplémentaire en cliquant sur l'icône en forme d'ampoule électrique en bas de la fenêtre d'aperçu de l'image. Positionnez ce projecteur en haut et à gauche de la photo. Il doit avoir une surface moins importante que le projecteur principal. Vous venez de placer la lumière complémentaire.

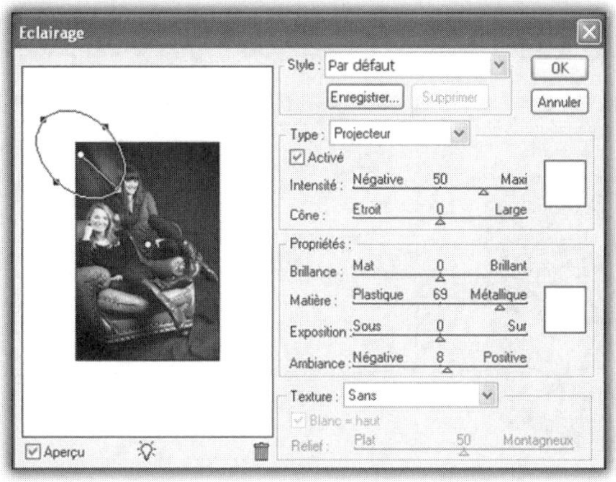

Figure 6.13 : *Vous pouvez ajouter des projecteurs, les colorer, toutes les options sont modifiables*

7 Vous allez à présent colorer le projecteur en orange. Dans la section *Type de projecteur*, cliquez sur le carré blanc pour ouvrir la boîte de dialogue permettant de choisir la couleur de la lumière. Choisissez, dans la palette, une couleur qui vous convient. Les valeurs *R* : 250, *V* : 187, *B* : 51 ont été retenues pour cet exemple.

Figure 6.14 : *Choisissez bien la couleur des projecteurs, référez-vous éventuellement à une charte de couleurs pour connaître la couleur complémentaire de l'éclairage principal*

8 Validez votre choix en cliquant sur le bouton OK de la palette des couleurs, puis ajustez les paramètres de ce second projecteur pour affiner sa direction et sa puissance.

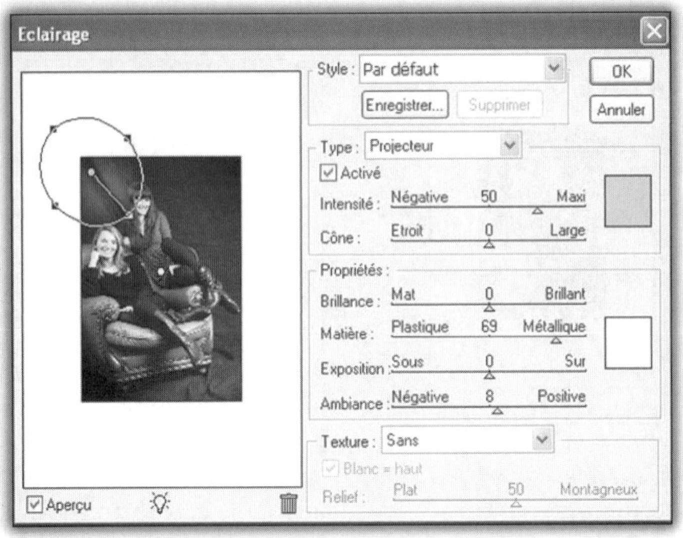

Eclairage
Style : Par défaut
OK
Enregistrer... Supprimer
Annuler
Type : Projecteur
Activé
Intensité : Négative 50 Maxi
Cône : Etroit 0 Large
Propriétés :
Brillance : Mat 0 Brillant
Matière : Plastique 69 Métallique
Exposition : Sous 0 Sur
Ambiance : Négative 8 Positive
Texture : Sans
Blanc = haut
Relief : Plat 50 Montagneux
Aperçu

Figure 6.15 : *La brillance, la matière, l'exposition et la lumière ambiante peuvent être réglées*

9 Cliquez sur le bouton OK pour appliquer vos réglages et fermer la boîte de dialogue.

Figure 6.16 : *Vous pouvez afficher les images avant et après pour comparer l'effet obtenu*

Lorsqu'un type d'éclairage vous convient, vous avez la possibilité de le sauvegarder en cliquant sur le bouton **Enregistrer**. Vous pouvez stocker ainsi jusqu'à seize modèles d'éclairage différents. Avec le bouton **Supprimer**, effacez les modèles qui ne vous conviennent plus.

Une touche pour faire pivoter les projecteurs

Pour faire pivoter un éclairage sans toucher à l'intensité et à la forme du projecteur, cliquez sur l'une des poignées tout en appuyant sur la touche [Ctrl] gauche. Votre projecteur pivote sans modification de la quantité de lumière émise.

6.3. Après les filtres, voici les effets !

Photoshop Elements 7.0 vous propose d'utiliser certains filtres sous la forme d'effets. Ces effets sont accessibles par la palette des filtres, dans l'interface principale. Ils sont présentés sous la forme d'icônes, dans la partie supérieure de la palette *Effets*.

La palette *Effets* propose de choisir suivant quatre sections, chacune s'affiche après un clic sur le bouton correspondant : **Filtre**, celui que vous connaissez déjà, **Styles de calques** et **Effets de la photo**. Un dernier bouton permet de **Tout** afficher.

Figure 6.17 :
Les quatre boutons permettant d'accéder à l'utilisation des filtres et effets

L'accès à la palette présentant les effets s'effectue d'un clic sur la troisième icône en partant de la gauche. Elle se nomme *Effets de la photo*.

Par défaut, seules trois icônes sont visibles. Pour afficher plus de possibilités, cliquez sur le menu déroulant, situé à droite de la quatrième icône.

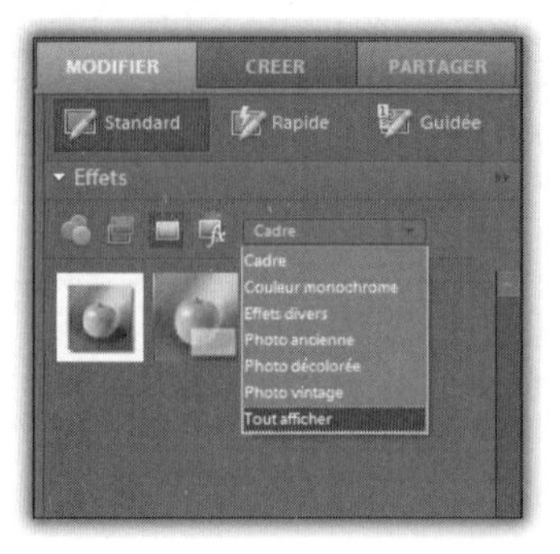

Figure 6.18 :
Le menu déroulant permettant d'afficher les effets disponibles, par famille ou en totalité

Les effets sont appliqués sur un calque. Il suffit de supprimer le calque pour annuler l'effet. Mais certains effets permettent, a posteriori, des réglages. Par conséquent, si vous n'êtes pas entièrement satisfait, vous pouvez encore intervenir sur l'aspect final de l'image, pour qu'elle corresponde exactement à ce que vous souhaitez.

Appliquez, par exemple, l'effet **Panneau de texte**, accessible dans la famille d'effets **Cadre**. Il permet d'ajouter, en surimpression, une zone semi-transparente sur laquelle vous pouvez inscrire des informations.

Lorsque vous appliquez cet effet, la zone en question occupe toujours le même emplacement et la même surface. Vous pouvez avoir besoin, suivant l'image, de redimensionner cette zone, de lui donner une autre couleur, de changer le style de l'ombre portée.

Utilisez l'outil **Déplacement** pour sélectionner le rectangle. Ainsi, vous pouvez le déplacer et le redimensionner pour que son emplacement corresponde à l'image sur laquelle vous travaillez.

Figure 6.19 :
Sélectionnez le calque sur lequel l'effet est appliqué, pour corriger les réglages par défaut

En double-cliquant sur le symbole "fx", sur le calque correspondant à l'effet, vous ouvrez la boîte de dialogue proposant des ajustements disponibles pour cet effet. Ici, en l'occurrence, vous pouvez régler les paramètres *Ombre portée*, *Lueur*, *Biseautage* et *Contour*.

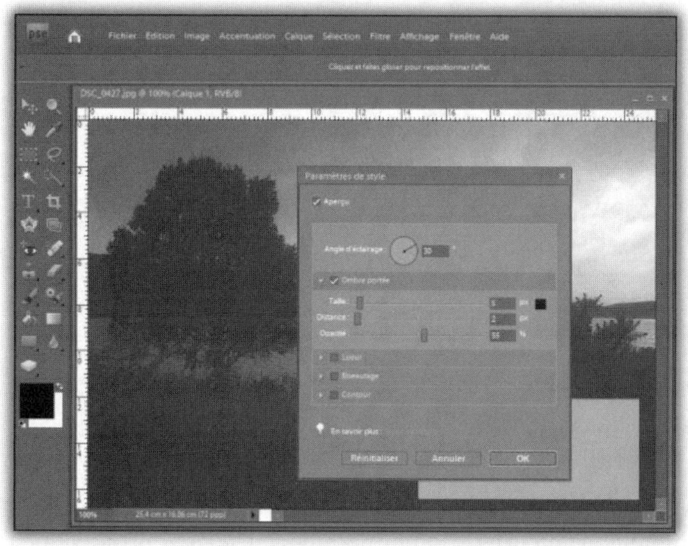

Figure 6.20 : *Vous pouvez intervenir sur certains réglages d'effet, cela dépend du filtre choisi*

Nommer les icônes dans la palette des effets ou des filtres

Il est parfois bien difficile de se souvenir du nom de chacun des effets et filtres proposés par Photoshop Elements 7.0. Vous pouvez bien entendu laisser votre curseur sur l'icône jusqu'à l'affichage d'une info-bulle d'information, mais cela prend du temps.

Un autre moyen d'obtenir ces informations et de les afficher en permanence sous les vignettes est de cliquer sur la double flèche, à droite de la palette. Un menu déroulant s'affiche. L'une des options possibles est **Afficher les noms**. Si vous cliquez dessus, le nom de chaque filtre et effet apparaît en clair, sous chacune des vignettes ; c'est beaucoup plus pratique (voir Figure 6.21).

L'application des effets est cumulative, c'est-à-dire que vous pouvez appliquer successivement plusieurs effets, qui s'additionneront. Un calque sera créé pour chaque effet.

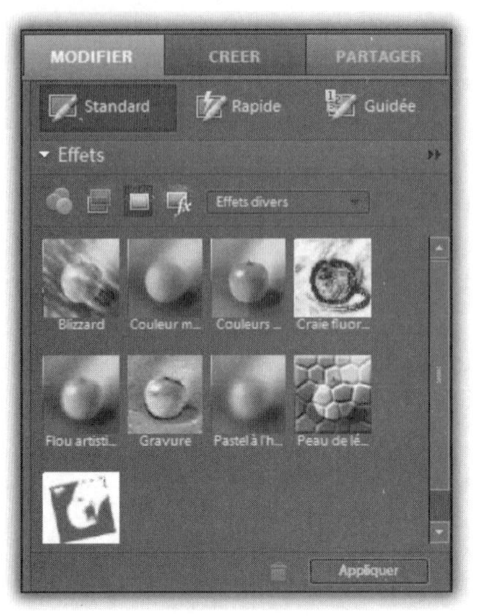

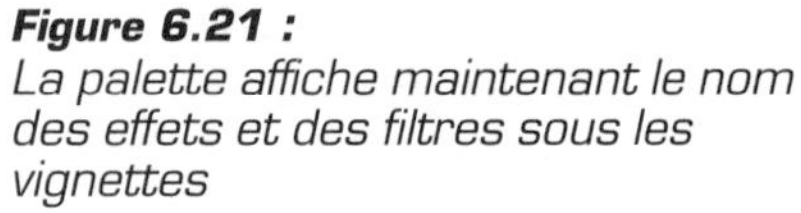
Figure 6.21 :
La palette affiche maintenant le nom des effets et des filtres sous les vignettes

Certains effets vous permettent, en un seul clic, d'opérer des actions très complexes.

Par exemple, l'effet **Cadre Ombre portée** permet de créer une bordure de couleur et d'appliquer un effet d'ombre portée sur le côté droit et sur la base de la photographie. Il est couramment utilisé, car il est à la fois discret et élégant.

Figure 6.22 :
La palette d'effets affiche les vignettes de type Cadre, le filtre sélectionné se nomme Cadre Ombre portée

Pour réaliser, manuellement, la même opération, il faudrait sélectionner l'image originale, la copier, créer un document de dimensions supérieures à la photographie originale, coller l'image originale dans ce nouveau document, sélectionner cette image pour lui appliquer un effet d'ombre portée… Photoshop Elements vous permet de créer votre composition en une seule opération.

Figure 6.23 : *L'image finale, après application de l'effet*

Mais d'aucuns avanceront que lorsque l'on fabrique manuellement l'effet, on peut le personnaliser. Certes, mais ici aussi, on peut le faire !

Si vous choisissez une couleur de fond différente de la couleur proposée par défaut, le blanc, le cadre prend la couleur choisie comme couleur d'arrière-plan. De plus, un double clic sur le symbole "fx" affiche une boîte de dialogue vous permettant d'intervenir sur tous les paramètres : couleur de l'ombre, dimensions et orientation !

Vous pouvez même, à ce stade, changer d'avis et transformer l'ombre portée en un effet de biseautage.

Figure 6.24 : *La boîte de dialogue permettant de régler les paramètres de l'effet Cadre Ombre portée*

Bien entendu, les effets sont tellement nombreux qu'il vous reste à explorer les possibilités offertes par chacun pour trouver ceux qui correspondent le mieux à ce que vous avez envie de réaliser.

6.4. Explorer les styles de calque plus en détail

La palette *Effets* présente quatre icônes, vous permettant d'accéder aux réglages des filtres, effets, styles et de tout afficher.

Il vous reste à présent à utiliser la palette des styles, la seconde en partant de la gauche.

Figure 6.25 :
La palette des styles de calque : le menu déroulant permet d'accéder à de nombreuses options, les effets obtenus sont très différents et méritent d'être testés

Voyons à présent comment l'utiliser directement sur des calques.

Pour cet exemple, ouvrez une image à laquelle vous souhaitez ajouter un cadre, de manière différente de celle proposée auparavant, et à laquelle vous souhaitez appliquer un ou plusieurs effets.

Déverrouiller l'arrière-plan

Par défaut, lorsque vous ouvrez une image dans Photoshop Elements, celle-ci est appelée *Arrière-plan*, et la vignette dans la palette des calques

ASTUCE

montre un petit cadenas. Pour faire un montage à partir de plusieurs calques, et déplacer cet arrière-plan, il faut le déverrouiller.

Pour cela, double-cliquez sur le nom du calque, dans la palette des calques. Une boîte de dialogue apparaît. Le calque ne s'appelle plus *Arrière-plan*, mais *Calque 0*. Vous pouvez donner un autre nom à ce calque si vous le souhaitez.

À partir de cet instant, le calque se comporte comme tous les autres et vous pouvez le déplacer sans problème.

Une autre possibilité, qui préserve le calque *Arrière-plan*, est de dupliquer le calque et de travailler sur la copie de ce dernier.

Pour créer des effets encore plus personnels, voici un exemple qui pourra vous servir d'inspiration.

1 Affichez tout d'abord une image à laquelle vous souhaitez ajouter un cadre.

2 Créez un calque vierge en dessous de l'image en question. Vous savez à présent déverrouiller un calque, l'opération ne devrait donc pas vous poser de problème.

Figure 6.26 : *L'image à encadrer doit être au-dessus du calque vierge*

3 Utilisez l'outil **Recadrage** pour sélectionner la totalité de la photographie. Ne validez rien dans un premier temps. Éventuellement, utilisez l'outil **Loupe** pour que l'image soit

visible dans son intégralité et présente aussi le fond gris de l'interface de Photoshop Elements.

Figure 6.27 : *L'outil Recadrage permet, d'abord, de sélectionner la totalité de l'image ; ajustez la dimension de l'image à l'écran*

4 Utilisez les poignées de redimensionnement pour créer une sélection plus grande que l'image. Il est habituel de laisser un peu plus d'espace sur le bord inférieur de l'image. La composition est plus harmonieuse et permet éventuellement d'ajouter la signature de l'auteur.

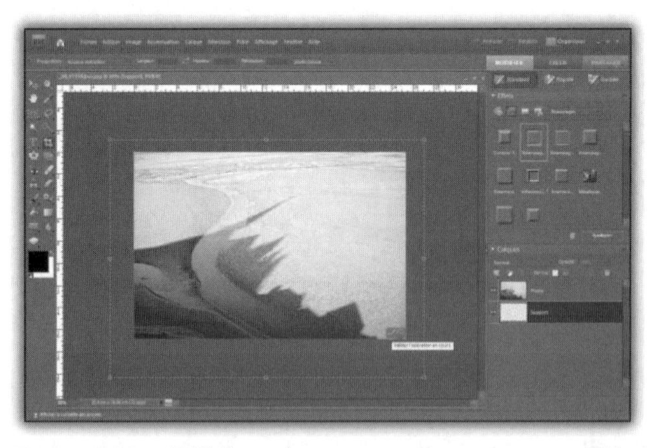

Figure 6.28 : *Définissez les marges de votre composition en utilisant les poignées de redimensionnement : la photo sera automatiquement placée là où vous avez décidé (l'image n'a pas changé de dimensions, c'est la surface du support qui est plus grande)*

5 Validez votre choix en cliquant sur l'icône verte. Votre image se trouve maintenant sur un calque transparent, de dimensions supérieures à la photo originale.

6 Vérifiez que le calque inférieur est bien sélectionné, sinon cliquez sur sa vignette dans la palette des calques. Remplissez ce calque inférieur avec la couleur de votre choix. Cette couleur sera celle du cadre de votre photo. Pour cela, utilisez l'outil **Pot de peinture**, ou cliquez sur le menu **Edition**, puis sur **Remplir le calque**. Dans ce cas, une boîte de dialogue vous propose plusieurs réglages.

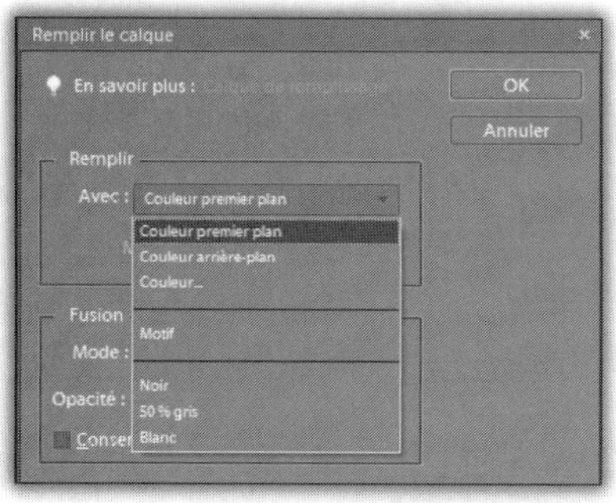

Figure 6.29 :
La boîte de dialogue de la fonction Remplir le calque : par défaut, c'est la couleur de premier plan qui est proposée

7 Sélectionnez ensuite le calque supérieur et jouez avec les différentes possibilités offertes par la palette *Effets*. Essayez notamment les effets d'ombre portée, de biseautage et de lueur interne. Vous pouvez cumuler les effets et les affiner en cliquant sur les lettres "fx", dans la palette des calques.

Figure 6.30 :
L'image finale est présentée, prête à être imprimée et exposée

6.5. Produire une image onirique avec le filtre Lueur diffuse

Certains filtres sont vraiment étonnants et méritent qu'on s'y attarde, tel le filtre **Lueur diffuse**. Il crée une image dont l'apparence se rapproche de certaines photographies de David Hamilton dans les années 70 : une atmosphère reconnaissable entre toutes, avec du grain et un voile de diffusion qui lui donne un aspect irréel.

Le filtre fonctionne aussi bien avec des paysages que des portraits. L'aspect final de l'image est d'autant plus marquant que la photographie initiale présente des écarts de contraste relativement importants entre les hautes lumières et les ombres.

1 Ouvrez une image dans l'éditeur standard.

2 Cliquez sur le menu **Filtre**, puis choisissez le sous-menu **Déformation**. Cliquez enfin sur la commande **Lueur diffuse**.

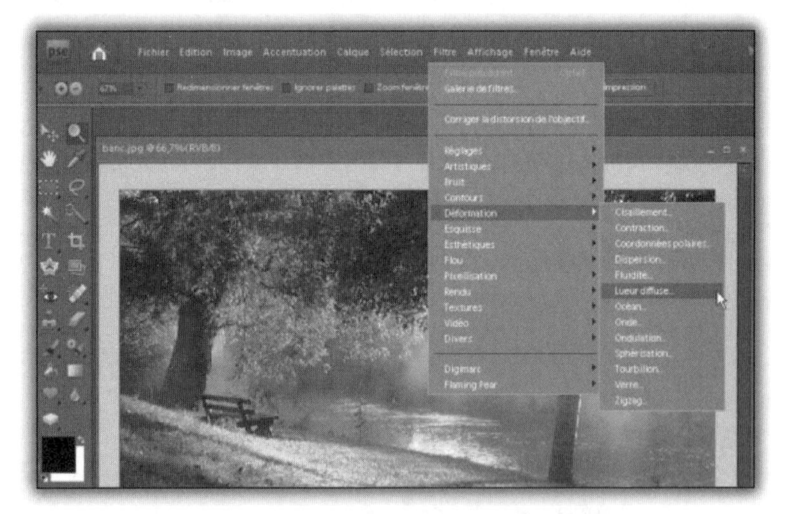

***Figure 6.31 :** Le filtre Lueur diffuse fait partie des filtres d'effets spéciaux, il permet des transformations saisissantes*

3 La boîte de dialogue du filtre s'ouvre. Sur la partie gauche figure l'image de référence. Chaque réglage sera appliqué instantanément pour que vous puissiez visualiser en temps réel l'influence des différents paramètres (voir Figure 6.32).

Figure 6.32 : *Vous pouvez régler trois paramètres : la granularité, l'intensité et la clarté*

4 Sur la droite de l'écran s'affiche la boîte de dialogue **Lueur diffuse**. Elle propose trois réglages. La *Granularité* détermine l'importance du grain. Le curseur *Intensité* règle l'étendue de l'effet. Le curseur *Clarté* gère la luminosité générale de l'image.

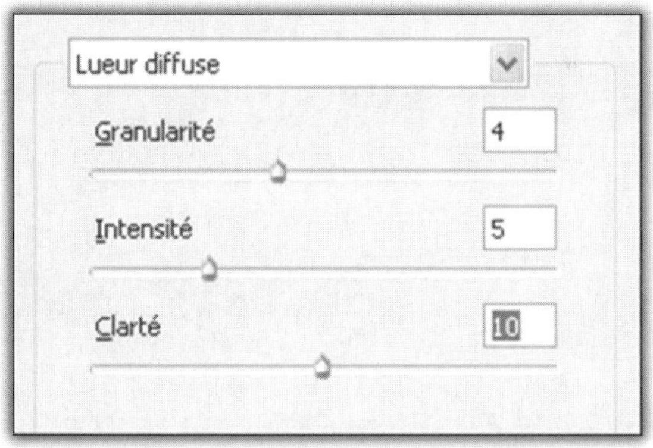

Figure 6.33 : *Les réglages doivent être affinés suivant l'image utilisée*

Pour ce paysage, utilisez une *Granularité* de 6, une *Intensité* de 10 et une *Clarté* de 15. N'oubliez pas que les réglages dépendent de l'image, ces valeurs sont données comme exemple. Pensez à afficher votre image à 100 % de sa taille pour voir les effets obtenus en détail.

Figure 6.34 : Transformer un paysage en scène onirique, c'est tout à fait possible avec ce filtre

5 Pour faire varier l'effet du filtre, intervenez sur la couleur de fond en choisissant, dans la palette des outils, la commande **Définir la couleur d'arrière-plan**.

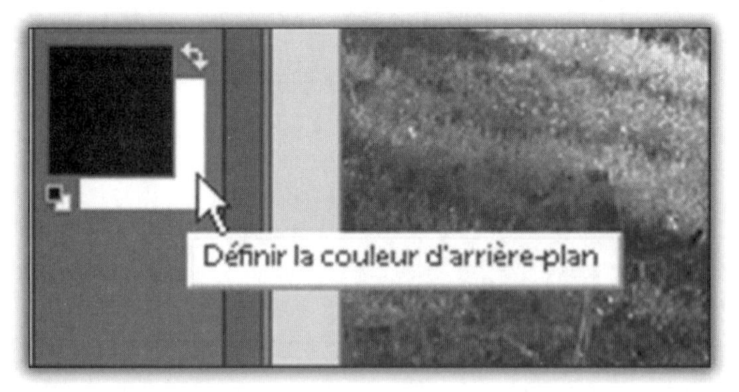

Figure 6.35 : Le choix de la couleur d'arrière-plan sera déterminant pour donner la tonalité générale de l'image

6 La boîte de dialogue correspondante s'ouvre. Définissez une nouvelle couleur d'arrière-plan. Au lieu d'être appliqué avec la couleur blanche, couleur de fond par défaut, l'effet prend la teinte de la couleur d'arrière-plan choisie.

6.6. Installer un module externe (plug-in)

Vous avez certainement remarqué le nombre impressionnant de filtres disponibles dans Photoshop Elements 7.0. Mais, comme si cela ne suffisait pas, Adobe a laissé la possibilité à des éditeurs tiers de développer des filtres supplémentaires que vous pouvez ajouter à la gamme d'effets déjà disponibles.

Ces filtres sont appelés "modules externes", ou plug-ins, voire plugins. Saisissez dans votre moteur de recherche préféré ces mots et vous obtiendrez de nombreux résultats. Une fois installés, ces filtres sont accessibles via le menu **Filtre/Modules externes**.

Certains sont gratuits, d'autres sont des produits commerciaux. Pour ces derniers, dans la majeure partie des cas, vous avez la possibilité de les tester avant d'en faire éventuellement l'acquisition.

Pour les installer, il y a deux manières :

- La première correspond à l'installation habituelle d'un logiciel. Il y a un fichier exécutable et l'installation est quasi automatique. Peut-être vous demandera-t-on de spécifier où se trouve Photoshop Elements 7.0 sur votre disque dur. En général, le chemin est *C:\Program Files\Photoshop Elements 7.0*.

  Une fois l'installation terminée, ouvrez Photoshop Elements 7.0 comme vous le faites habituellement et, dans le menu **Filtre**, vous trouverez, à la fin de la liste standard, un sous-menu portant le nom du filtre que vous venez d'installer.

- La seconde méthode consiste à copier le filtre dans le dossier où Photoshop Elements 7.0 stocke ces fameux fichiers. C'est la méthode décrite à présent.

Suite à une recherche sur Internet, il se trouve qu'un fameux éditeur de filtres, Flaming Pear, permet à tout un chacun de tester les filtres que la société développe. Vous allez en tester un.

1 Rendez-vous tout d'abord sur le site de l'éditeur à l'adresse www.flamingpear.com.

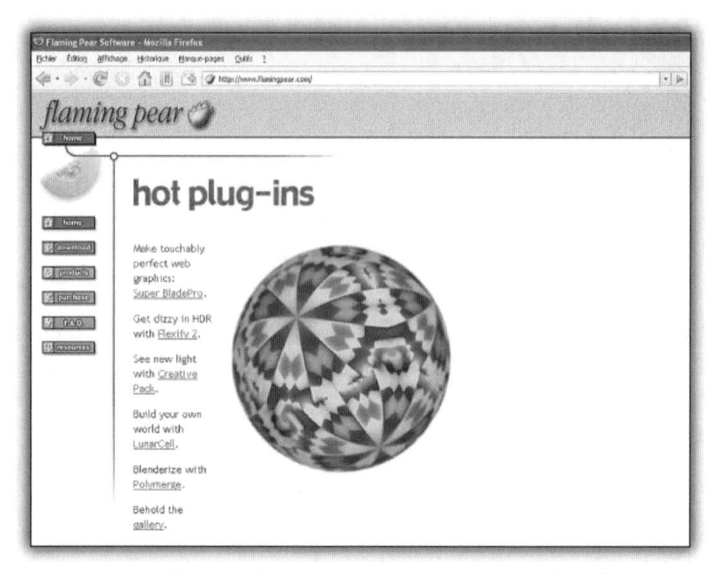

Figure 6.36 : *De nombreux sites web proposent des filtres gratuits ou en libre essai au téléchargement*

2 Cliquez sur le bouton **Download**. Une nouvelle page s'affiche. Descendez dans la page jusqu'à afficher un filtre appelé Flood.

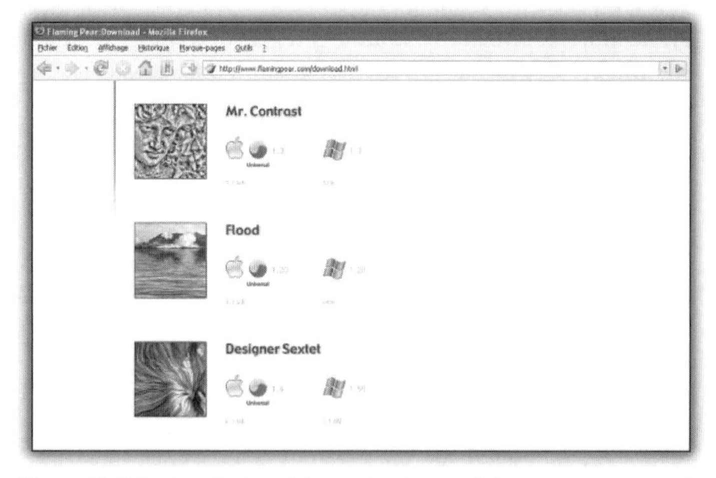

Figure 6.37 : *Le choix est important, une fois que vous connaissez la procédure, c'est un nouveau monde d'effets spéciaux qui s'ouvre à vous (attention, certaines versions fonctionnent sous Mac OS, d'autres sous Windows)*

3 Cliquez sur l'icône *Windows* pour télécharger le fichier compressé sur votre disque dur.

Figure 6.38 : *La procédure est la même que pour les autres types de fichiers téléchargés*

4 L'étape du téléchargement terminée, vous avez récupéré le fichier *flood-120.zip*. C'est un fichier archivé. Vous devez donc le décompresser. Windows sait faire cela sans que vous ayez à utiliser un autre logiciel.

5 Vous disposez à présent d'un dossier nommé *Flood* sur votre Bureau ou à l'endroit où le fichier a été décompressé. Copiez-le.

6 Ouvrez le Poste de travail et affichez le contenu de *C:\Program Files\Photoshop Elements 7.0\Plug-ins*. Collez le dossier *Flood* dans le sous-dossier *Plug-ins* de Photoshop Elements 7.0.

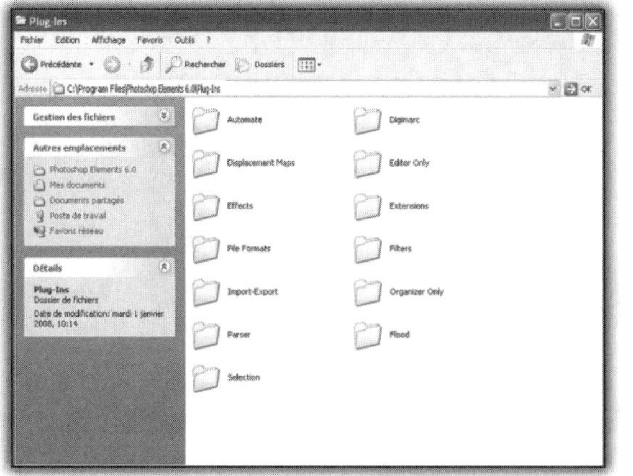

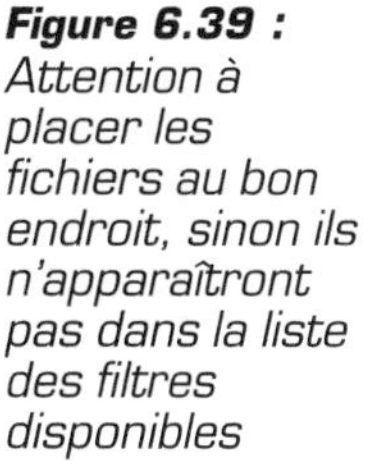

Figure 6.39 : *Attention à placer les fichiers au bon endroit, sinon ils n'apparaîtront pas dans la liste des filtres disponibles*

7 Il ne vous reste plus qu'à profiter de ce nouveau filtre installé dans Photoshop Elements 7.0. Ouvrez une image dans l'éditeur standard. L'idéal est une photo avec une partie supérieure intéressante.

Figure 6.40 : *Un paysage maritime se prête bien à l'utilisation de ce filtre*

8 Cliquez sur le menu **Filtre**, puis sélectionnez le sous-menu **Flaming Pear**, qui est venu s'ajouter à la liste habituelle des filtres, et validez enfin la commande **Flood**.

Figure 6.41 : *Tous les modules externes se trouvent à la fin de la liste des filtres*

9 La boîte de dialogue propre au filtre **Flood** s'affiche alors, vous permettant de régler les paramètres à votre convenance, par exemple pour entourer le rocher du premier plan d'une masse liquide.

Figure 6.42 : *Le paramétrage laisse à l'utilisateur de nombreuses possibilités*

10 Admirez et faites admirer le résultat final !

Figure 6.43 : *Le résultat final, on s'y croirait !*

Chapitre 7

Créer

Photoshop Elements 7.0 permet de réaliser de magnifiques albums photo, des patchworks d'images, des pochettes de CD ou de DVD, des diaporamas ou encore des galeries photo à présenter sur un site web, ou des VCD pour regarder des images sur un lecteur DVD.

Il est inutile, pour cela, d'apprendre l'utilisation de logiciels complexes. Toutes ces opérations sont possibles directement à partir de l'interface **Créer** du logiciel.

Quel que soit votre choix, un Assistant vous guidera pas à pas pour réaliser votre projet, depuis le choix de la maquette de mise en page, l'organisation des photos, la personnalisation de la présentation jusqu'à la mise en ligne de la galerie d'images ou la gravure des photos sur un CD par exemple.

7.1. L'interface Créer

Lorsque vous cliquez sur le bouton **Créer**, vous accédez à une interface vous permettant de choisir parmi différents projets.

Figure 7.1 :
Les différents boutons permettent chacun d'accéder à l'interface qui vous guidera dans la réalisation de votre projet

Chaque projet est un album d'images dont l'aspect varie selon que vous finalisez votre maquette sous la forme de tirages papier classiques ou sur un support électronique.

7.2. Concevoir un premier catalogue photo

Les catalogues photo vous permettent d'arranger des images comme vous le souhaitez au sein d'une multitude de maquettes.

Aujourd'hui, que ce soit dans un laboratoire photo traditionnel ou sur Internet, vous pouvez faire imprimer des livres photo très facilement. Photoshop Elements vous permet aussi de préparer, chez vous, votre propre maquette. Si vous le souhaitez, vous pouvez même l'imprimer directement à la maison, sur votre imprimante personnelle.

À chaque projet son lot d'illustrations

À côté du bouton **Projets** se trouve le bouton **Illustration**, qui permet de personnaliser les maquettes de base proposées par le logiciel. Par thème, par couleur, par événement ou par style, des centaines d'arrière-plans sont à votre disposition pour affiner votre œuvre.

Choisissez tout d'abord l'option *Catalogue de photos* sous l'onglet **Créer**.

À partir de ce moment, deux options s'offrent à vous. La première est la génération automatique de l'album. Par défaut, le logiciel intègre toutes les images présentes dans la corbeille des projets. La disposition des images est aléatoire. Cette option, si elle est rapide, ne permet que peu d'intervention personnelle, même s'il est toujours possible d'effectuer des corrections a posteriori (voir Figure 7.2).

Préférez-lui plutôt la seconde méthode, qui permet de personnaliser au mieux une réalisation.

1. Dans la section *Catalogue de photos*, cliquez sur la case *Choisissez une disposition de photo*. Si la case *Disposition aléatoire de photos* est cochée, le logiciel décide pour vous de l'emplacement de chaque image.
2. Une boîte de dialogue s'ouvre alors, vous proposant de choisir la disposition de la page de gauche ainsi que la disposition de la page de droite (voir Figure 7.3).

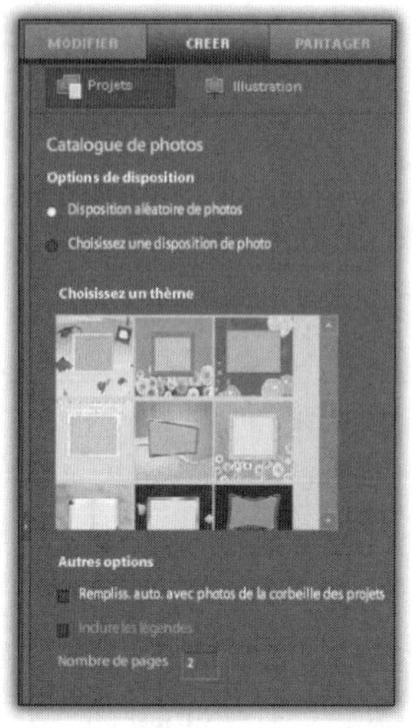

Figure 7.2 :
La création d'un catalogue de photos peut être entièrement automatisée

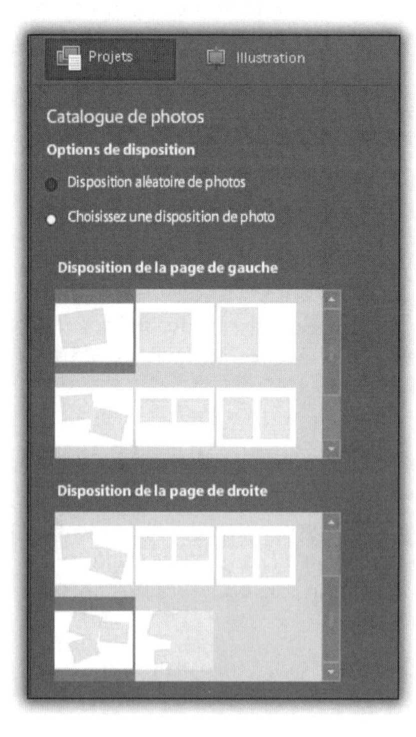

Figure 7.3 :
Après avoir choisi le thème, vous pouvez décider quelle disposition d'images vous convient le mieux

3 Cliquez sur **Suivant**.

4 C'est maintenant que vous pouvez choisir le thème de votre présentation parmi quarante-cinq. La case *Rempliss. auto. avec photos de la corbeille des projets* est cochée par défaut. Attention, si votre corbeille contient de nombreuses images, le temps de traitement risque d'être long. De plus, en choisissant le remplissage automatique, vous ne pouvez pas décider quelle image apparaîtra, par exemple, sur la page de titre.

Préparer le catalogue de photos dans l'Organiseur

Vous pouvez utilise une autre méthode pour préparer votre catalogue de photos. Pour cela, sélectionnez, dans l'Organiseur, toutes les images que vous souhaitez ajouter au catalogue. Une fois les images sélectionnées, créez un nouveau catalogue. Il comprendra automatiquement les images sélectionnées.

5 Choisissez le nombre de pages du catalogue.

6 Cliquez ensuite sur **Terminer**.

À présent, la maquette est prête et vous allez pouvoir ajouter les images. Sur la droite de l'interface, le bouton **Illustration** est validé par défaut. Il permet notamment d'ajouter des formes et des fonds ainsi que des nouveaux styles et des cadres d'image à la présentation d'images. Vous pouvez même intervenir sur le nombre de pages grâce à un menu qui apparaît en surimpression dans la fenêtre de travail principale.

7 Pour changer le fond, vous pouvez afficher un choix d'arrière-plans dans la palette *Contenu*. Choisissez *Par type* et *Arrière-plans* dans les menus déroulants disponibles. Cliquez sur l'une des vignettes et maintenez enfoncé le bouton de la souris en déplaçant le curseur sur la page de l'album. L'arrière-plan s'affiche alors sur la surface du catalogue.

Chaque thème est composé d'un arrière-plan et de calques qui serviront d'illustration. Le thème sera appliqué à la totalité du catalogue (voir Figure 7.4).

8 En choisissant *Texte* au lieu d'*Arrière-plans*, vous pouvez ajouter un texte stylisé, pour donner un titre à votre production (voir Figure 7.5).

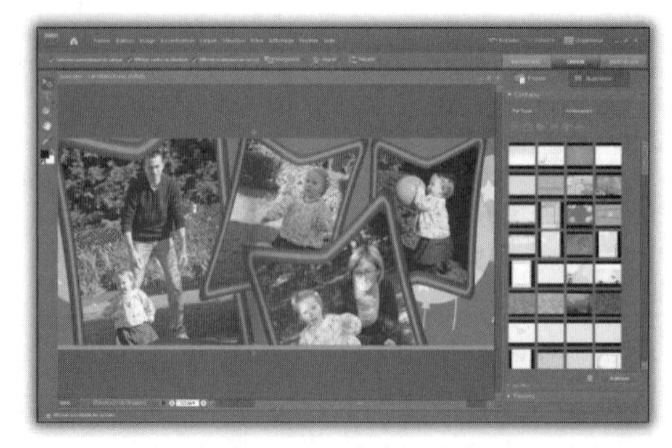

Figure 7.4 : *Les thèmes disponibles sont tellement nombreux que vous trouverez, à coup sûr, celui qui correspond le mieux à votre attente*

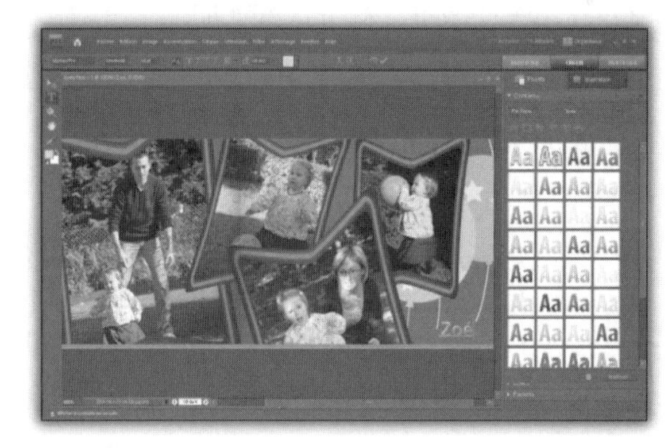

Figure 7.5 : *En affichant les types de textes disponibles, vous pouvez agrémenter vos collages avec quelques mots*

9 De la même manière, vous pouvez ajouter des formes ou des graphiques.

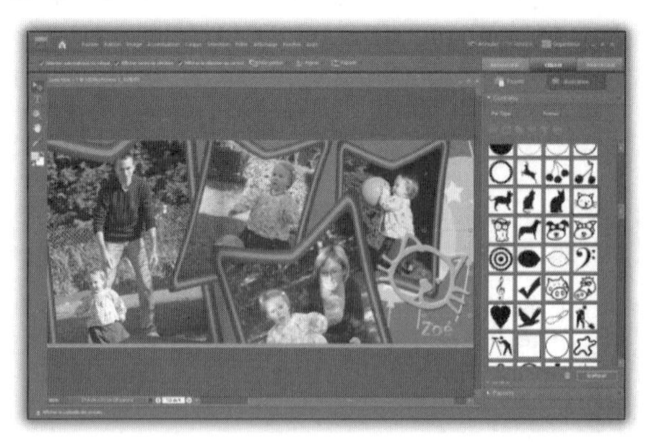

Figure 7.6 : *Ici, c'est l'interface proposant les formes qui est affichée*

10 En choisissant *Images* dans le menu déroulant, vous pouvez ajouter de nouvelles photos sur une page. Définissez son emplacement, sa disposition et son inclinaison, ainsi que sa place en termes de profondeur en l'éloignant ou en la rapprochant jusqu'à la placer au premier plan.

En lieu et place de la palette d'outils, vous disposez aussi de quelques outils nécessaires pour agrandir, déplacer les images ou encore ajouter du texte.

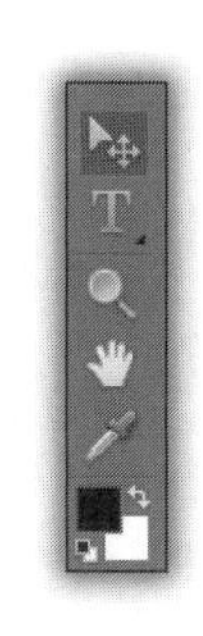

Figure 7.7 : *Les outils disponibles sur la partie Créer ne sont pas nombreux, mais suffisent en général à opérer les modifications nécessaires (vous pouvez toujours passer à la partie Modifier au besoin)*

Une fois le catalogue créé, vous pouvez encore intervenir sur tous les éléments puisqu'une boîte de contrôle vous permet de naviguer de page en page, pour modifier les éléments si besoin. À partir de cette interface, vous pouvez redimensionner les photos, leur faire subir une rotation, les déplacer, ou encore changer le contenu. Autour de chaque image sont disposées les mêmes poignées de redimensionnement que celles disponibles lorsque vous utilisez l'outil **Déplacement**.

Figure 7.8 : *En utilisant les flèches visibles sous la maquette, vous pouvez naviguer de page en page pour les modifier*

Sur la partie supérieure de la corbeille des projets, vous pouvez récupérer, si vous le souhaitez, des images qui ne sont pas dans le projet initial, à partir de l'Organiseur par exemple. Pour remplacer une image par une autre, cliquez sur la vignette de l'image que vous souhaitez placer sur la maquette, maintenez le bouton de la souris enfoncé, et positionnez le curseur sur l'un des emplacements dédiés à une image sur la maquette. Si une image occupe déjà l'emplacement, la nouvelle image remplacera la précédente.

***Figure 7.9 :** Depuis ce menu, vous pouvez utiliser d'autres images que celles disponibles dans le projet initial*

Une fois l'image remplacée, une barre d'options vous permet de redimensionner l'image sur la maquette.

***Figure 7.10 :** Dès qu'une image est placée sur la maquette, une barre de réglage permet de dimensionner celle-ci sur la page où elle figure*

À tout moment, vous pouvez remplacer l'arrière-plan de la maquette par la photo de votre choix. Pour cela, sélectionnez une image dans la corbeille des projets. Ensuite, cliquez du bouton droit et choisissez dans le menu contextuel la commande **Ajouter en tant qu'arrière-plan**.

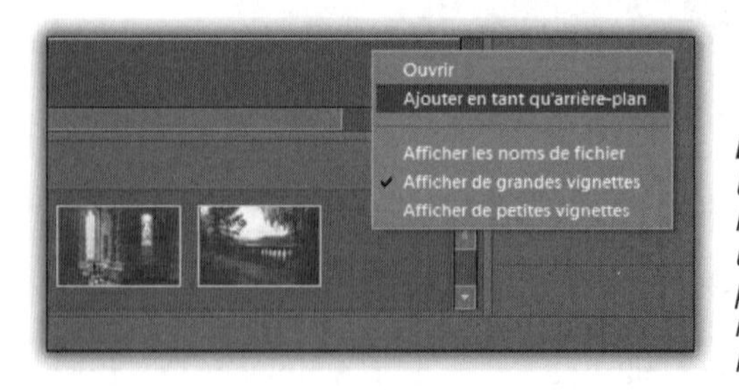

***Figure 7.11 :** Un clic du bouton droit dans la corbeille des projets ouvre un menu contextuel permettant notamment de remplacer l'image de fond de la maquette*

L'image choisie remplace alors l'illustration initiale du thème choisi.

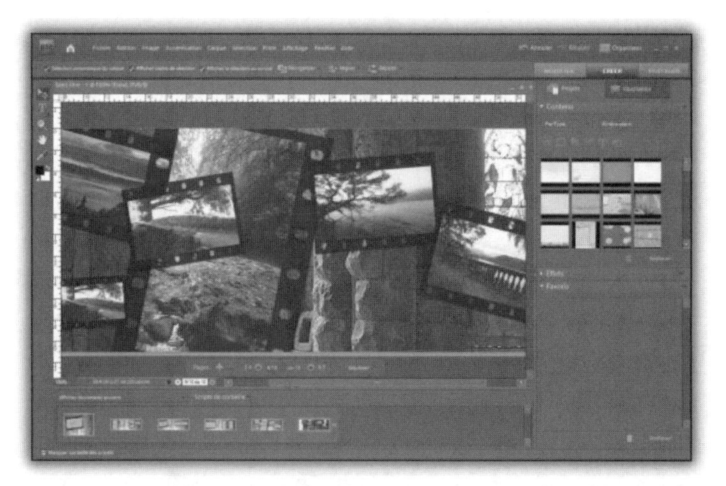

Figure 7.12 : *Vous pouvez réellement personnaliser les thèmes de catalogues photo proposés par défaut dans Photoshop Elements*

Vous pouvez aussi choisir un arrière-plan parmi tous ceux disponibles dans la palette *Contenu*.

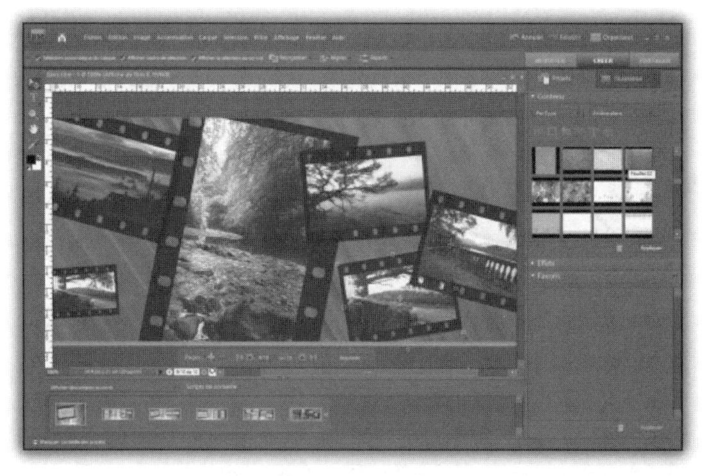

Figure 7.13 : *La palette Contenu permet d'ajouter des éléments aux maquettes proposées par le logiciel*

Un clic sur **Imprimer** ouvre l'interface permettant de préparer votre imprimante. Vous pouvez visualiser chaque feuille pour vérifier, avant l'impression, les pages de l'album.

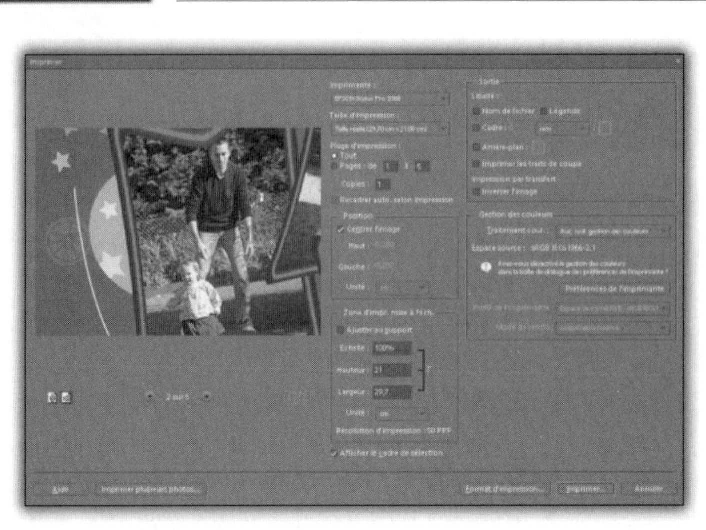

Figure 7.14 : *Même lorsqu'il s'agit de l'impression, le logiciel vous accompagne au mieux*

À tout moment, vous êtes libre d'ajouter des éléments à votre catalogue à l'aide de la corbeille des projets. Si vous cliquez du bouton droit sur celle-ci, alors qu'elle contient un catalogue, un menu contextuel apparaît, vous laissant la possibilité d'**Ajouter une page vide**, d'**Ajouter une page avec la disposition sélectionnée** ou encore de **Supprimer la page sélectionnée**.

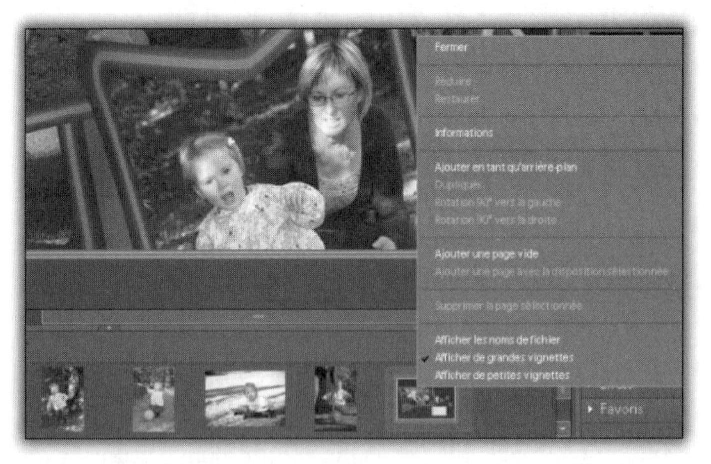

Figure 7.15 : *Dès que vous utilisez un logiciel avec Windows, pensez au clic droit : le menu contextuel qui s'affiche propose uniquement des opérations réalisables à ce moment précis*

7.3. Générer un collage photo

Toujours grâce au menu **Créer**, vous pouvez fabriquer une page à l'aide de plusieurs photos. Dans la lignée du catalogue photo, le collage vous permet un montage précis sur une seule page. Vous pouvez utiliser les thèmes, arrière-plans, les calques, les effets de texte et effets graphiques. Tous sont proposés dans la bibliothèque de Photoshop Elements, et chacun peut être personnalisé à votre convenance.

Comme pour le catalogue d'images, les photos peuvent provenir de l'Organiseur.

Pour ouvrir l'interface permettant de créer un collage photo, cliquez sur **Collage photo** dans l'interface **Créer**, accessible d'un clic sur le bouton du même nom.

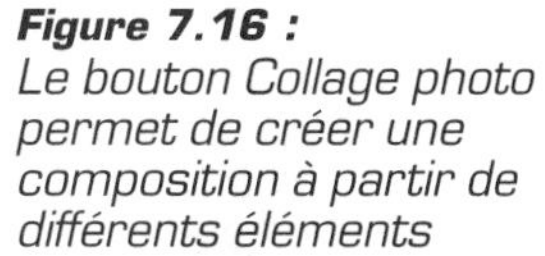

Figure 7.16 :
Le bouton Collage photo permet de créer une composition à partir de différents éléments

Choisissez tout d'abord le format du montage : le format A4 ou un carré de 30 cm de côté (choisissez un format adapté au format de papier sur lequel vous souhaitez imprimer votre assemblage).

À chaque fois que vous cliquez sur la vignette d'un thème, un aperçu s'affiche, montrant en détail l'aspect que prendra la composition.

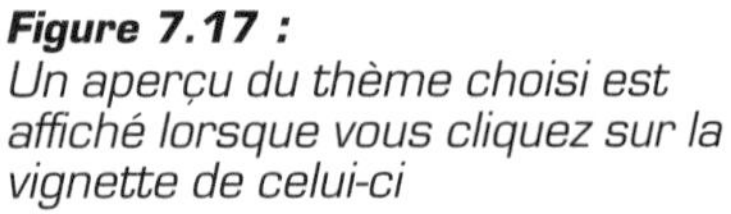

Figure 7.17 :
Un aperçu du thème choisi est affiché lorsque vous cliquez sur la vignette de celui-ci

Choisissez ensuite l'un des thèmes proposés. Double-cliquez sur la vignette correspondante, dans la palette des thèmes (identiques à ceux contenus dans les catalogues utilisés auparavant). Choisissez aussi la disposition des images dans la page, sachant que tout cela peut être modifié si besoin un peu plus tard.

Figure 7.18 :
La palette de gestion des projets au complet

En bas de l'interface, le logiciel vous propose de compléter la maquette automatiquement avec les photos contenues dans la corbeille des projets, d'afficher les légendes des images, si vous en avez créé, et de gérer le nombre de pages.

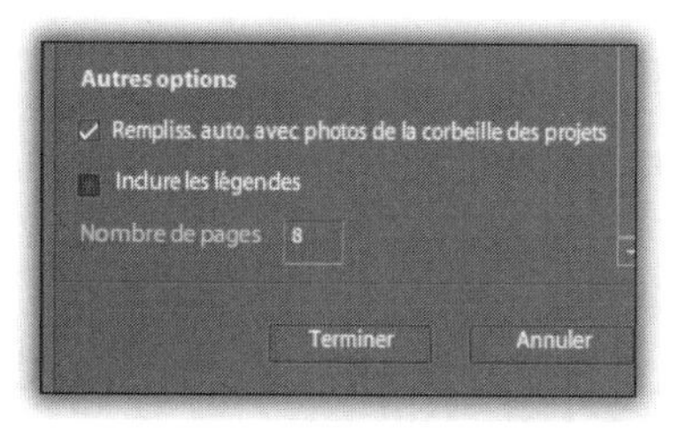

Figure 7.19 : *Des réglages supplémentaires sont disponibles en bas de l'interface (utilisez l'ascenseur, si besoin, pour afficher l'intégralité de la page)*

Cliquez sur le bouton **Terminer** pour laisser Photoshop Elements réaliser le travail de montage des images dans le thème et suivant la maquette choisis. À la base de la présentation, des flèches vous permettent de naviguer d'une page à l'autre.

Si vous n'avez pas choisi de laisser le logiciel placer automatiquement les images, vous pouvez les ajouter à partir de maintenant. Faites glisser les images depuis la corbeille vers les emplacements réservés ou ouvrez les photos à partir de votre disque dur grâce au menu contextuel qui permet de charger les images.

Figure 7.20 : *Des poignées de redimensionnement vous autorisent à agrandir ou à réduire l'espace utilisé par les images sur la maquette*

Vous pouvez, à tout moment, personnaliser votre composition en cliquant sur le bouton **Illustration**.

Figure 7.21 :
Un clic sur ce bouton permet d'afficher de nombreux éléments graphiques, ainsi que du texte stylisé, pour personnaliser votre maquette

Deux menus déroulants vous permettent d'afficher les éléments par thème ou par type.

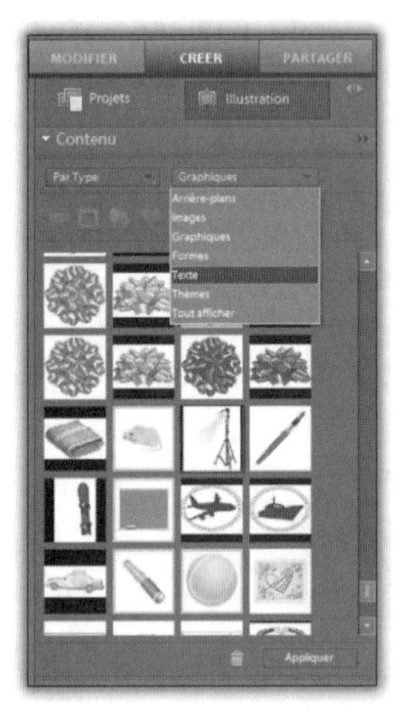

Figure 7.22 :
Vous pouvez choisir le contenu de l'affichage à votre convenance

De cette manière, vous pouvez placer de nouveaux objets, ainsi que du texte, dans votre montage de photos.

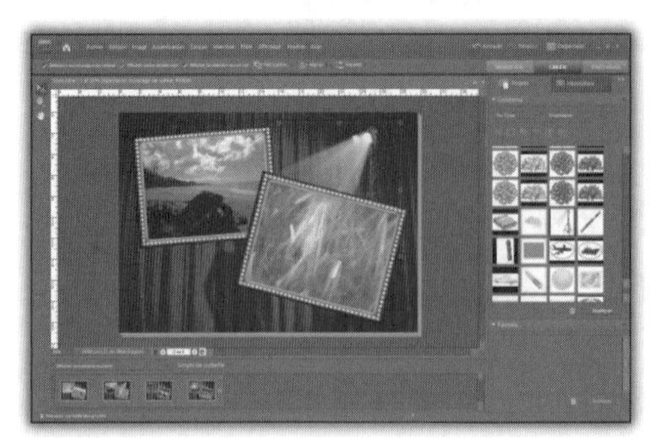

Figure 7.23 :
Les possibilités de montage des différents éléments sont vraiment nombreuses

Pour changer l'arrière-plan, cliquez sur l'une des vignettes d'arrière-plan de la palette *Contenu* afin de le sélectionner, puis cliquez sur le bouton **Appliquer**. L'arrière-plan est automatiquement modifié.

Pour changer l'encadrement d'une image placée sur votre composition, choisissez, dans la palette *Contenu*, l'option *Par type*, du premier menu déroulant, et l'option *Images* du menu déroulant situé à droite. Tous les cadres disponibles s'affichent. Choisissez celui que vous voulez utiliser, et cliquez sur le bouton **Appliquer**. Le cadre de l'image sélectionnée est modifié.

En choisissant d'afficher les effets de texte, en validant pour cela l'option *Texte* du menu déroulant situé à droite dans la palette *Contenu*, vous pouvez ajouter des informations sur les pages. Choisissez un style de texte, puis cliquez sur le bouton **Appliquer**. Le texte est modifiable, bien entendu, puisque tous les outils permettant de le gérer habituellement sont disponibles.

En double-cliquant sur le texte déposé sur votre composition, vous pouvez changer celui-ci. Par défaut, la mention "Entrer le texte ici" est affichée. Vous pouvez aussi agrandir le texte ou lui faire subir une rotation.

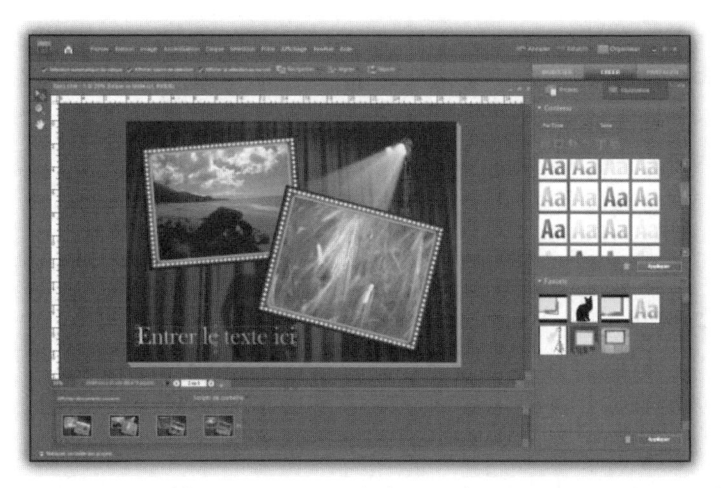

Figure 7.24 : *Vous pouvez aussi ajouter du texte pour créer un titre par exemple*

Les montages ne modifient pas les photos originales

Lorsque vous effectuez des transformations de type agrandissement, rotation, etc. dans cette interface, vos photos originales ne sont pas modifiées. C'est seulement leur présentation dans le projet qui change.

Cliquez ensuite, si vous le souhaitez, sur l'onglet **Modifier** pour transposer le montage dans l'interface de retouche standard. Il est tout à fait possible d'intervenir ponctuellement sur l'arrière-plan ou sur les autres éléments de la composition. Cette fois, vous contrôlez totalement les transformations que vous souhaitez appliquer à votre collage photo. Les calques s'affichent dans la palette des calques et vous pouvez modifier chacun d'entre eux à votre convenance.

La transformation, l'application d'effets, de filtres ainsi que la manipulation des calques sont possibles. Libre à vous de personnaliser au mieux votre création.

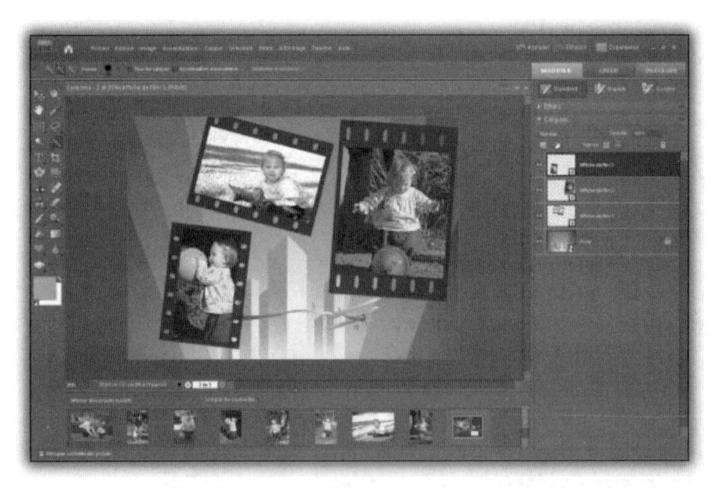

***Figure 7.25 :** Sur l'interface Modifier, vous retrouvez, dans la palette des calques, tous les éléments vous permettant des modifications manuelles importantes*

Les collages photo ainsi que les catalogues sont enregistrés au format PSE, qui est un format spécifique permettant d'intervenir sur les maquettes, même après l'enregistrement de celles-ci. Si vous voulez enregistrer un fichier finalisé, vous pouvez utiliser le format PDF, par exemple pour le transmettre par courrier électronique.

7.4. Placer des éléments dans la palette des favoris

Qu'il s'agisse de créer des catalogues photo, des montages, ou tout autre composition, Photoshop Elements vous permet de mettre de côté le contenu dont vous avez le plus fréquemment besoin : styles de texte, arrière-plans, graphiques, images ou formes.

Pour cela, faites glisser les vignettes de vos éléments préférés depuis la palette *Contenu*, vers la palette *Favoris*. En ce sens, cliquez sur l'une des vignettes, maintenez enfoncé le bouton de la souris, et relâchez-le lorsque le curseur se trouve sur la palette *Favoris*. C'est aussi simple que cela.

Lorsque vous utiliserez le logiciel de nouveau, le contenu de la palette *Favoris* sera mémorisé.

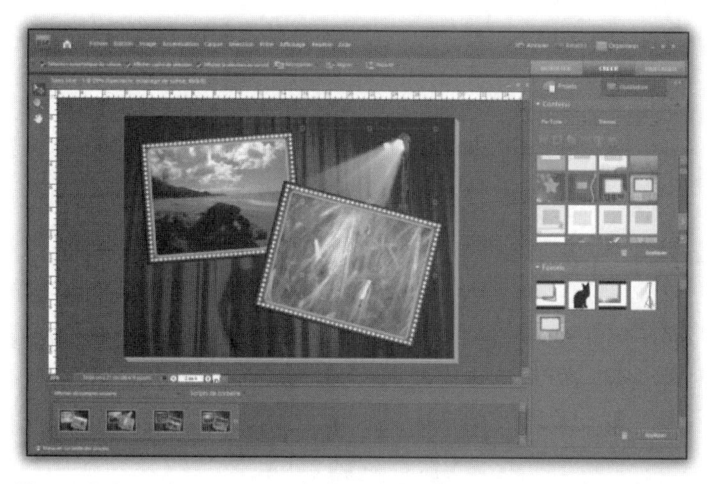

Figure 7.26 : *Le contenu de la palette Favoris peut être personnalisé suivant votre bon vouloir*

Cela dit, Photoshop Elements propose tellement d'options que le déplacement dans les menus peut être fastidieux. Pour gagner du temps, vous pouvez choisir d'afficher tous les objets à l'écran, en une seule fois.

Pour cela, choisissez tout d'abord l'option **Tout afficher** dans la palette *Contenu*.

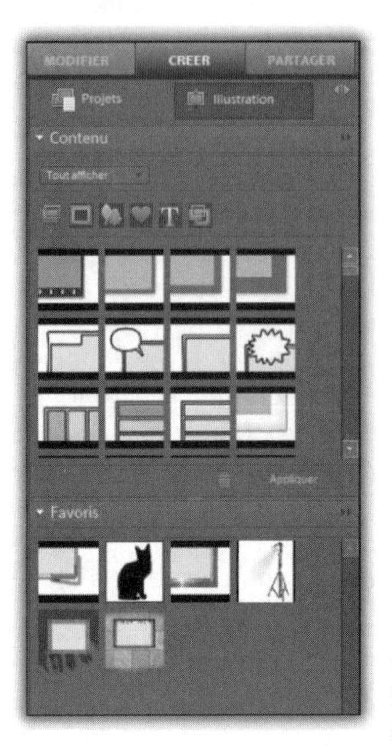

Figure 7.27 :
Choisissez d'afficher tous les éléments de la palette Contenu

Cliquez ensuite sur la double flèche grise à côté du bouton **Illustration** : cela permet de développer le panneau **Illustration** en plein écran. Il est ainsi bien plus facile de gérer les différents objets. Cela fait, cliquez de nouveau sur cette double flèche : les palettes reprennent leur place initiale.

Figure 7.28 : *Vous pouvez développer les palettes, de manière qu'elles occupent tout l'espace disponible sur l'écran, pour gérer leur contenu plus aisément*

7.5. Encadrer des photos

Rien de plus simple, avec Photoshop Elements 7.0, que d'encadrer des créations !

1 Ouvrez une photographie dans l'éditeur. C'est cette image que vous allez encadrer.

2 Ouvrez la palette *Contenu*. Vous pouvez affiner l'affichage des éléments par **Type**, **Activité**, **Couleur**, **Événement**, **Humeur**, **Mot**, **Objet**, **Saisons**, **Style** ou **Tout afficher**.

Figure 7.29 :
En cliquant sur le bouton Illustration, vous pouvez choisir les différents éléments qui vont agrémenter votre collage photo

3 Une fois affichés les éléments qui vous conviennent, double-cliquez sur l'image qui doit devenir le cadre pour votre photographie. Un message apparaîtra peut-être pour vous signaler que ce thème remplacera les cadres et arrière-plans existants. Cliquez sur OK.

4 Affinez à votre goût l'affichage en utilisant les poignées qui encadrent votre photographie.

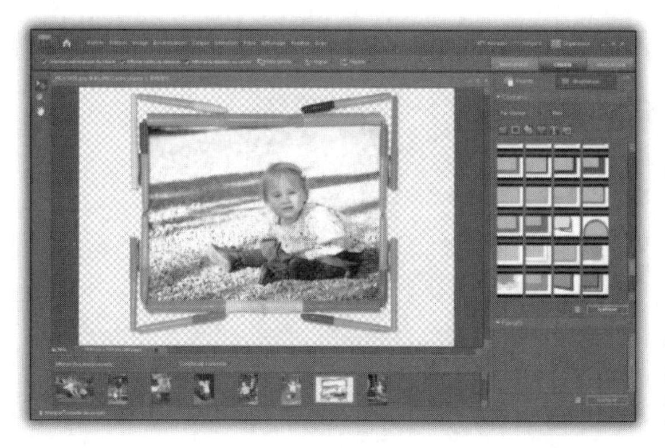

Figure 7.30 :
Il y a toujours un cadre adapté à votre sujet

7.6. Concevoir une carte de vœux

Vous pouvez aussi fabriquer vos propres cartes de vœux ou d'événements avec Photoshop Elements 7.0. Si vous avez déjà conçu un catalogue d'images, la réalisation d'une carte de vœux vous semblera un jeu d'enfant.

1 Assurez-vous tout d'abord que vous vous trouvez bien dans l'interface **Créer**.

2 Cliquez ensuite sur la commande **Carte de vœux**.

3 Choisissez un thème et une disposition parmi ceux proposés. Vous pourrez modifier les détails plus tard.

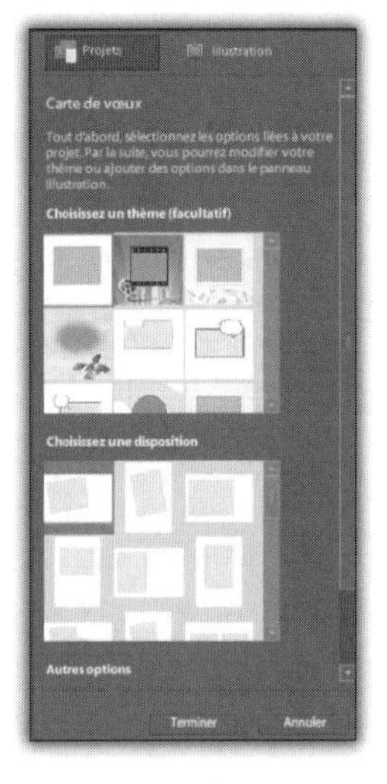

Figure 7.31 :
Le principe est le même que pour un collage photo : même interface, mêmes propositions

4 Une fois l'image mise en place, agencez et ajoutez au besoin des illustrations et du texte pour personnaliser votre composition.

Figure 7.32 :
Il ne vous faudra pas longtemps pour fabriquer une proposition originale

5 Les effets de style vous permettront d'ajouter une touche personnelle supplémentaire à votre texte.

7.7. Créer un diaporama

Photoshop Elements vous propose une manière supplémentaire de présenter vos images sous la forme d'un mini-film. Vous pouvez même y ajouter des commentaires et des séquences audio, des cliparts, du texte.

Vous pouvez finaliser votre production sous la forme d'un fichier au format WMV à conserver sur votre disque dur ou sur un autre support, ou à partager avec des amis grâce aux différentes plateformes prévues à cet effet sur Internet. Vous pourrez aussi le graver sur un CD-Rom au format VCD pour le lire sur votre lecteur de DVD habituel.

Il est aussi possible de le finaliser dans une qualité vidéo supérieure si vous disposez d'Adobe Premiere Elements. Dans ce cas, au moment de l'affichage de la boîte de dialogue permettant de choisir le format final du diaporama, l'option **Envoyer vers Premiere Elements** est présente.

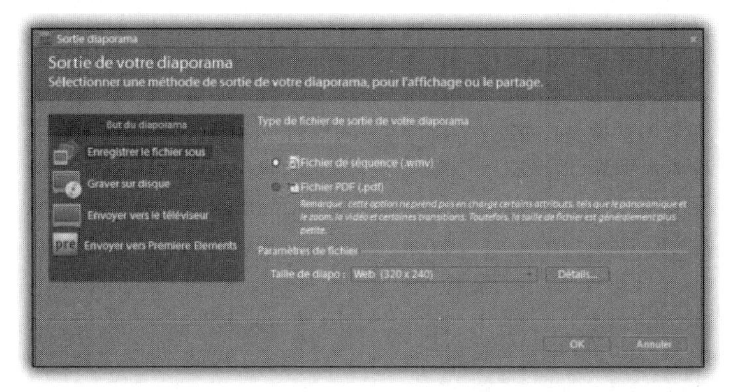

Figure 7.33 : *Premiere Elements apparaît dans la liste des options de sorties disponibles*

Si vous choisissez la sortie vers Premiere Elements, le logiciel vous propose tout d'abord d'enregistrer le projet. Ensuite, le contenu du diaporama s'affiche dans l'interface du logiciel de montage vidéo. Premiere Elements est un logiciel de montage vidéo complet et de nouveaux effets de transition sont disponibles, ainsi que des réglages supplémentaires au niveau de la bande sonore.

Vous pourrez aussi finaliser le diaporama sous la forme de fichiers vidéo adaptés à la lecture sur les mobiles et autres lecteurs multimédias.

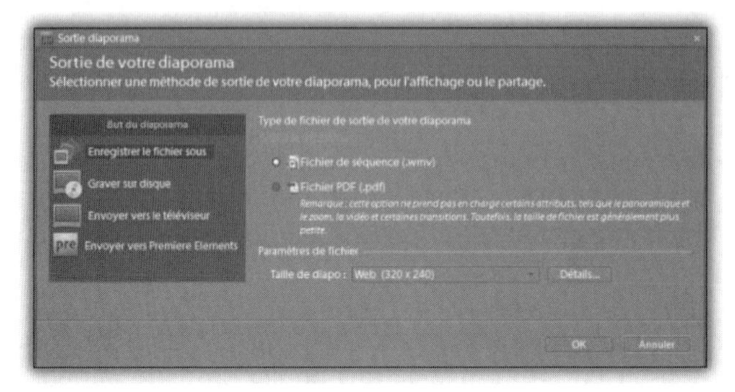

Figure 7.34 : *Si vous avez fait l'acquisition des deux logiciels, vous leur trouverez un air de famille ; le passage de l'un à l'autre se fait aisément*

Depuis l'Organiseur, vous pouvez déjà choisir quelles images feront partie du diaporama. Mais comme partout ailleurs dans Photoshop Elements, vous pouvez personnaliser votre production de manière aussi personnelle que vous le souhaitez.

1. Pour réaliser votre premier diaporama, après avoir sélectionné dans l'Organiseur les images que vous voulez utiliser, choisissez **Diaporama** dans le menu **Créer**.

Figure 7.35 : *Le point de départ est toujours le même, l'utilisateur n'a pas à se poser de question, il est toujours en terrain connu*

2. Une boîte de dialogue s'ouvre alors pour vous proposer des réglages par défaut. Vous pouvez les accepter dans la mesure où

vous avez la possibilité d'intervenir plus tard sur chacun d'eux. Cependant, pour un diaporama express, vous êtes libre de régler les paramètres dès à présent :

- La durée statique des images définit le temps d'affichage à l'écran de chaque image.
- L'effet de transition s'applique à l'ensemble des images du diaporama. De nombreux effets de transition sont disponibles dans la liste déroulante *Transition*. Vous pourrez toujours choisir d'autres effets dans l'interface suivante, et les personnaliser, diapo après diapo, si vous le souhaitez. Mais si vous souhaitez appliquer un effet commun à toutes les diapos, cette option représente un bon moyen d'obtenir rapidement un résultat.
- La durée des transitions est la durée de l'effet de passage d'une diapo à l'autre.
- La couleur d'arrière-plan est la couleur du fond sur lequel s'affichent les images.
- Définissez si les effets de panoramique et de zoom sont appliqués à toutes les diapos, si les légendes, sous la forme de texte ou de commentaire, sont incluses. Recadrez ou non les diapos pour harmoniser la présentation des images en mode Paysage et Portrait.

Lorsque vous cliquez sur l'une des vignettes représentant une diapositive, un menu permet de gérer les effets de panoramique et de zoom sur les images. Ainsi, vous accédez à des effets d'animation sur l'image.

Vous définissez une zone de départ, ainsi qu'une zone de fin, toutes deux réglables avec des poignées de redimensionnement. Ces réglages sont représentés par deux boîtes de redimensionnement, de couleur verte pour la première, et rouge pour la seconde.

Les poignées situées aux quatre coins de la zone de réglage permettent le redimensionnement, et si vous cliquez tout en maintenant enfoncé le bouton de la souris, vous pouvez déplacer la zone.

- Choisissez, ou pas, de dérouler le diaporama en continu : il recommencera à la première diapo après l'affichage de la dernière. Si la présentation doit tourner de manière permanente sur un ordinateur, pour une présentation au public par exemple, c'est un choix important.

– Enfin, décidez de la qualité de l'aperçu.

Figure 7.36 : *Avant d'accéder aux réglages manuels, vous pouvez choisir tout ce qui peut être automatisé*

3 Une fois cette étape passée, l'interface propre à la conception des diaporamas s'affiche. Si vous avez déjà sélectionné des images dans l'un de vos albums, celles-ci sont automatiquement ajoutées. Dans le cas contraire, une invitation à ajouter des diapos apparaît dans la fenêtre du storyboard, en bas de l'écran. Ensuite, cochez les cases accolées aux images que vous voulez joindre.

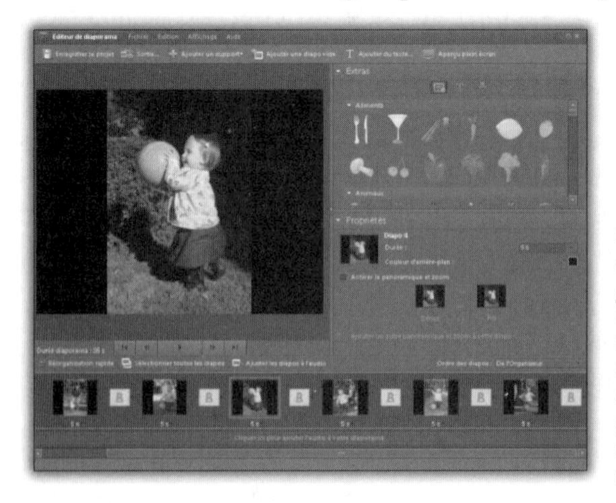

Figure 7.37 : *La palette Extras permet d'agrémenter vos diaporamas avec des éléments graphiques, classés par thème*

4 Si vous cliquez sur une photo contenue dans la zone storyboard, dans la partie basse de l'interface, elle apparaît dans la fenêtre principale et, sur la droite, la fenêtre **Propriétés** inhérente aux images s'affiche. Elle vous permet bien sûr de gérer la durée d'affichage de la photo ainsi que la couleur d'arrière-plan. La case à cocher *Activer le panoramique et zoom* permet, quant à elle, de paramétrer des effets de mouvement de caméra.

ASTUCE

Agencer les diapos dans le storyboard

Dans la zone appelée "storyboard", vous voyez les vignettes de chacune des diapositives, ainsi qu'une icône rappelant quel type de transition est utilisé. Si vous cliquez sur une vignette en maintenant enfoncé le bouton de la souris, et que vous déplaciez l'une des vignettes de diapo à un autre emplacement, lorsque vous relâchez le bouton, l'image apparaît dans son nouvel emplacement.

Pour obtenir une vision plus claire de l'emplacement de vos différentes diapos, vous pouvez cliquer, sur la partie supérieure du storyboard, sur le bouton **Réorganisation rapide**. L'interface permet alors de visualiser chacune des diapos et de les réorganiser de la même manière que dans le storyboard. Cliquez sur le bouton précédent et l'interface revient à sa présentation initiale.

Figure 7.38 : *L'interface de réorganisation des diapositives : le curseur, sur la partie haute, permet de gérer la taille des vignettes*

Vous pouvez, à tout moment, ajouter des images à votre diaporama, avec ou sans contenu. Par exemple, si vous avez besoin d'ajouter un titre, vous pouvez cliquer sur le bouton **Ajouter une diapo vide**, dans la barre de raccourcis, sur la partie supérieure de l'interface. Cela vous permet notamment d'ajouter du texte et tout autre élément utile.

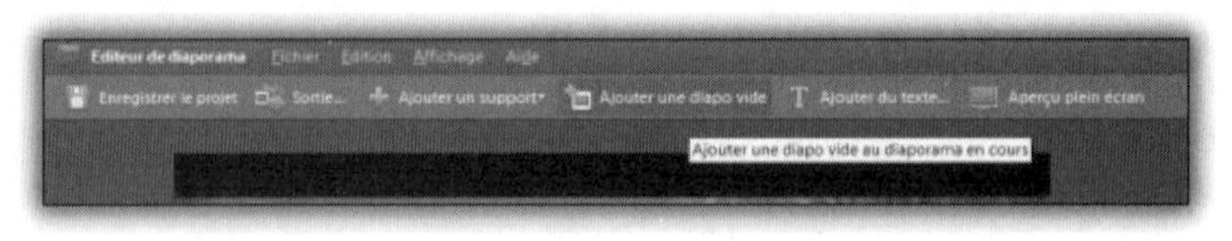

Figure 7.39 : *Le bouton Ajouter une diapo vide permet de placer une image contenant le titre ou tout autre information*

5 Si vous cliquez sur **Début**, un cadre vert apparaît sur la fenêtre principale, vous invitant à paramétrer les effets de zoom et de panoramique. Si vous cliquez sur **Fin**, un cadre rouge vous permet de définir la position de la caméra à la fin du mouvement. Suivant la dimension et la position des cadres de début et de fin, vous imprimez à l'image un mouvement de panoramique, de zoom, ou une combinaison des deux mouvements.

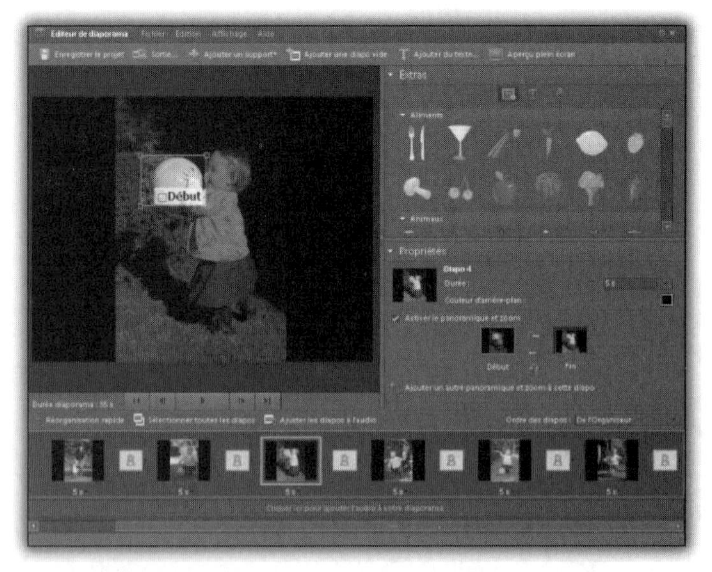

Figure 7.40 : *Les réglages de panorama et de zoom*

6 Si vous cliquez sur un effet de transition dans le storyboard, le contenu du menu **Propriétés** change et c'est une interface dédiée aux transitions qui s'affiche. Vous pouvez alors intervenir sur la durée de la transition ainsi que sur l'effet que vous voulez voir à l'écran.

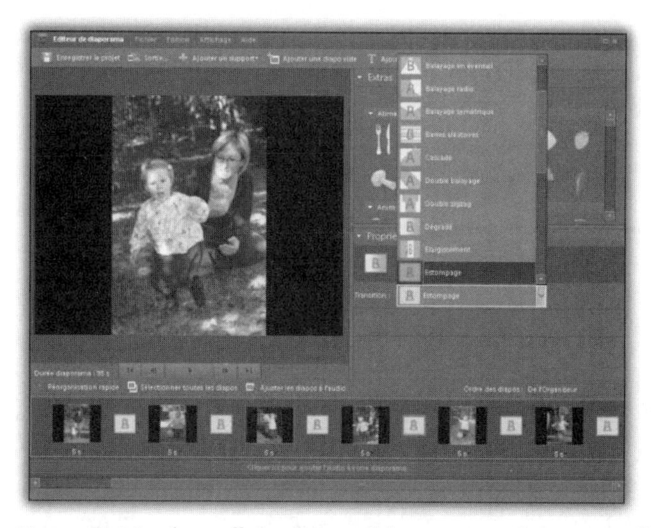

__Figure 7.41 :__ Les effets de transition au complet, accessibles par un clic du bouton droit sur la vignette correspondante, dans la palette des propriétés

Le menu **Propriétés** est différent suivant l'effet de transition choisi. En effet, certaines transitions disposent de réglages supplémentaires. Par exemple, l'effet appelé **Cascade** offre un réglage de durée de transition, comme chaque effet, mais aussi de direction de l'effet.

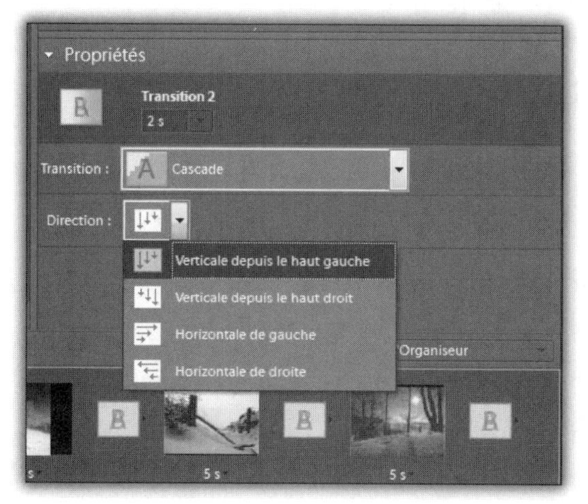

__Figure 7.42 :__ Certains effets de transition proposent des réglages supplémentaires : ici, c'est la direction de l'effet qui est réglable, verticale ou horizontale, depuis la gauche ou la droite

7 Pour un réglage instantané concernant les transitions ou les diapos, pour appliquer un effet de panoramique ou de zoom à tout ou partie des images, utilisez le menu **Edition**, qui vous laisse toute latitude pour effectuer ces ajustements.

Si vous souhaitez intervenir rapidement sur un effet de transition, vous pouvez cliquer sur la petite flèche visible à droite de l'icône de couleur bleue. Cela permet d'accéder à une liste déroulante affichant tous les effets de transition disponibles.

Figure 7.43 : *En cliquant sur la petite flèche visible à côté de l'icône représentant les effets de transition, vous pouvez modifier rapidement ceux-ci, l'un après l'autre*

8 Le menu **Extras**, quant à lui, permet d'ajouter des illustrations, du texte ou un commentaire au diaporama. Les outils de réglage du texte sont les mêmes que ceux que vous avez déjà utilisés dans l'interface de correction standard.

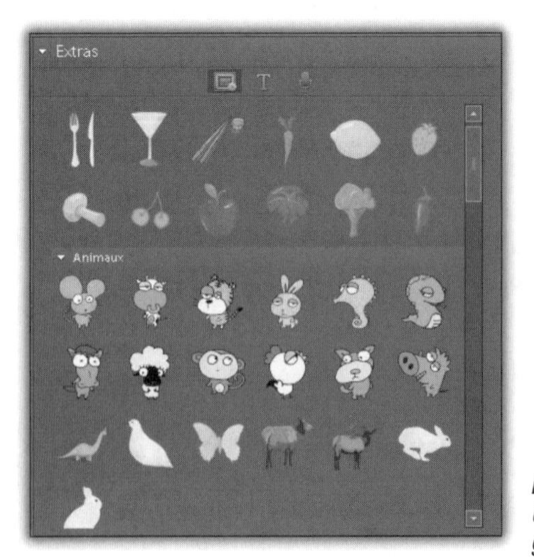

Figure 7.44 : *Un exemple des graphiques proposés*

9 Si vous choisissez l'option *Texte*, des réglages supplémentaires sont disponibles dans le menu **Propriétés**, qui s'affiche sur la partie droite de l'écran.

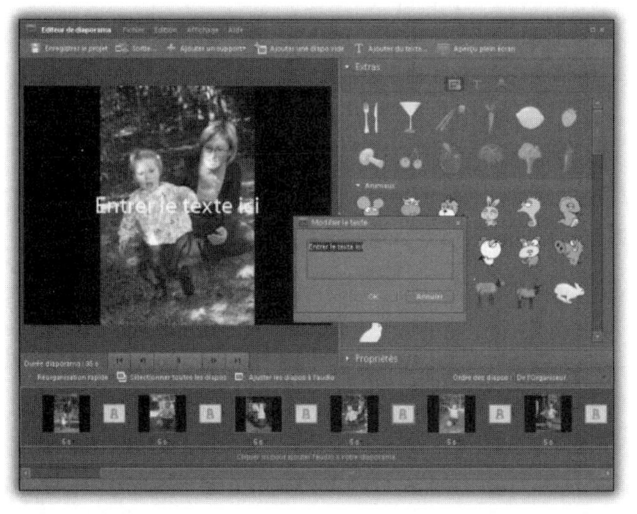

Figure 7.45 : *Du texte peut être ajouté pour agrémenter le diaporama*

10 Si vous cliquez sur l'icône *Son*, représentée par un micro, un menu affiche les commandes d'enregistrement d'un commentaire pour une ou plusieurs diapos. Il faut, bien entendu, qu'un microphone soit connecté à l'ordinateur. Parfois, notamment sur les ordinateurs portables, un micro est incorporé. Si vous avez besoin de connecter un micro, parce que votre machine n'en dispose pas ou parce que vous utilisez un ordinateur de bureau, choisissez de préférence un micro de type semi-directionnel. Il permet d'atténuer fortement les bruits ambiants. Un micro casque peut aussi faire l'affaire.

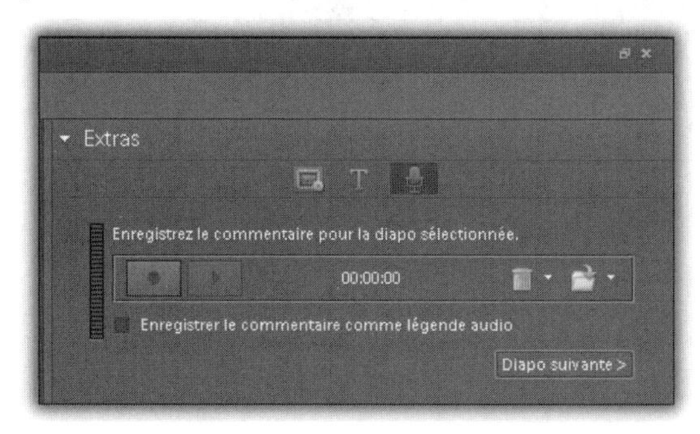

Figure 7.46 : *La palette Extras permet aussi le réglage du son, si l'icône représentant le micro est sélectionnée*

11 En cliquant en bas de l'écran sur l'invite **Cliquer ici pour ajouter l'audio à votre diaporama**, vous pouvez par exemple ajouter une musique à l'ensemble du montage. Ce fichier doit être au format MP3, WAV, WMA ou AC3.

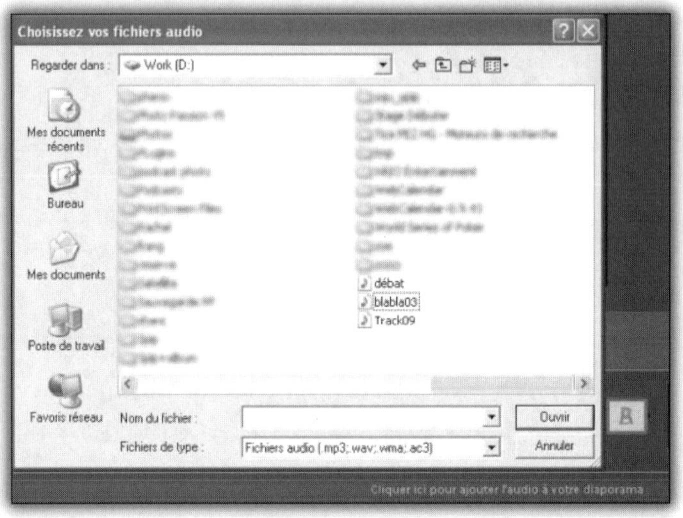

Figure 7.47 : Quatre formats de fichiers musicaux sont acceptés

Un menu permettant de régler les propriétés du clip musical est alors disponible sur la partie droite de l'interface. Il permet de gérer la durée du clip, à l'aide d'un curseur, ainsi que la hauteur du volume de l'accompagnement musical.

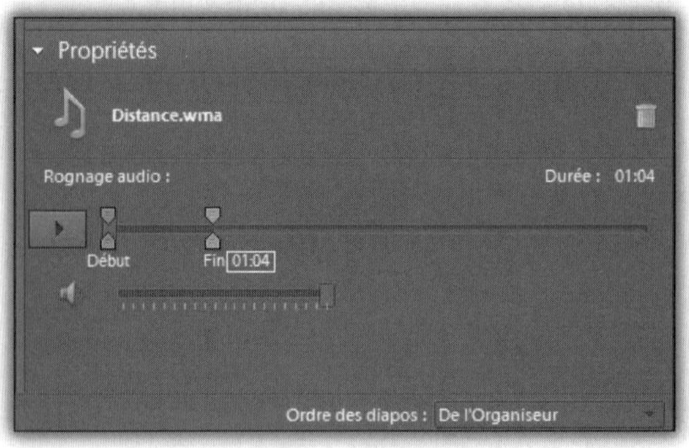

Figure 7.48 : Les propriétés du clip audio sont réglables

12 Un menu vous permet une réorganisation rapide des diapos ainsi qu'un ajustement de la durée du diaporama à la piste musicale. Dans ce cas, la durée d'affichage de chaque diapo est ajustée pour correspondre à la durée du clip musical.

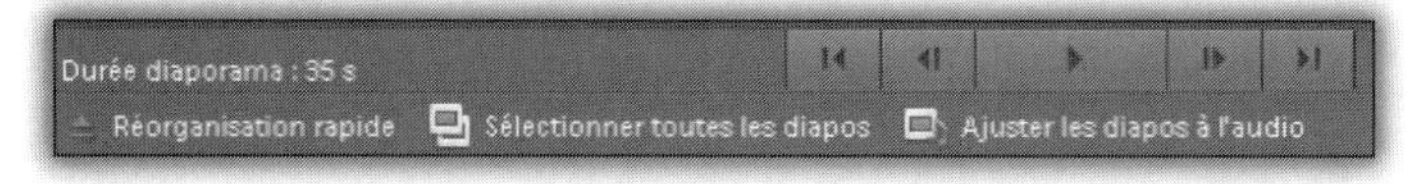

Figure 7.49 : *Le son peut être adapté à la durée du diaporama*

13 En haut de l'écran, à droite, un aperçu plein écran du diaporama est disponible. Vous pouvez enregistrer le projet si vous pensez le modifier plus tard, ou cliquer sur l'icône *Sortie* pour le finaliser.

Figure 7.50 : *La barre d'options du diaporama, située sur la partie supérieure de l'interface*

14 Dans ce dernier cas de figure, vous avez le choix entre un fichier vidéo au format WMV, en choisissant plusieurs niveaux de qualité, ou un fichier PDF, avec une perte de certains effets. Vous pouvez graver un disque au format CD vidéo pour le visionner sur un lecteur de salon ou le lire directement depuis votre disque dur vers un téléviseur.

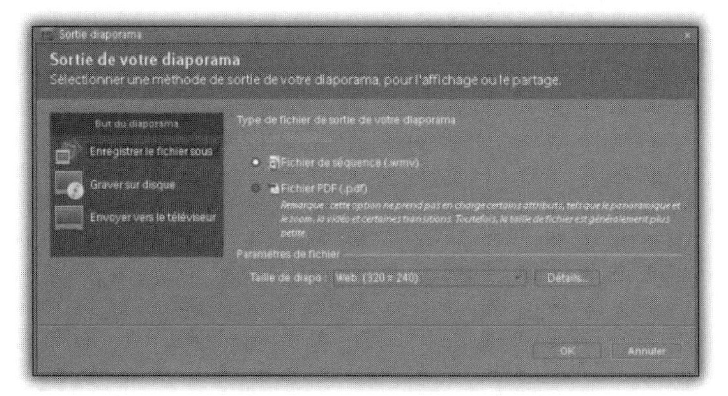

Figure 7.51 : *Le menu de sortie du diaporama permet de finaliser le projet dans le format désiré*

Si vous choisissez de finaliser le diaporama sous la forme d'un fichier vidéo, il faut décider de la qualité de celui-ci. Un menu déroulant, appelé *Taille de la diapo*, vous aidera dans ce choix.

Selon que vous souhaitez présenter ce diaporama sur un site web, sur votre ordinateur, l'envoyer par courrier électronique ou le finaliser sur un DVD, le choix des dimensions des diapositives est important. Ne choisissez pas un nombre de pixels trop élevé si le fichier doit être envoyé plus tard sous la forme d'un courrier électronique. En revanche, si vous souhaitez des images de belles dimensions sur votre ordinateur, choisissez plutôt un modèle avec un nombre de pixels relativement important.

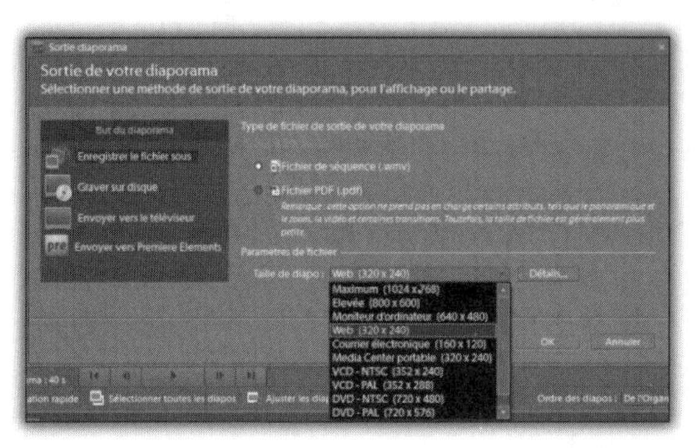

Figure 7.52 : Les dimensions de diapositives proposées par défaut suffisent à répondre à la plupart des cas de figure, d'autres possibilités sont offertes si vous utilisez Premiere Elements et Photoshop Elements conjointement

7.8. Imprimer simplement plusieurs photos encadrées

1 Dans l'Organiseur, sélectionnez tout d'abord les images que vous voulez imprimer. Celles-ci sont surlignées en bleu.

Figure 7.53 : Même pour l'impression, Photoshop Elements guide l'utilisateur

2 Cliquez sur le menu **Fichier** et choisissez la commande **Imprimer**.

Figure 7.54 : *Le menu d'accès à la commande d'impression*

3 Une boîte de dialogue s'ouvre pour vous proposer les réglages qui vont vous permettre d'imprimer les photos. Pour imprimer plusieurs photos à la fois, choisissez *Tirages individuels* dans la liste déroulante *Type d'impression*. Dans la liste *Taille et options d'impression*, validez les dimensions des images que vous voulez imprimer.

Figure 7.55 : *Vous choisissez ici le nombre de photos qui seront présentées sur chaque page*

4 Pour agrémenter les photos d'un cadre, choisissez *Collection d'images* dans la liste *Type d'impression*. Validez aussi la disposition des images sur la feuille, puis le type de cadre qui entourera chacune des photographies.

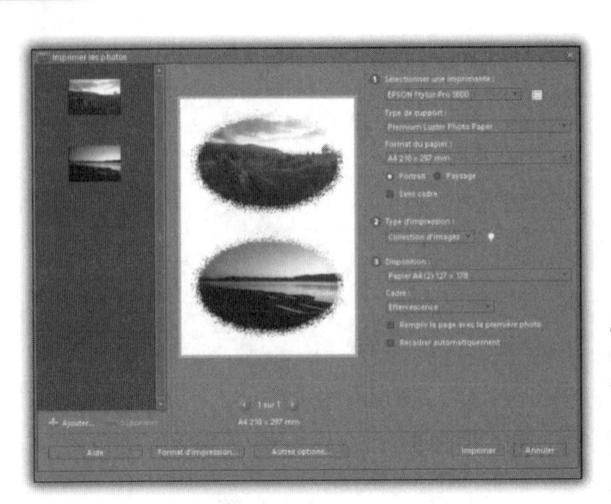

Figure 7.56 : C'est à partir du menu déroulant Type d'impression que vous choisissez le cadre

5 Cliquez sur le bouton **Imprimer**.

7.9. Réaliser un calendrier avec des photos

Photoshop Elements 7.0 peut vous mettre en relation avec un service en ligne qui réalise des calendriers. Il faut passer par le partenaire d'Adobe, à savoir Kodak.

1 Sélectionnez tout d'abord dans l'Organiseur les images que vous voulez utiliser.

2 Dans le menu **Créer**, cliquez sur **Commander des tirages**.

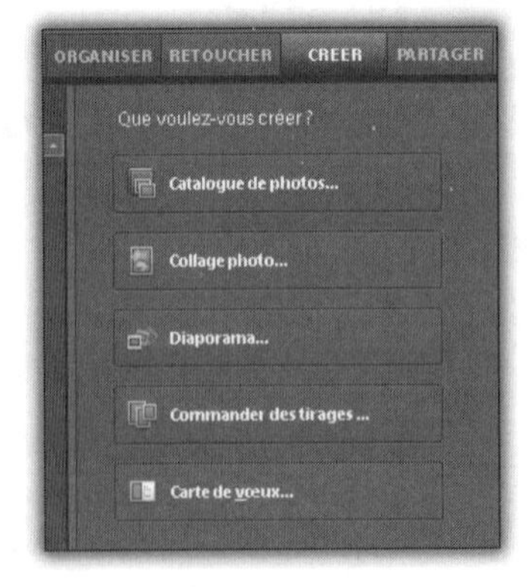

Figure 7.57 : Le menu Commander des tirages permet d'effectuer des tirages en ligne, vous pouvez évidemment choisir votre propre laboratoire en ligne si les options proposées par défaut ne vous conviennent pas

3 Une boîte de dialogue vous invite à remplir plusieurs champs pour ouvrir un compte auprès de ce laboratoire de tirages en ligne. Il faut, bien entendu, disposer d'une connexion Internet valide.

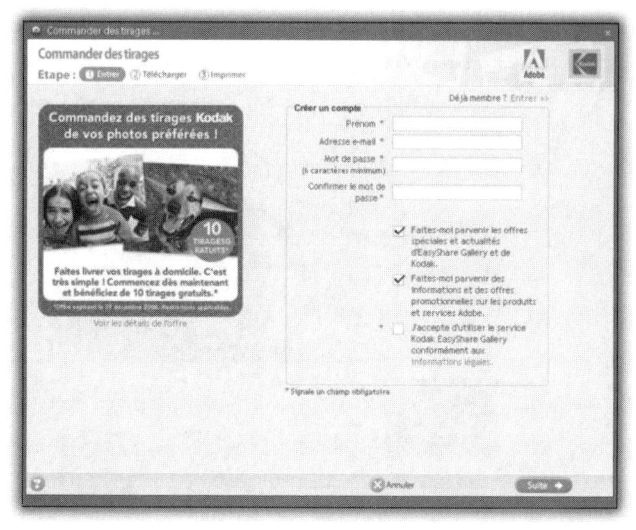

__Figure 7.58 :__ C'est un accord passé avec la société Kodak qui permet l'accès au laboratoire

4 Le logiciel transmet alors les images sélectionnées vers le labo et votre navigateur Internet s'ouvre sur votre page. Sont affichées les images que vous venez d'envoyer.

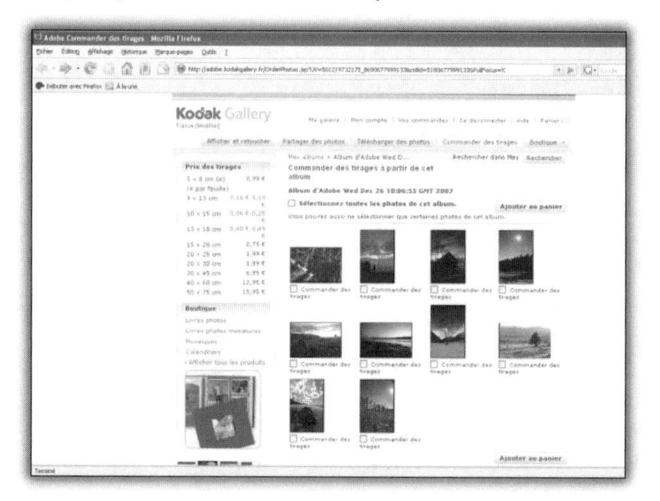

__Figure 7.59 :__ Quel que soit le laboratoire en ligne choisi, le principe est quasiment le même

5 Sur la gauche de l'écran, cliquez sur **Calendriers** pour afficher la page correspondante.

6 Laissez-vous guider par l'interface pour choisir tout d'abord un modèle.

Figure 7.60 : *D'autres laboratoires en ligne vous seront proposés dans la webographie*

7 Choisissez ensuite la mise en page, automatique ou personnalisée.

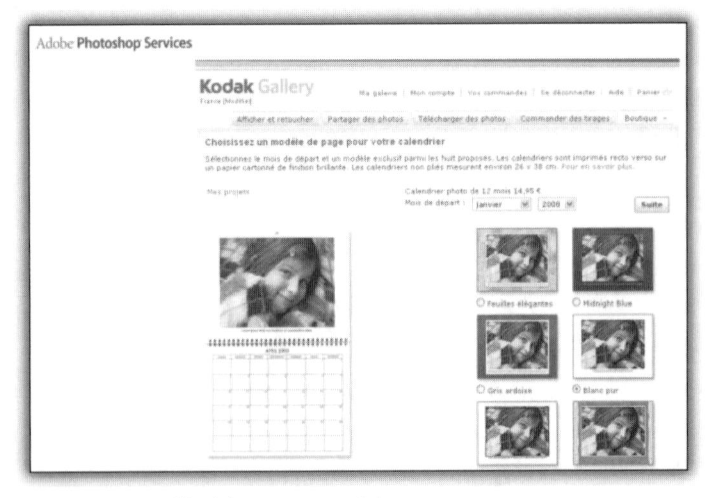

Figure 7.61 : *Choisissez votre thème*

8 Ajoutez le titre du calendrier, le nom de l'auteur, et ce, mois par mois. Finalisez la commande en effectuant votre règlement et patientez quelques jours pour recevoir le précieux document dans votre boîte aux lettres.

Un service parmi d'autres

Outre Kodak, de nombreux laboratoires en ligne proposent ce type de prestation et vous êtes libre de choisir votre labo préféré. Le seul intérêt ici est d'effectuer l'opération depuis l'interface de Photoshop Elements de manière quasi transparente pour l'utilisateur.

Chapitre 8

Partager des images

Préparer une galerie de photographies pour le Web, créer un mini-film, partager des images en les envoyant par courrier électronique, cela ne paraît pas bien compliqué avec Photoshop Elements 7.0. Si vous avez déjà lu les chapitres précédents, vous détenez de bonnes bases pour consolider votre savoir-faire.

8.1. Rappel sur les formats de fichiers

Puisque ce chapitre traite du partage des images, mini-films et galeries web, il est nécessaire de préciser quelques points concernant les formats de fichier.

Photoshop Elements propose l'enregistrement des fichiers dans de nombreux formats.

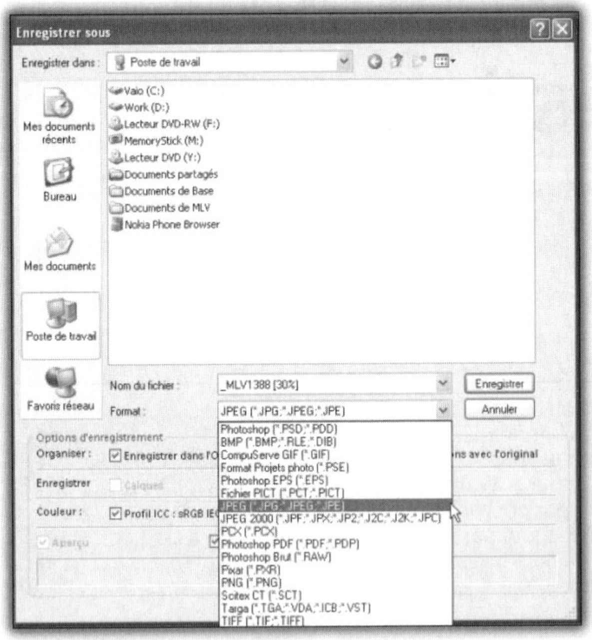

Figure 8.1 : *Le nombre de formats de fichiers image est impressionnant ; la plupart du temps, vous n'en n'utiliserez que deux ou trois*

- Le format de prédilection du logiciel est le PSD. C'est un format propriétaire, c'est-à-dire que le fichier en question ne peut être lu que dans Photoshop Elements ou un logiciel compatible avec PSD, et ils ne sont pas légion. L'énorme avantage de ce format est qu'il conserve les calques et qu'il permet donc de modifier des parties de l'image même après enregistrement. Par exemple, vous pouvez changer le texte si celui-ci est enregistré sur un calque de texte. De même, si vous avez créé un calque de réglage, vous pouvez encore changer ses paramètres. Cette flexibilité s'obtient, hélas, au prix d'un fort encombrement sur le disque dur. Un calque supplémentaire peut doubler à lui seul le poids du fichier final.

- Le format GIF diminue énormément le nombre de couleurs, 256 au maximum. Conçu à la naissance du Web, c'est un format essentiellement utilisé pour réaliser de petits dessins que vous trouvez souvent sous le nom de cliparts. Le GIF permet des animations simples, mais il est de moins en moins utilisé.
- Le PSE est un format propre lui aussi à Photoshop Elements. Il permet d'enregistrer des projets d'album ou de diaporama, en laissant la possibilité de les corriger plus tard. Ce n'est donc pas un format permettant la lecture du document ailleurs que dans Photoshop Elements. Il s'agit bien là d'un fichier de travail.
- Le PICT est le format natif des images sous le système Mac OS.
- Le JPG est LE format courant en photo numérique. Il allie à la fois légèreté, en termes de poids de fichier, et qualité, si l'on tient compte du taux de compression de l'image. En effet, lorsque vous enregistrez une image au format JPG, une boîte de dialogue vous demande de régler un paramètre à l'aide d'un curseur. Celui-ci permet de définir la qualité de l'image finale. Plus le fichier est compact, moins bonne est sa qualité. Si vous acceptez que votre fichier soit plus volumineux, alors l'image finale est de meilleure qualité. Cette échelle varie de "faible" à "maximale", ou de 0 à 12 dans Photoshop Elements. Entre ces valeurs, le poids du fichier varie de 1 à 50.

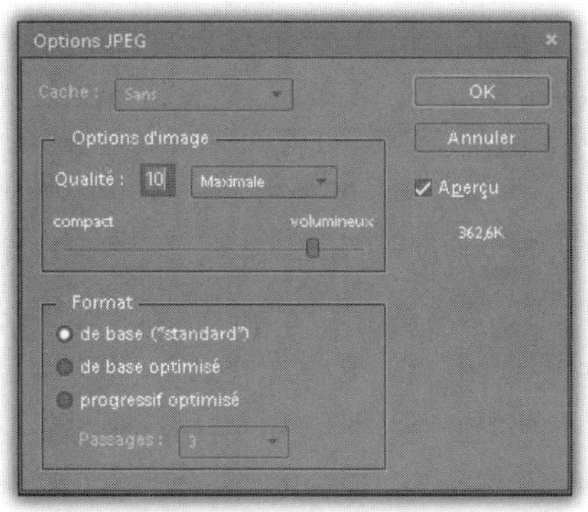

Figure 8.2 : *La gestion des informations de la boîte de dialogue mérite que vous vous y attardiez, la qualité de vos images en dépend*

Photoshop Elements propose, dans le menu **Fichier**, la commande **Enregistrer pour le Web**. La boîte de dialogue qui s'ouvre alors permet de visualiser, en temps réel, la qualité de l'image finale. Sur l'exemple présenté ici, fortement agrandi, on voit nettement sur l'image de droite les ensembles grossiers de pixels ; l'image passe de 1 Mo à 20 Ko, mais à quel prix !

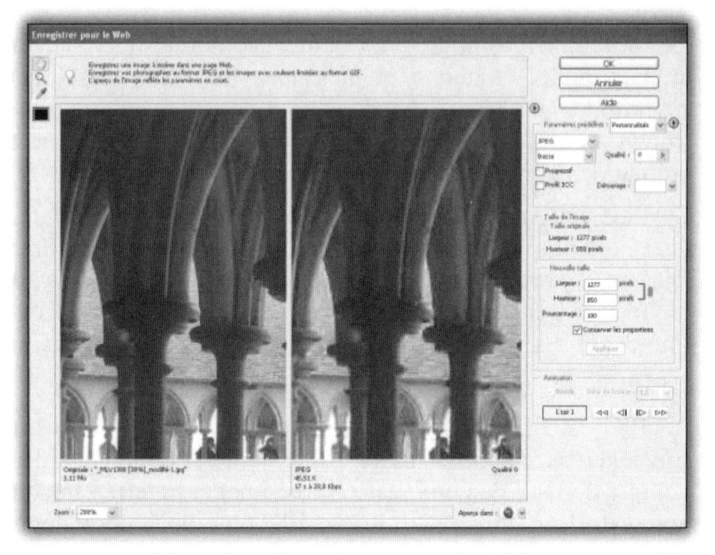

Figure 8.3 : *L'interface Enregistrer pour le Web permet de bien voir la modification du fichier en cas de trop forte compression*

- Le JPF, pour JPEG 2000, produit un fichier de qualité supérieure au JPG traditionnel, mais il n'est pas très utilisé et certains logiciels de base ne le reconnaissent pas, par exemple votre navigateur web.
- Le PCX était un format exploité dans les années 80 avec le logiciel Paintbrush. Mais qui l'utilise encore ?
- Le PDF est un format développé par Adobe, devenu un standard dans le domaine du partage de documents. Vous pouvez enregistrer un diaporama, un texte, une image au format PDF, mais en perdant parfois certaines fonctionnalités, pour le diaporama par exemple. En revanche, tous les ordinateurs disposent d'un logiciel capable de lire un document au format PDF.
- Le RAW conserve au mieux les données enregistrées par le capteur. Il permet notamment de récupérer des détails ou de

corriger des couleurs là où le format JPG déclare forfait depuis longtemps. Seuls les appareils photo moyen et haut de gamme permettent d'enregistrer dans ce format. Hélas, les constructeurs ont chacun un format propriétaire qui ne facilite pas les échanges entre utilisateurs. Nikon utilise le format NEF, Canon propose le CRW et Fuji le RAF, pour ne citer que les plus connus. Adobe tente d'uniformiser les formats en développant le DNG. Le format RAW de Photoshop permet de transposer un fichier dans une autre application lorsque celle-ci ne reconnaît pas les types de fichiers usuels.

Le format brut RAW est évoqué plus longuement au chapitre ***Corriger en finesse.***

- Le PXR permet de travailler avec des stations graphiques haut de gamme de marque Pixar.
- Le PNG est un format conçu pour le Web, mais il n'est hélas pas reconnu par certains navigateurs.
- Le SCT est utilisé en prépresse, c'est-à-dire sur des machines professionnelles réservées à l'impression.
- Le TGA est un format spécifique utilisable avec des cartes graphiques haut de gamme de marque Targa.
- Le TIF est le format utilisé par les professionnels de l'édition et de l'imprimerie. Adoptez-le si vous devez livrer un fichier chez un imprimeur professionnel.
- À ceux-ci s'ajoutent les formats WMV et FLV qui permettent de finaliser films et diaporamas sous la forme de vidéos.

À présent, vous connaissez "presque" tout des types de fichiers présents dans Photoshop Elements 7.0. Vous allez pouvoir choisir le mode d'enregistrement de vos documents en toute connaissance de cause !

8.2. Dimension et résolution des images

Les informations concernant la dimension et la résolution ont déjà été évoquées au chapitre ***Acquérir et classer des photos.*** *Ici, c'est la partie pratique qui est abordée.*

La dimension de l'image est le nombre total de pixels qu'elle contient. Elle est indiquée sous la forme d'un nombre, par exemple 10 millions de pixels, ou encore 10 mégapixels, soit sous la forme de deux nombres correspondant à la longueur et la hauteur de l'image, par exemple 3 500 × 2 600 pixels.

La résolution de l'image est la concentration de pixels sur une surface, exprimée le plus souvent en dpi (dot per inch) ou ppp (points par pouce), par exemple 300 dpi ou 200 ppp, c'est-à-dire que l'image contient 200 pixels par carré de 2,54 cm de côté.

Si la taille de l'image est exprimée en centimètres, par exemple 20 × 25 cm, il vous manque une information pour connaître la qualité de l'image. En effet, dans ce cas, si les valeurs sont exprimées en centimètres, il faut connaître la résolution pour mesurer la finesse de l'image. Pour les mêmes dimensions, soit un rectangle de 20 × 25 cm, l'image est différente si sa résolution est de 72 dpi ou de 300 dpi.

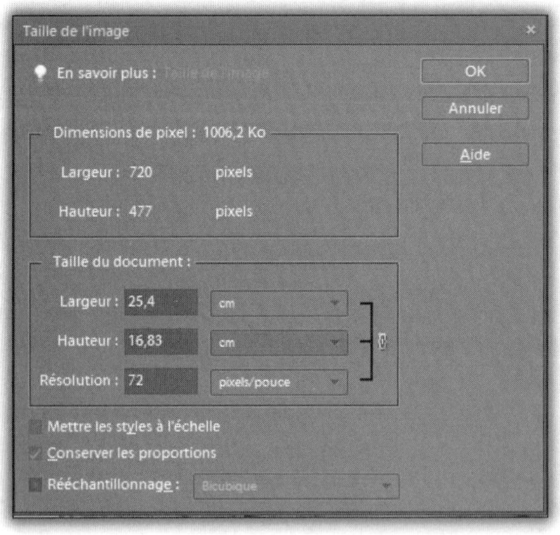

Figure 8.4 : *La boîte de dialogue qui permet de gérer les dimensions de l'image dans Photoshop Elements sépare les informations en deux parties : la partie supérieure indique les dimensions de pixels, c'est-à-dire le nombre de pixels, alors que la partie inférieure indique la taille de document, exprimée en centimètres et en résolution*

Vous pouvez ignorer la résolution de l'image tant que vous travaillez à l'écran. Dès lors que vous souhaitez imprimer le document ou l'image, la résolution entre en ligne de compte. Si elle n'est pas assez importante, l'image ne peut pas être imprimée correctement. Elle peut paraître tout à fait convenable à l'écran, mais si elle ne contient pas assez de pixels, elle sera floue ou pixellisée une fois imprimée.

La plupart du temps, les appareils photo numériques enregistrent les images avec une résolution de 72 dpi, ce qui correspond à une résolution d'écran. Si vous voulez savoir quelle sera sa dimension une fois imprimée, utilisez la boîte de dialogue pour voir combien elle mesure à 200 dpi (imprimante jet d'encre) ou à 300 dpi (imprimeur).

*Des notions supplémentaires sur l'impression des images sont disponibles au chapitre **Gérer les couleurs et l'impression.***

Lorsque vous visualisez une image dans Photoshop Elements, vous pouvez afficher des règles, qui indiquent les dimensions du document. C'est une information importante si vous souhaitez imprimer celui-ci sur papier.

La commande permettant d'afficher les règles est disponible via le menu **Affichage/Règles**.

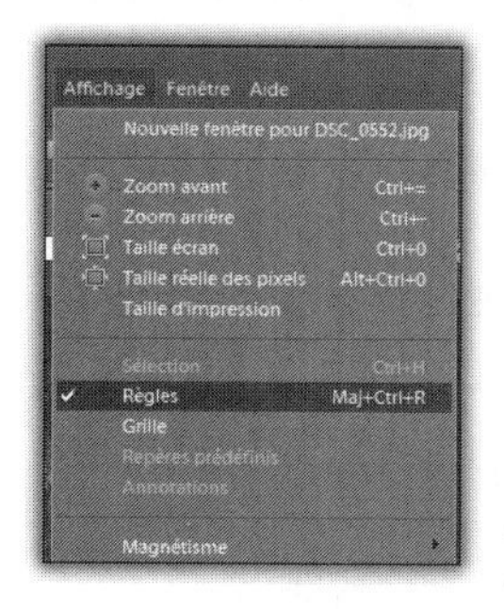

Figure 8.5 :
La commande d'affichage des règles

Vous disposez à présent d'informations permettant de gérer les dimensions de l'image à tout moment.

Figure 8.6 :
Une règle apparaît à présent sur la partie supérieure et à gauche de l'image ; sur la partie inférieure, les informations sont rappelées, ainsi que la résolution, élément essentiel

Pour changer l'unité utilisée, un double clic dans le bandeau où s'affiche la règle permet d'accéder au réglage des préférences.

8.3. Enregistrer des images pour le Web

Si vous préparez des images pour les utiliser sur un site web ou pour les envoyer par courrier électronique, il est important de prendre en compte leur taille. Vous avez appris à utiliser la boîte de dialogue **Taille de l'image**, accessible par le menu **Image/Redimensionner**, ou d'un clic du bouton droit sur le bandeau supérieur d'une image affichée dans l'interface de Photoshop Elements.

Pour vous accompagner dans votre tâche, Photoshop Elements propose une interface spécifique qui permet de gérer au mieux les images destinées au Web. Cette interface est accessible via le menu **Fichier/Enregistrer pour le Web**.

Lorsque vous utilisez cette interface, l'écran est partagé en trois parties : à gauche, l'image originale, avant modification, au centre, l'image modifiée, et à droite, une zone permettant d'effectuer les différents réglages de format de fichier ainsi que de taux de compression.

Figure 8.7 : *L'interface Enregistrer pour le Web, essentielle pour bien gérer la qualité des images que vous allez publier sur Internet*

Le menu déroulant **Paramètres prédéfinis** permet d'utiliser rapidement les réglages les plus courants. Les formats proposés sont le GIF, le PNG et le JPG. Privilégiez ce dernier pour l'enregistrement des photographies.

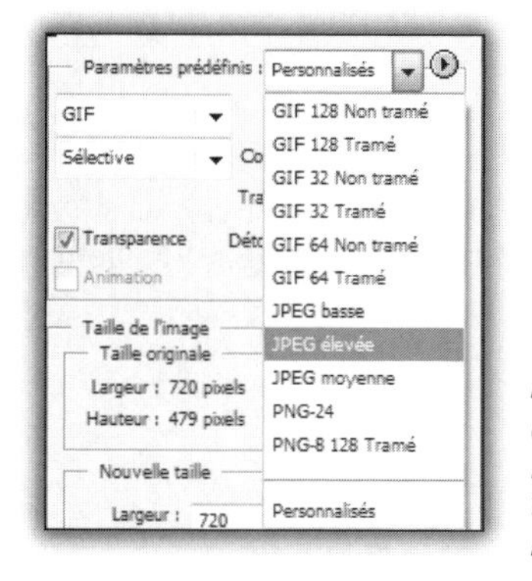

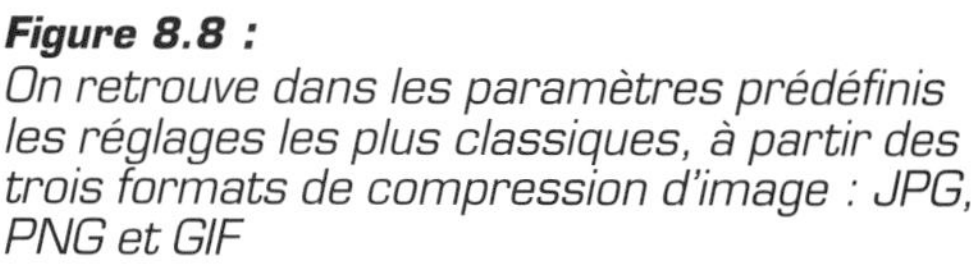

Figure 8.8 :
On retrouve dans les paramètres prédéfinis les réglages les plus classiques, à partir des trois formats de compression d'image : JPG, PNG et GIF

Le menu permettant de choisir la qualité de l'image est très important. Plus vous allez compresser l'image, moins elle prendra de place sur le support, mais plus elle perdra de détails. Une fois qu'elle est enregistrée, plus question de revenir en arrière, alors réfléchissez-y à deux fois. Un conseil : travaillez toujours sur des copies d'originaux ; le JPG est un format très pratique, mais destructeur ! Lorsque vous utilisez l'interface **Enregistrer pour le Web**, affichez toujours vos images au moins à 100 % de leur taille, c'est le seul moyen de percevoir les modifications de manière efficace.

Figure 8.9 :
Le réglage de la qualité influe sur le poids final du fichier

La case *Progressif* permet de faire apparaître, par étapes successives, les images sur une page web, au fur et à mesure qu'elles sont téléchargées sur la page. Quant à la case *Profil ICC*, elle permet de gérer un profil d'imprimante.

La gestion des imprimantes est abordée au chapitre ***Gérer les couleurs et l'impression.***

Utiliser la touche Alt pour changer le contenu du menu

Lorsque vous utilisez l'interface **Enregistrer pour le Web**, la touche [Alt] permet de changer certaines options du menu pour la validation des modifications.

Le bouton OK reste le même, ce n'est pas le cas des deux autres. Sans appui sur la touche, les boutons permettent d'annuler les modifications ou d'afficher l'aide.

Figure 8.10 : *Le menu est différent suivant que l'on appuie ou pas sur la touche Alt*

Si vous appuyez sur la touche [Alt], les boutons permettent de rétablir les derniers paramètres utilisés ou mémorisés. Quant au bouton **Rappeler**, il permet de mémoriser les paramètres en cours. C'est particulièrement utile lorsque vous devez traiter plusieurs images à la suite.

Dans la partie inférieure de l'interface figurent des informations concernant le poids de l'image, avant et après modification.

Figure 8.11 : *La différence entre le poids initial du fichier et son poids après modification peut être très importante (dans la majeure partie des cas, une image très légère n'a pas une qualité extraordinaire)*

Une fois les corrections effectuées, cliquez sur le bouton OK pour valider les modifications. Une boîte de dialogue s'ouvre, vous demandant le nom et l'endroit où le fichier doit être enregistré. Donnez un nom différent du fichier initial car les formats de fichiers utilisés ici sont destructeurs et modifient profondément la structure des pixels qui composent l'image. Sans cette précaution, vous risqueriez d'altérer de manière définitive votre précieuse image originale.

8.4. Préparer une galerie photo pour le Web

Vous avez souvent vu sur Internet des galeries à l'aspect professionnel et vous vous êtes certainement fait la remarque que, pour arriver à un tel degré de qualité, il fallait maîtriser un ou même plusieurs logiciels professionnels. Il n'en est rien. Votre logiciel de retouche d'image sait aussi réaliser ces présentations de qualité.

Laissez de côté les langages de programmation comme Flash ou HTML. Les galeries que vous allez créer avec le logiciel utilisent l'un et l'autre, sans que vous ayez à saisir une quelconque ligne de code.

L'Assistant qui vous guide tout au long du processus va créer un dossier dans lequel vous trouverez les fichiers nécessaires à la mise en ligne de la galerie ou la gravure sur CD.

1 Tout d'abord, cliquez sur l'onglet **Partager** et choisissez les photos qui seront affichées sur votre galerie. Pour les sélectionner, cliquez sur la première et sur la dernière tout en maintenant la touche [Maj] gauche enfoncée ou bien la touche [Ctrl] gauche si les images ne sont pas placées à la suite les unes des autres. Ou bien, en maintenant le bouton gauche de la souris enfoncé, dessinez un rectangle englobant les images choisies. Elles apparaissent alors surlignées en bleu.

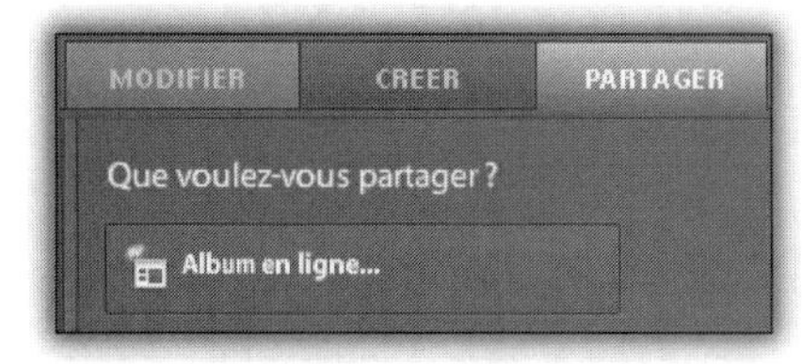

Figure 8.12 :
Le bouton Album en ligne permet de créer des galeries au format Flash ou HTML

2 Cliquez ensuite sur le bouton **Album en ligne**. Les photos choisies sont affichées sur la partie droite de l'interface.

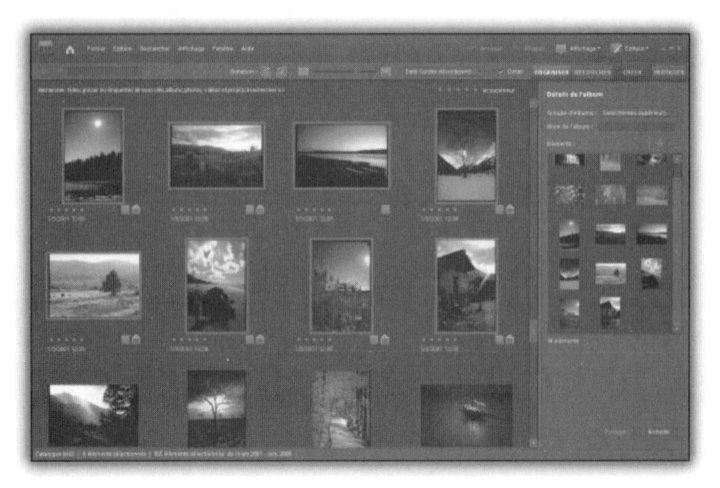

Figure 8.13 : *La création des albums est très simple et commence par le choix des images*

3 Cliquez sur le bouton **Partager**. Attention, le bouton n'est disponible que si vous avez donné un nom à l'album ; sinon, il reste grisé !

4 Un modèle de galerie est proposé par défaut, mais rien ne vous empêche d'en choisir un autre ! En effet, c'est là que vous devez choisir l'aspect final de votre galerie, et le moins que l'on puisse dire, c'est que vous n'avez que l'embarras du choix ! Pour cela, cliquez sur le bouton **Changer modèle**.

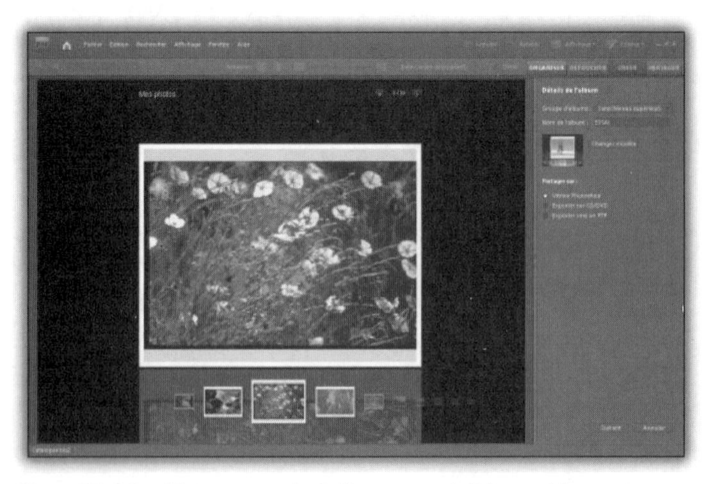

Figure 8.14 : *Un aperçu de l'album est visible rapidement, vous pouvez encore, à ce stade, modifier le thème pour le personnaliser*

Les modèles de galerie se déclinent en plusieurs familles, disponibles d'un clic sur le menu déroulant situé sous l'inscription "Détails de l'album".

- Le mode Amusant permet de présenter les images sous la forme d'un pêle-mêle modulable puisque vous pouvez déplacer et redimensionner les photos. Les images s'affichent selon un modèle appelé *Bandes dessinées*, *Anniversaire d'enfants*, *Actualités*, *Carte ancienne* ou *Voyage*.

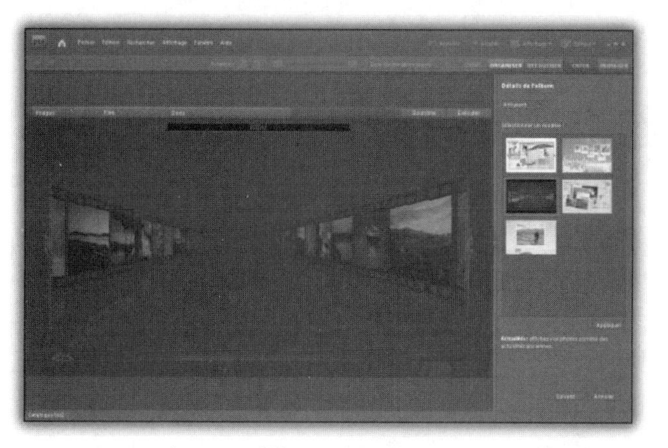

Figure 8.15 : *Les modèles proposés sont très nombreux et permettent des présentations de niveau professionnel*

- Le mode Classique propose une douzaine de modèles permettant par exemple d'afficher la galerie sous la forme d'un pêle-mêle de diapositives.

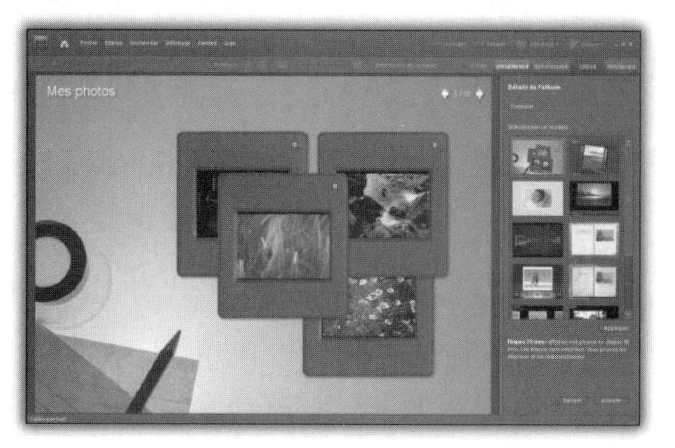

Figure 8.16 : *Même les diapos sont représentées, nostalgie !*

– Le mode Famille permet de réaliser une présentation proposant des thèmes qui intéressent aussi bien les parents que les enfants. Certains modèles acceptent l'ajout d'un texte aux photos.

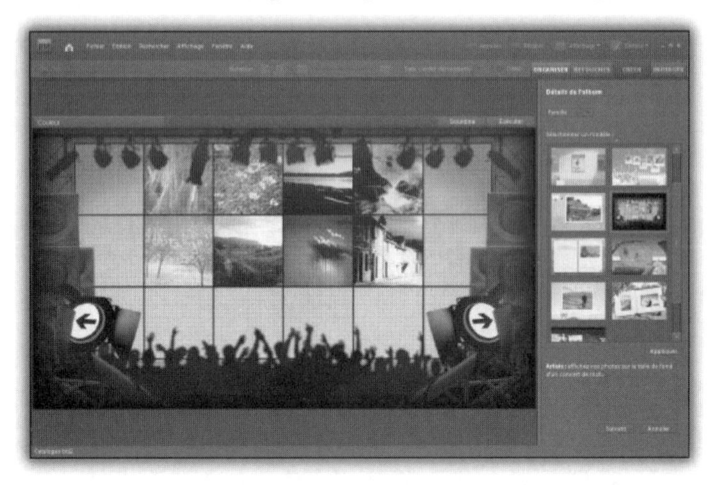

Figure 8.17 : *Les graphismes sont très variés et un clic suffit pour changer l'aspect de la présentation*

– Le mode Occasion reprend des thèmes portant sur les grands moments de la vie.

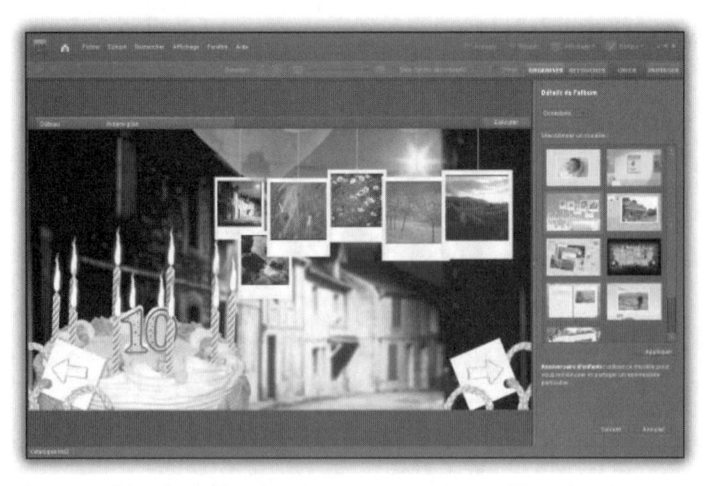

Figure 8.18 : *Les plus jeunes trouveront aussi leur bonheur*

– Le mode Saison présente les photos en proposant deux thèmes hivernaux.

Figure 8.19 : *Les thèmes représentant les saisons sont peu nombreux*

– Le mode Voyage affiche plusieurs thèmes liés au déplacement.

Figure 8.20 : *Certains thèmes figurent dans plusieurs familles, des thèmes présentés dans la section Saisons peuvent se retrouver dans la section Voyage*

5 Cliquez ensuite sur **Suivant**.

6 Le choix du modèle de présentation détermine l'interface suivante. Le modèle choisi pour cet exemple propose d'indiquer le titre de la galerie, ainsi qu'un sous-titre éventuel.

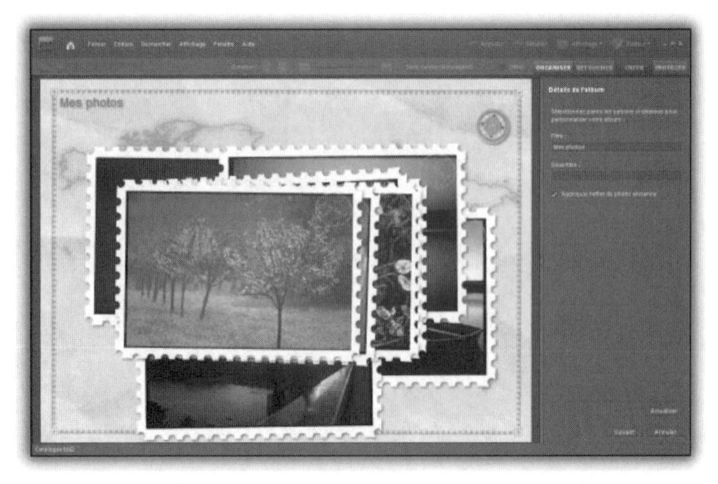

Figure 8.21 : *Suivant le thème choisi, certaines options sont disponibles ; ici, c'est l'application d'un effet photo ancienne qui est disponible*

7 Cliquez sur **Suivant** pour enregistrer les fichiers sur le disque dur.

8 Une ultime étape vous invite à partager votre galerie sur la vitrine Photoshop, à l'exporter sur un CD ou un DVD, ou encore à l'exporter sur votre site web.

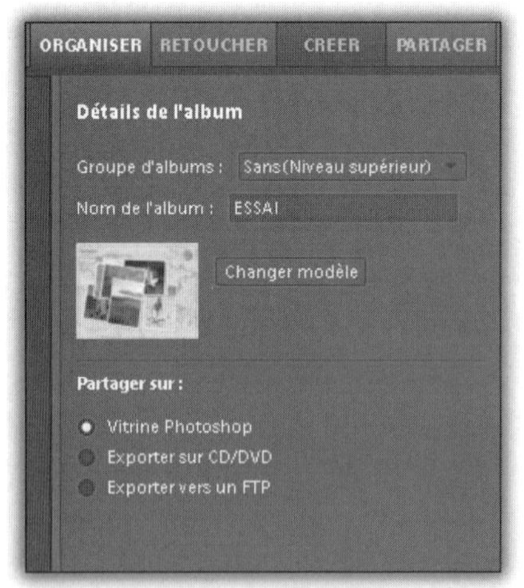

Figure 8.22 : *Les albums peuvent être partagés en ligne, gravés sur CD ou déposés sur un site web à l'aide d'un logiciel FTP*

9 Le site Photoshop Showcase vous propose de déposer vos galeries, photos et diaporamas pour les partager avec le public ou vos amis. Dans ce cas, seules les personnes invitées ont accès aux informations. Le système est semblable à d'autres services disponibles sur le Web, comme Flickr ou Picasa, gratuits eux aussi.

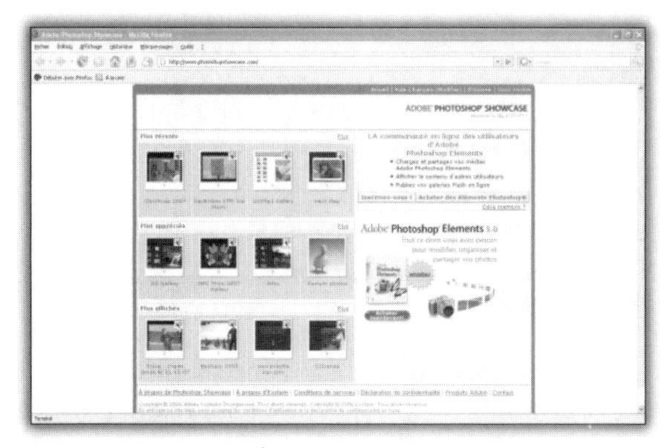

Figure 8.23 : *Aux États-Unis, Photoshop Elements est interfacé avec le site Photoshop.com, plus complet et moderne ; les Français doivent se contenter d'un service datant de l'époque de Photoshop Elements 5*

10 Si vous choisissez l'option *Mon FTP*, c'est que vous êtes un utilisateur avancé des services proposés sur Internet. Une boîte de dialogue s'ouvre et vous demande de remplir plusieurs champs avec les informations communiquées par votre fournisseur d'accès ou l'entreprise qui gère votre nom de domaine. Si tout cela ne vous dit rien, faites appel à un spécialiste !

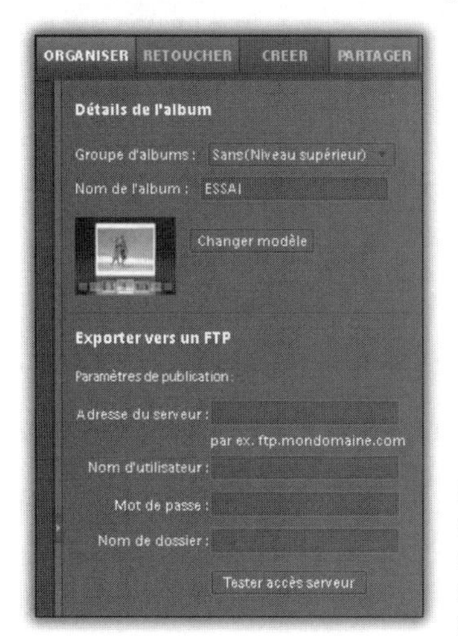

Figure 8.24 : *La boîte de dialogue que vous devez remplir si vous utilisez un serveur FTP, à réserver aux personnes qui savent de quoi il s'agit*

11 Quant à l'option de gravure, elle est entièrement automatisée. Un Assistant vous guide pas à pas pour réaliser le CD.

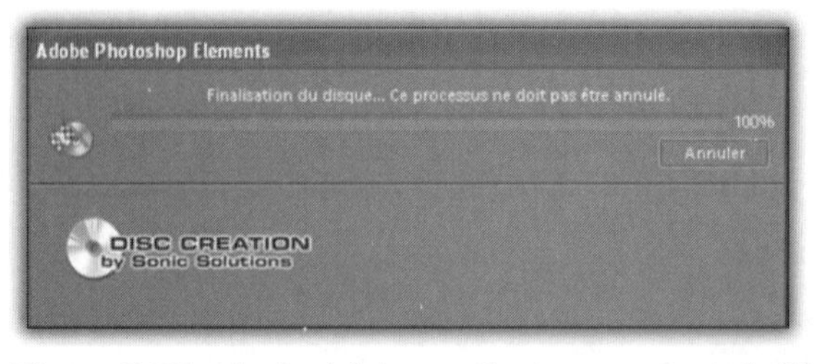

Figure 8.25 : *Le logiciel vous tient au courant de l'état de l'avancement de la création du CD*

12 La galerie est lue automatiquement à l'insertion du CD grâce au lecteur Flash, ou affichée dans votre navigateur Internet, si celui-ci peut lire les documents au format Flash bien entendu.

Figure 8.26 : *Un exemple de galerie finalisée*

8.5. Envoyer un message photo par courrier électronique

Vous pouvez envoyer un message au format HTML directement à partir du logiciel Photoshop Elements 7.0. La marche à suivre est semblable à celle mise en œuvre lors de l'envoi de photos par courrier électronique. Cette fois-ci, votre correspondant recevra un message mis en forme avec un papier peint que vous aurez choisi parmi de nombreux modèles.

1 Cliquez sur l'onglet **Partager** puis sur le bouton **Message photo**.

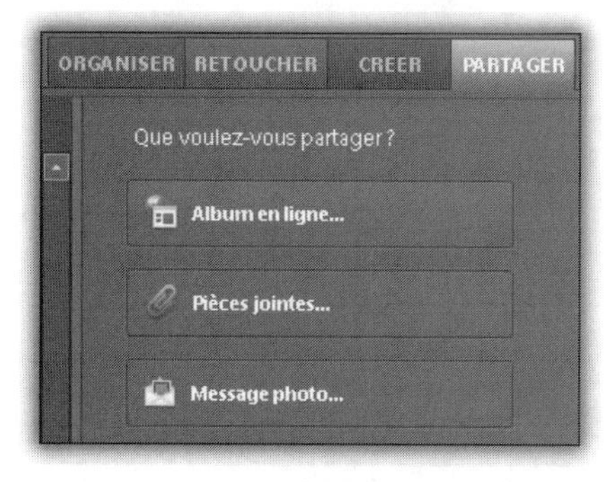

Figure 8.27 :
Il y a deux moyens d'envoyer des images par courrier électronique : en pièce jointe ou sous la forme d'un message photo

2 Une fois les images sélectionnées dans l'Organiseur, elles apparaissent sur la partie droite de l'interface. Vous pouvez encore ajouter ou retirer des images à ce stade.

Figure 8.28 :
Le placement des images choisies reste toujours très intuitif

3 Cliquez ensuite sur **Suivant** pour écrire votre message dans la section *Message* et ajouter le ou les destinataires dans la section *Sélectionner les destinataires*.

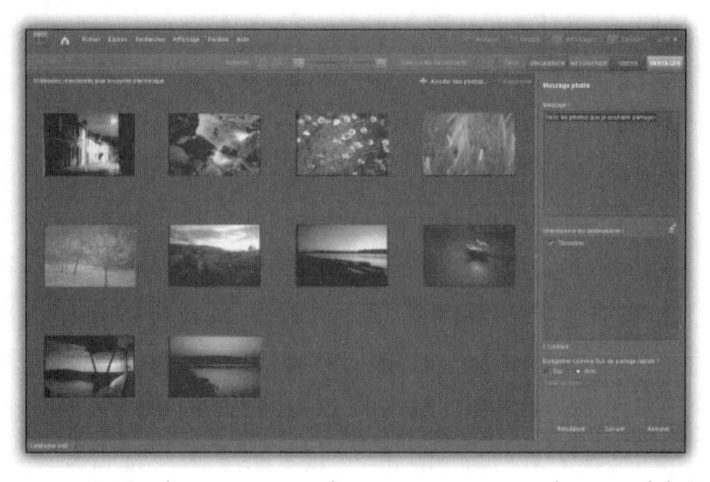

Figure 8.29 : *Le message qui accompagnera vos images doit être écrit dans la première section ; dans la seconde, choisissez les destinataires*

4 Si cet espace est vide pour l'instant, cliquez sur l'icône *Modifier les destinataires dans le Carnet d'adresses* pour ajouter vos contacts.

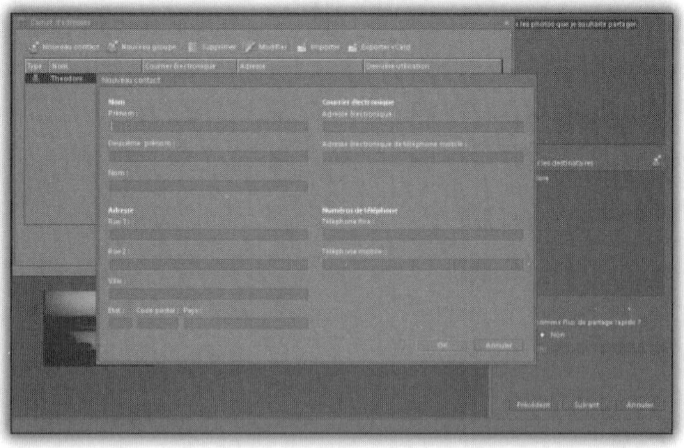

Figure 8.30 : *Si un contact ne figure pas encore dans votre Carnet d'adresses, vous pouvez évidemment l'ajouter*

Vos contacts s'inscrivent automatiquement dans la section *Sélectionner les destinataires* et y demeureront pour une utilisation ultérieure.

5 Un clic sur le bouton **Suivant** ouvre l'Assistant Papeterie et dispositions. Vous pouvez choisir la présentation et le papier peint utilisé pour votre envoi. Les différents thèmes sont classés par catégorie, sur la gauche de l'interface. Lorsque vous cliquez sur une catégorie, un aperçu s'affiche dans la fenêtre principale.

Figure 8.31 : *Sur la droite, les nombreux modèles de présentation sont proposés sous la forme d'un explorateur de fichiers ; un clic sur l'un d'eux affiche un aperçu dans la partie droite de l'interface*

6 En cliquant sur le bouton **Suivant**, vous pouvez accéder à une interface vous permettant de personnaliser votre présentation et d'insérer des légendes. Les options disponibles sont différentes, suivant le thème choisi.

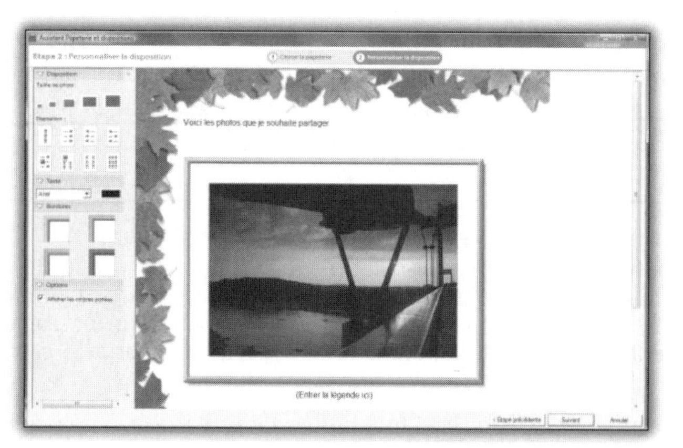

Figure 8.32 : *L'interface de personnalisation du courrier électronique*

7 Après vérification de votre adresse de courrier électronique, vérification qui n'a lieu que lors de la première utilisation du service, une boîte de dialogue vous permet de composer votre message avant de l'envoyer d'un clic sur l'icône *Envoyer*, en haut et à gauche de la boîte de dialogue.

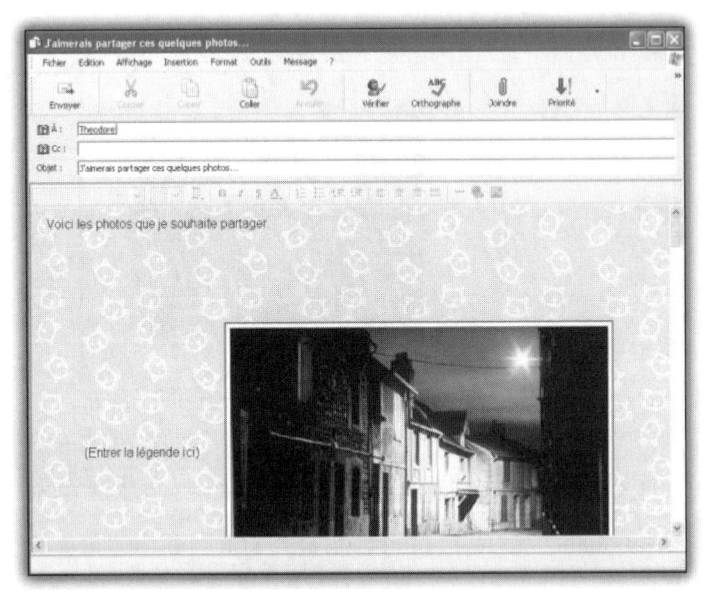

Figure 8.33 : *Vérifiez les informations avant l'envoi, il est encore temps d'effectuer quelques modifications*

Vous pouvez naturellement utiliser votre messagerie habituelle pour envoyer vos photos. Photoshop Elements 7.0 permet simplement d'effectuer toutes les opérations de préparation des images jusqu'à leur envoi sans quitter l'interface du logiciel.

Le courrier électronique masqué par d'autres fenêtres

Lorsque vous finalisez votre courrier électronique avec Photoshop Elements, la procédure s'effectue en tâche de fond et vous pouvez avoir l'impression que l'opération ne s'est pas déroulée correctement, car rien ne se passe à l'écran. En fait, la fenêtre du courrier est masquée par Photoshop Elements.

Regardez votre barre des tâches, tout en bas de l'interface de Windows : un onglet clignotant doit être visible, reprenant le texte de votre courrier. Si vous cliquez dessus, votre message s'affiche au premier plan.

8.6. Envoyer des photos en pièces jointes

Vous avez déjà certainement reçu ce genre de courrier électronique qui met beaucoup de temps à arriver sur votre ordinateur, car l'expéditeur n'a pas pris la peine de redimensionner une photo directement issue de son appareil photo, c'est-à-dire une image pesant parfois plusieurs mégaoctets. Avec l'aide d'une fonction de Photoshop Elements, vous allez éviter ce genre de désagrément à vos correspondants.

À la première utilisation de ladite fonction, Photoshop Elements vous demandera quel logiciel vous souhaitez employer pour l'envoi. Choisissez dans la liste proposée votre logiciel habituel.

1 Cliquez sur l'onglet **Partager** puis sur le bouton **Pièces jointes**. Le logiciel charge alors l'interface de l'Organiseur pour que vous choisissiez les images à envoyer.

Figure 8.34 : *La section proposant toutes les options de partage*

2 Placez les images dans la boîte de dialogue **Éléments** affichée à droite de l'écran si vous ne les avez pas déjà sélectionnées dans l'Organiseur.

3 Une fois les images sélectionnées dans l'Organiseur, elles apparaissent sur la partie droite de l'interface. Vous pouvez encore ajouter ou retirer des images à ce stade.

Si vous conservez les réglages de base, les images seront converties au format JPG pour que les fichiers soient plus compacts. Si vous décochez cette option, vous risquez de traiter des fichiers très volumineux et vous aurez des difficultés à les envoyer.

Prêtez une attention particulière à l'estimation de la taille ; c'est une indication du temps de transfert des images entre votre poste et celui du destinataire.

Les photos auront une taille maximale de 800 × 600 pixels par défaut, mais plusieurs dimensions sont accessibles par le menu déroulant *Taille max. de la photo*. Vous pouvez même conserver la taille originale si vous le souhaitez. Là encore, attention au poids du fichier ! Préférez des images de dimension moyenne pour ce genre de partage.

Vous retrouvez le curseur de réglage de la compression JPG. Ici encore, méfiez-vous d'une trop forte compression des images.

Lisez aussi à ce sujet la section ***Enregistrer des images pour le Web****.*

Figure 8.35 :
Cette fois, vous préparez l'envoi des images sous la forme de pièces jointes

4 L'écran suivant vous invite à saisir votre texte et à indiquer vos correspondants.

Figure 8.36 :
L'invite à saisir votre texte et à inscrire vos correspondants

5 Le reste de la manipulation est parfaitement semblable à l'exemple précédent, hormis le fait que vous ne choisirez pas de présentation et de papier peint. Les photos seront simplement utilisées en tant que fichiers joints.

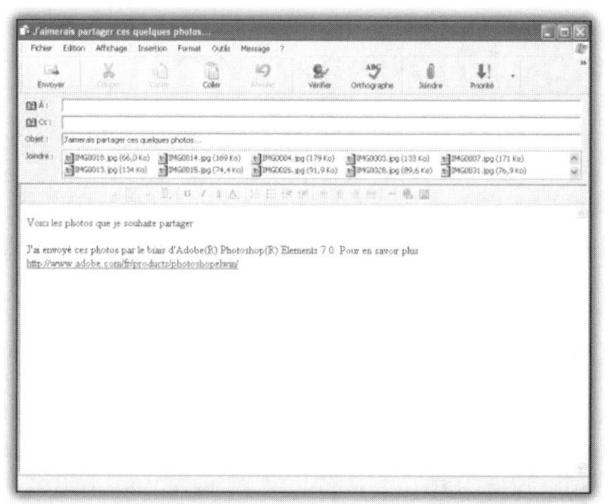

Figure 8.37 :
Plus de papiers peint et d'effets de style, le message est plus sobre sous cette forme

8.7. Créer un diaporama PDF

Vous pouvez avoir besoin de faire parvenir rapidement une présentation d'images. Le logiciel permet de réaliser un fichier de type PDF. N'attendez pas de cette fonction des effets extraordinaires. Il s'agit ici d'une suite d'images, rien de plus.

Les images seront lues avec le logiciel Acrobat Reader, disponible sur tout bon ordinateur. Elles défileront sous la forme d'une simple succession de clichés. La photo suivante recouvrira la précédente par la gauche, automatiquement, toutes les 3 secondes.

1 La création du diaporama démarre de la même manière que lorsque vous souhaitez envoyer des photos par courrier électronique. Sélectionnez les images, puis cliquez sur le bouton **Plus d'options** puis validez la commande **Diaporama PDF**.

2 Choisissez ensuite quelles images apparaîtront dans le diaporama en les sélectionnant. Donnez un titre au document, puis choisissez le ou les destinataires. Cliquez sur **Suivant** pour que le diaporama soit calculé automatiquement.

3 Une fenêtre d'avertissement vous met en garde sur le poids éventuel du fichier, vous invitant à ne pas dépasser la limite de 1 Mo.

4 Enfin, la boîte d'envoi du message s'affiche, vous permettant d'utiliser la messagerie électronique.

8.8. Le service Photoshop.com

Photoshop.com est un service mis à la disposition des utilisateurs par Adobe. Il permet de mettre en ligne des images que vous appréciez pour les partager avec le public ou simplement avec des amis. En effet, vous pouvez décider qui pourra avoir accès à vos photos. Vous pouvez aussi mettre en ligne des catalogues de photos et des galeries créés dans Photoshop Elements.

Photoshop.com propose aussi des outils de retouche d'image en ligne. Vous pouvez télécharger une image sur le site et la retoucher en ligne, sans avoir à disposer d'un logiciel spécifique sur votre ordinateur. Cela peut être utile si vous êtes en déplacement et si vous désirez tout de même corriger des images avant de les partager.

Le service est totalement gratuit et n'est pas seulement réservé aux possesseurs de licence de logiciel, comme Photoshop ou Photoshop Elements. Un seul bémol : le site proposé par Adobe est en anglais pour le moment.

Connectez-vous au site Photoshop.com, à l'adresse **www.photoshop.com**. La page d'accueil vous permet, soit de vous identifier, soit de créer un compte, si cela n'est pas déjà fait.

Figure 8.38 : *La page d'accueil du site Photoshop.com : le bouton Sign in permet de se connecter, le bouton Join now permet de créer un compte, et Test drive autorise l'utilisateur à tester le service*

Pour ouvrir un compte et accéder à la totalité des services proposés, remplissez le formulaire qui s'affiche après avoir cliqué sur le bouton **Join now**. Cela est à faire seulement la première fois, bien entendu. Ensuite, entrez votre identifiant, ainsi que le mot de passe que vous avez choisi.

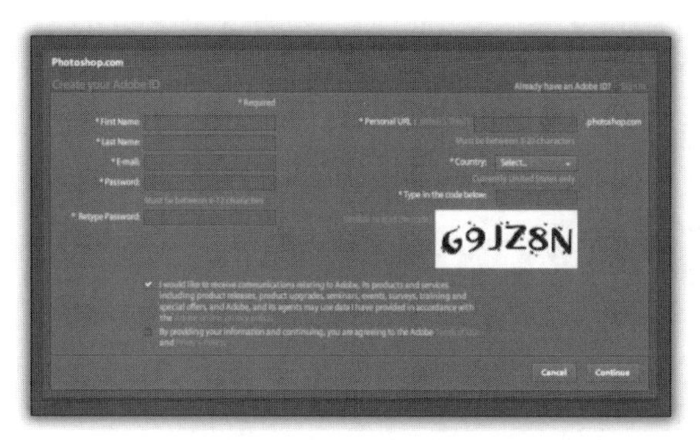

Figure 8.39 : *Le formulaire à remplir pour ouvrir votre compte sur Photoshop.com*

First Name correspond à votre nom, *Last Name* à votre prénom. Dans l'emplacement suivant, *E-mail*, inscrivez votre adresse de courrier électronique. Elle vous servira à confirmer votre inscription. Dans les deux emplacements suivants, *Password* et *Retype Password*, entrez et confirmez votre mot de passe.

À droite figure la mention *Personal URL*. Décidez ici du "nom" du site sur lequel vous présenterez vos photos. Quand vous voudrez donner l'adresse du site à des amis ou à des membres de votre famille, c'est ce "nom" que vous indiquerez. Choisissez-le pertinent ! L'adresse sera du type **http://nomchoisi.photoshop.com**.

Le menu déroulant proposant le choix du nom du pays ne liste pour l'instant qu'une seule entrée : les États-Unis. Gardez cette option par défaut, cela n'empêche pas le service de fonctionner.

Pour des mesures de sécurité, vous devez entrer un code qui est affiché sur la page d'inscription. Ce code varie pour chaque inscription.

Sur la partie inférieure, deux phrases sont à cocher. La première indique que vous acceptez de recevoir des informations concernant les produits et services qu'Adobe propose. La seconde indique que vous acceptez les termes d'utilisation du service Photoshop.com. Cette dernière case doit être impérativement cochée.

Cliquez à présent sur le bouton **Continue** pour valider les informations.

Une page s'affiche ensuite pour vous indiquer que votre compte a été créé. Passez à la page suivante pour afficher la page d'accueil générale.

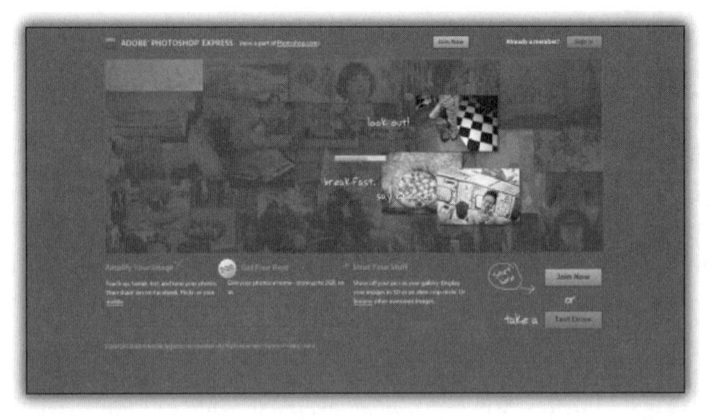

Figure 8.40 : *La page d'accueil du site Photoshop.com : cliquez sur le bouton Sign in pour entrer votre identifiant et votre mot de passe*

La page de connexion au site permet d'accéder à votre espace personnel. Par défaut, vous disposez de 2 Go de stockage, ce qui est déjà beaucoup. Si vous avez besoin de plus de place, Photoshop.com propose un abonnement mensuel, payant celui-ci.

Figure 8.41 : *L'interface permettant de retoucher les images directement en ligne, sur le site Photoshop.com*

D'autres sites de partage d'images en ligne

Si la langue anglaise vous rebute, vous pouvez utiliser d'autres sites de partage d'images, comme Flickr ou Picasa, qui proposent une interface en langue française.

Chapitre 9

Corriger en finesse

Jusqu'ici, vous avez essentiellement utilisé des outils de correction quasiment automatisés. Photoshop Elements propose aussi des outils dédiés à la photographie, permettant d'opérer les mêmes actions, et plus encore, que ce qu'il est possible de réaliser dans un laboratoire de traitement argentique. Ce sont ces outils que vous allez découvrir à présent.

9.1. Redresser des photos

Vous avez mal placé une photo dans le scanner ? Vous n'avez pas pris soin, à la prise de vue, de placer votre appareil par rapport à la ligne d'horizon ? Résultat : vous avez besoin de corriger l'assiette de l'image.

Photoshop Elements fournit un outil pratique, appelé **Redressement**. Il est disponible dans la palette d'outils, sous l'outil **Recadrage**.

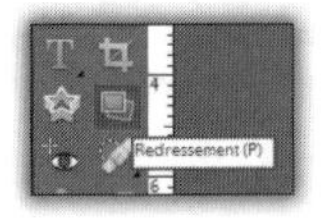

Figure 9.1 :
L'outil Redressement permet de rétablir la ligne d'horizon

Son utilisation est très simple : cliquez sur une partie de l'image, maintenez le bouton de la souris enfoncé, et tracez une ligne le long de la ligne d'horizon telle qu'elle est sur la photographie. Cette ligne virtuelle est oblique. Vous la voyez se dessiner au fur et à mesure que vous déplacez le curseur.

Lorsque vous relâcherez le bouton de la souris, le logiciel redresse cette ligne oblique pour qu'elle soit parfaitement horizontale.

Figure 9.2 :
La même image avant et après utilisation de l'outil Redressement

Comme pour la plupart des outils, des réglages sont possibles via la barre des options. Ici, la commande **Rogner l'arrière-plan** vous évite d'avoir à recadrer l'image après qu'elle a été transformée.

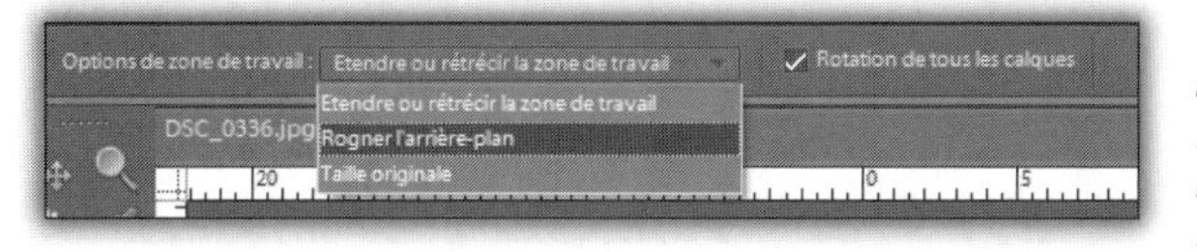

Figure 9.3 :
Les options de réglage de l'outil Redressement

Si vous laissez activée la fonctionnalité **Étendre ou rétrécir la zone de travail**, l'image présentera certainement des bords blancs. Utilisez alors l'outil **Recadrage** pour parfaire la transformation.

9.2. Régler les tons clairs et les tons foncés

Dans un laboratoire traditionnel, lorsque vous exposez une feuille de papier photo, il faut souvent "retenir" certaines zones, ou, au contraire, en faire "venir" d'autres. Pour cela, on utilise des morceaux de carton que l'on intercale entre la lumière de l'agrandisseur et le papier sensible. À l'inverse, pour que certaines zones soient assombries, on va laisser le papier recevoir une intensité lumineuse plus importante sur celles-ci.

Photoshop Elements fournit un outil qui permet de faire exactement cela : la commande **Réglage des tons clairs et tons foncés**, disponible dans le menu **Accentuation/Éclairage**.

Lorsque vous cliquez sur cette fonction, une boîte de dialogue vous invite à effectuer quelques réglages.

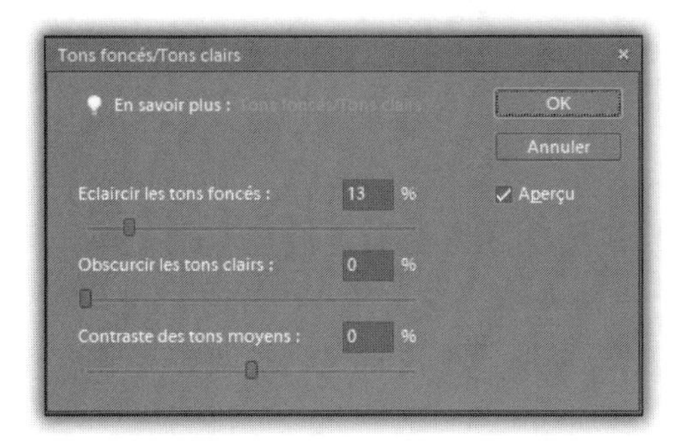

Figure 9.4 :
La boîte de dialogue permettant de régler les options de l'outil Réglage des tons clairs et tons foncés

Trois curseurs permettent de régler respectivement les tons foncés, les tons clairs et les tons moyens.

Par défaut, le logiciel effectue un réglage. Pour voir comment était votre image au départ, placez tous les curseurs sur 0, ou décochez la case *Aperçu*. Cochez-la à nouveau pour voir en temps réel les corrections que vous allez opérer.

Bien entendu, chaque image nécessite des réglages spécifiques. Mais le principe est le suivant :

- Le premier curseur, *Éclaircir les tons foncés*, permet de retrouver des détails dans les zones les plus sombres de la photo.
- Le deuxième curseur, *Obscurcir les tons clairs*, à l'inverse, assombrit les zones les plus lumineuses. C'est avec ce curseur que vous retrouverez des détails dans un ciel surexposé par exemple.
- Le troisième curseur, *Contraste des tons moyens*, permet de gérer la gamme des tonalités de gris, entre les zones les plus claires et les zones les plus foncées. En effet, si vous avez éclairci les tons foncés, et obscurci les tons clairs, l'image risque de manquer de contraste. L'utilisation de ce curseur permet d'améliorer le rendu général.

Si vous assombrissez les tons clairs, le ciel bien souvent, vous pouvez créer des effets impressionnants en transformant de gentils cumulus en nuages noirs menaçants.

Figure 9.5 :
La même image avant et après utilisation de la commande Réglage des tons clairs et tons foncés

9.3. Ajuster les niveaux

Dans Photoshop Elements, la commande est accessible via le menu **Accentuation/Régler l'éclairage/Niveaux**. La courbe permet d'intervenir sur les différentes valeurs de tonalité.

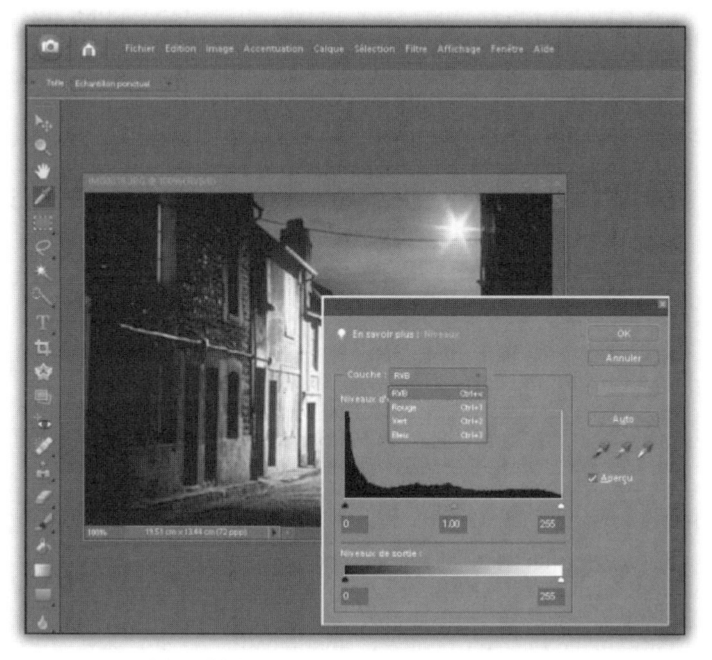

Figure 9.6 : *L'outil Niveaux est un réglage essentiel, qui nécessite d'être bien maîtrisé : il préserve l'image beaucoup plus qu'un simple réglage de luminosité et de contraste*

Souvent, un histogramme décalé sur la gauche est la marque d'une photographie sous-exposée. Un histogramme décalé sur la partie droite est habituellement le signe d'une image surexposée, bien que les caractéristiques de l'image affichée nécessitent parfois de tempérer cette affirmation. Un histogramme présentant un pic au milieu de l'axe des ordonnées révèle une image sans contraste.

La hauteur de l'histogramme, l'axe des ordonnées, a de l'importance car elle informe de la quantité de pixels ayant la même valeur d'intensité lumineuse.

La boîte de dialogue **Niveaux** permet d'intervenir à la fois sur les trois couches RVB, mais aussi sur chacune des couches *Rouge*, *Vert* ou *Bleu*.

Dans ce dernier cas, ce sont les valeurs en rapport avec la couleur choisie qui sont corrigées, et seulement celles-ci.

Sous la courbe elle-même, trois curseurs, noir, gris et blanc, permettent de gérer les niveaux d'entrée. Trois pipettes, de même fonction que les curseurs, permettent de définir le point blanc, c'est-à-dire le degré de luminosité des plages les plus claires de l'image, ainsi que le point noir, c'est-à-dire le point où la densité des zones sombres est la plus marquée. Avec le curseur gris, vous pouvez modifier les teintes moyennes de l'image.

Les niveaux de sortie, quant à eux, permettent de régler la valeur du noir, qui devient alors un gris foncé, ainsi que la valeur du blanc, qui devient un gris clair. Cela peut être nécessaire pour un affichage particulier ou une impression sur papier.

Les niveaux plutôt que la luminosité et le contraste, un calque de réglage plutôt qu'une correction directe sur l'image

Vous trouverez peut-être plus simple, certainement par habitude, de corriger vos images avec la commande **Luminosité et contraste**. Cependant, préférez-lui la commande **Niveaux** : elle est beaucoup moins agressive et destructrice envers vos précieux pixels. Vous préservez ainsi beaucoup mieux la qualité de vos images.

De plus, si vous utilisez un logiciel qui permet la gestion des calques, vous pouvez appliquer cette commande, non pas sur l'image elle-même, mais sur un calque de réglage. Vous aurez ainsi tout le loisir de corriger l'image plus tard, quelle que soit l'étape de modification de la photographie.

Dans Photoshop Elements, vous pouvez avoir accès directement à la commande **Niveaux** via le menu **Accentuation/Régler l'éclairage**. L'inconvénient est que vous allez, dans ce cas, intervenir directement sur l'image. Vous préférerez sans doute utiliser un calque de réglage de type *Niveaux*.

Lisez à ce sujet le chapitre ***Jouer avec les calques.***

Ici, l'intervention se fait sur le calque. L'image est préservée et vous pouvez intervenir, a posteriori, sur les réglages, même après enregistrement du fichier, pour peu que vous ayez pris soin de choisir le format natif de Photoshop Elements, c'est-à-dire le PSD.

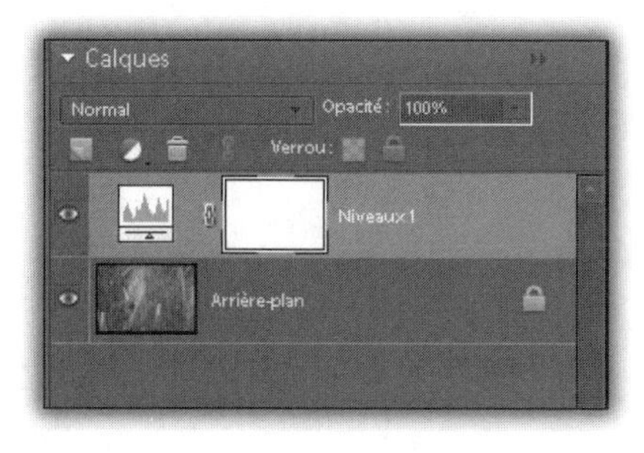

Figure 9.7 :
Dans certains logiciels, il est possible d'appliquer les ajustements sur des calques, de manière à préserver l'image originale et à pouvoir corriger, a posteriori, ce réglage

Appliquer les corrections sur une sélection ou utiliser les masques

Au lieu d'appliquer vos corrections sur la totalité de l'image, vous pouvez effectuer une sélection sur une zone à corriger, puis faire vos corrections seulement sur ladite zone, sans toucher au reste de la photo.

Il est possible de créer des calques et d'y appliquer un pinceau de couleur noire, pour protéger – masquer – une partie de l'image. Cette technique peut être utilisée dans ce cas également.

*Lisez au sujet de cette technique le chapitre **Jouer avec les calques**.*

9.4. Régler la teinte et la saturation

Pour intervenir précisément sur les couleurs, vous pouvez utiliser la commande **Teinte/Saturation**, accessible via le menu **Accentuation/Régler la couleur**. Vous pouvez aussi, c'est recommandé, créer un calque de réglage de type *Teinte/Saturation*.

Cette commande permet de régler la vivacité des couleurs. Si vos images sont un peu ternes, à cause d'un mauvais réglage, parce qu'elles proviennent d'anciennes diapositives aux couleurs délavées, ou en raison d'un éclairage trop diffus, vous allez pouvoir raviver les couleurs !

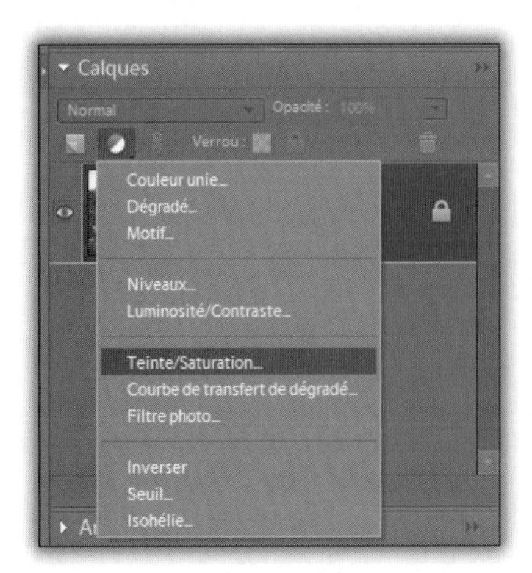

Figure 9.8 :
La liste déroulante permettant de créer les calques de réglage, ici c'est le calque Teinte/Saturation qui est choisi

La boîte de dialogue qui s'affiche propose trois réglages, sous la forme de curseurs : *Teinte*, *Saturation* et *Luminosité*.

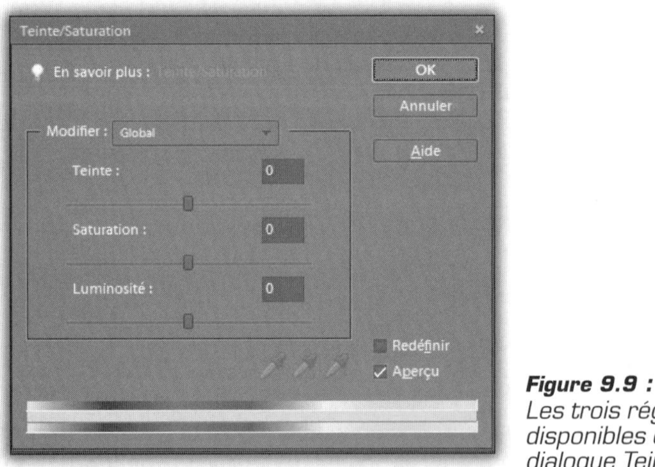

Figure 9.9 :
Les trois réglages disponibles dans la boîte de dialogue Teinte/Saturation

Utilisez le premier curseur, *Teinte*, avec prudence. Il permet de faire varier la gamme de couleurs du tout au tout, mais sans grande précision, et pour des résultats parfois surprenants, souvent bien éloignés de l'image originale. D'autres outils sont plus adaptés aux réglages des couleurs, comme nous le verrons ci-après.

Vous avez déjà vu comment obtenir un bon réglage des tons foncés et des tons clairs, vous éviterez donc aussi, dans la mesure du possible, d'utiliser le curseur *Luminosité*.

Le plus intéressant des trois curseurs est *Saturation*. Lorsque vous le déplacez vers la droite, les couleurs deviennent plus intenses. À l'inverse, si vous le déplacez vers la gauche, les couleurs tendent à disparaître pour donner, au final, une image affichant seulement des valeurs de gris.

Parfois, vous pouvez avoir besoin de corriger seulement certaines couleurs de l'image. Par exemple, vous souhaitez intervenir seulement sur les bleus du ciel. Dans ce cas, la boîte de dialogue vous permet de choisir les teintes à corriger.

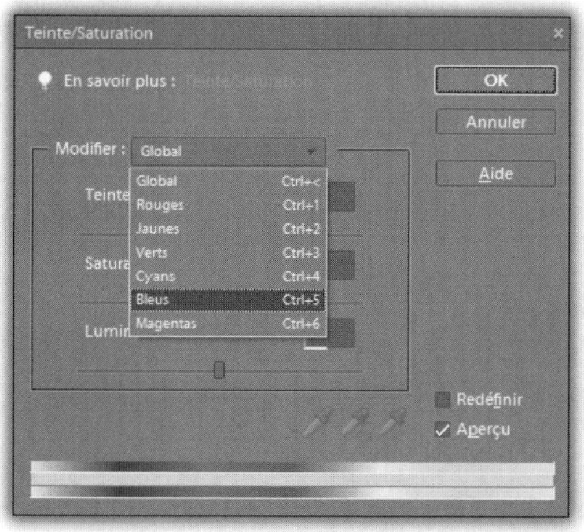

Figure 9.10 : *Le menu déroulant de la boîte de dialogue Teinte/Saturation permet de choisir sur quelle gamme de couleurs vous souhaitez intervenir*

La correction s'effectue alors seulement dans la tonalité choisie, et vous préservez les autres couleurs.

9.5. Régler les courbes de couleur

Cette commande permet de paramétrer précisément les tons de la photo en intervenant sur les tons foncés, moyens et clairs de celle-ci, et ce dans chaque gamme de couleurs. La boîte de dialogue **Régler les courbes de couleur** propose plusieurs préréglages à partir desquels vous affinerez votre interprétation de l'image.

1 Pour accéder à la boîte de dialogue **Régler les courbes de couleur**, cliquez sur le menu **Accentuation**, puis sur le sous-menu **Régler la couleur** et enfin, choisissez la commande **Réglages des courbes de couleur**.

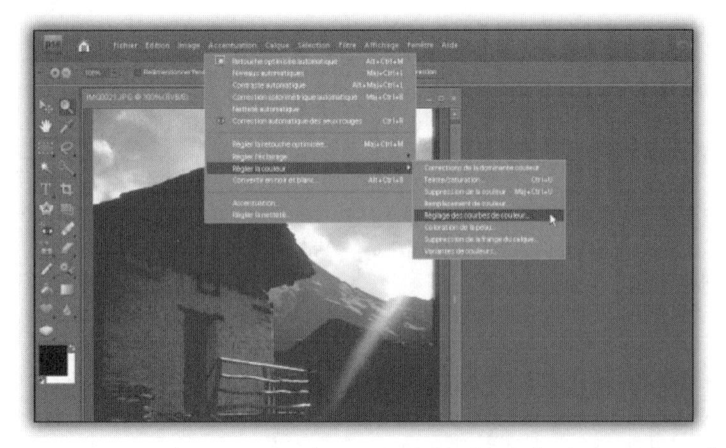

Figure 9.11 : *La commande permettant de régler les courbes de couleur*

La boîte de dialogue permettant les réglages s'affiche alors.

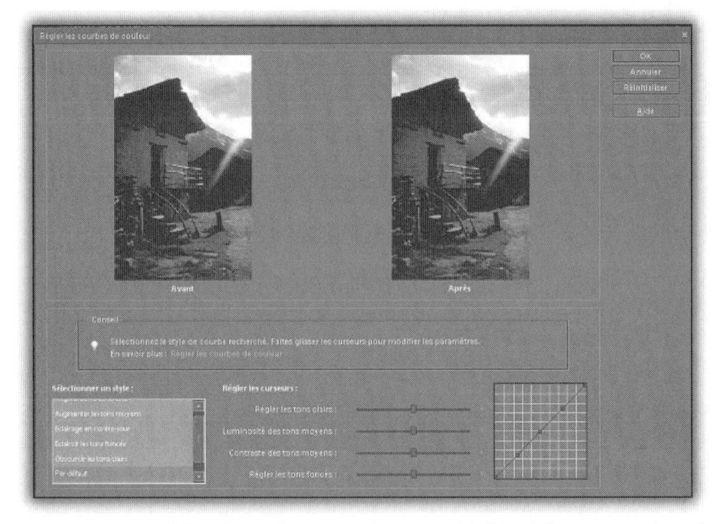

Figure 9.12 : *Une interface totalement dédiée à la correction des couleurs*

2 La section *Sélectionner un style* vous propose d'utiliser plusieurs modèles de réglage, qui ont un effet plus ou moins intéressant suivant l'image sur laquelle vous les appliquez. Vous pouvez augmenter le contraste ou les tons moyens, corriger un contre-jour, éclaircir les tons foncés ou les tons clairs, appliquer une solarisation ou remettre les réglages par défaut.

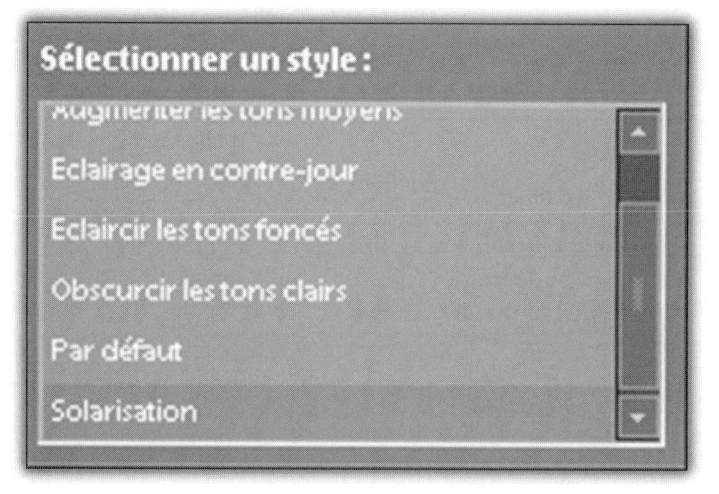

Figure 9.13 : *Les corrections sont classées par thème*

Les réglages de base sont rarement satisfaisants tels quels. À droite de cette section, les curseurs *Régler les tons clairs*, *Luminosité des tons moyens*, *Contraste des tons moyens* et *Régler les tons foncés* permettent d'affiner et de personnaliser les réglages de base.

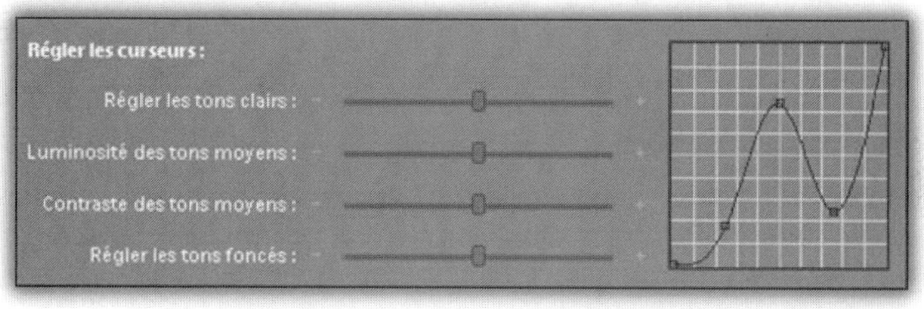

Figure 9.14 : *Vous pouvez intervenir sur de nombreux paramètres*

3 Validez le résultat en cliquant sur le bouton OK. Appuyez sur le bouton **Réinitialiser** pour revenir au réglage de base et cliquez sur **Annuler** pour fermer la boîte de réglage des courbes et revenir à l'éditeur.

Faire des copies

Lorsqu'un filtre, un effet ou un réglage peuvent avoir une conséquence tragique sur votre image, n'hésitez pas à user et abuser de la commande

REMARQUE

de duplication des calques. Lorsque vous travaillez sur une copie, votre image originale est préservée.

Les réglages de ce type dépendent évidemment de l'image que vous traitez et il n'y a pas de recettes miracle ! Testez différentes corrections, la pratique vous permettra d'optimiser vos interventions. Ne négligez pas le paramétrage de votre écran car vous risquez d'avoir des surprises lorsque l'image sera confiée à un laboratoire en ligne ou lorsque vous réaliserez vous-même le tirage sur votre imprimante jet d'encre.

RENVOI

*Les réglages pour l'impression sont abordés au chapitre **Gérer les couleurs et l'impression**.*

9.6. Corriger une dominante de couleur

REMARQUE

La balance des blancs

Pour notre cerveau, les feuilles d'un livre sont toujours blanches, pas pour le capteur numérique de l'appareil photo. Vous avez bien évidemment vu des photos montrant une ambiance un peu trop bleue ; pourtant, la robe de la mariée était bien blanche ! De même, à la montagne, la neige était blanche ; or, la photo présente une forte dominante de couleur bleue !

À l'inverse, vous avez certainement observé ces photos aux dominantes orange prononcées, réalisées dans un intérieur, à la lumière d'une lampe halogène ou d'un quelconque éclairage artificiel.

Cela est dû au fait que la température de couleur, qui se calcule en degrés Kelvin, varie, non seulement au cours de la journée, mais aussi suivant le type d'éclairage utilisé.

En photo numérique, tous les appareils disposent d'un réglage automatique de la balance des blancs, ou d'une valeur préréglée pour les appareils de début de gamme. Cet automatisme est censé permettre au capteur de repérer le type de lumière utilisée pour la photo, pour décaler le réglage de la température de couleur, afin de fournir des valeurs chromatiques équilibrées.

Mais, comme tous les automatismes, celui-ci a des limites, notamment en cas de lumière mixte. Le système automatique est calé sur un gris de référence. Si la scène que vous photographiez ne présente pas de valeurs grises, l'écart de couleur sur la photo peut être désastreux.

REMARQUE

On ne pense pas toujours, ou on n'a pas le temps, de faire une balance des blancs manuelle, qui permet de résoudre presque toujours ces problèmes, alors il faut corriger ces valeurs de couleur dans Photoshop Elements.

Photoshop Elements offre plusieurs possibilités pour redonner à vos photos des couleurs plus naturelles, ou en tout cas, plus en rapport avec l'idée que vous vous faites d'un rendu correct.

L'un des moyens proposé est la commande **Corrections de la dominante de couleur**, accessible via le menu **Accentuation/Régler la couleur**.

Une boîte de dialogue s'affiche et votre curseur prend la forme de l'outil **Pipette**.

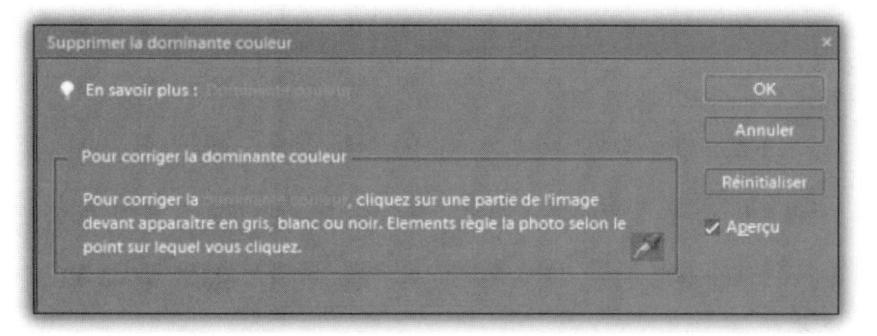

Figure 9.15 : *La boîte de dialogue de la commande Corrections de la dominante de couleur, permettant de supprimer une dominante de couleur*

Vous devez, pour utiliser cette fonction, trouver dans l'image une zone qui devrait être de couleur grise, gris très clair pour la neige, foncé pour des nuages par exemple. Une zone blanche ou noire convient aussi.

Quand vous cliquez sur une zone de ce type, le logiciel décale les couleurs, de manière à rétablir un aspect plus naturel. Parfois, il est difficile de trouver une zone grise, dans le cas d'un portrait par exemple. Il faut alors utiliser un autre moyen.

ASTUCE

Utiliser la pipette plusieurs fois

À moins d'une pratique importante, vous devrez quelquefois effectuer plusieurs essais avant d'obtenir un résultat convenant à vos attentes.

Vous pouvez cliquer sur différentes zones de l'image avec l'outil **Pipette**, à la suite, pour tester différents réglages. Cela vous permet de choisir la

ASTUCE

zone la plus adaptée à la correction des couleurs. La correction n'est validée que lorsque vous cliquez sur le bouton OK.

Vérifiez que la case *Aperçu* est cochée. Vous visualiserez ainsi en temps réel le résultat de vos essais.

Un autre outil pratique proposé par Photoshop Elements pour corriger la balance des blancs est la boîte de dialogue **Variantes de couleurs**.

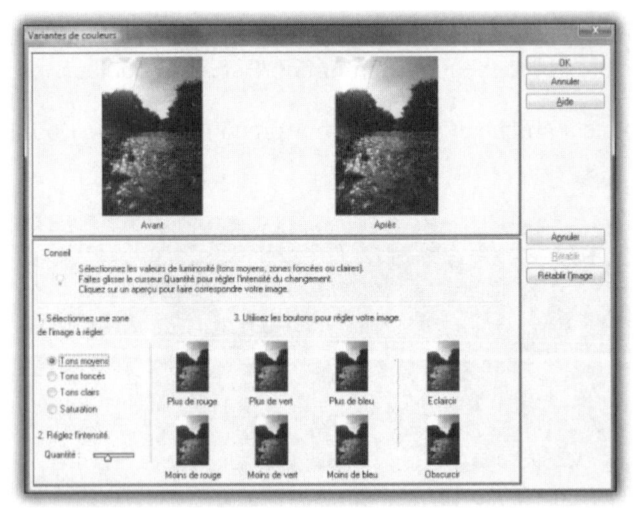

Figure 9.16 : *La boîte de dialogue Variantes de couleurs*

Lorsqu'elle est affichée, l'interface présente deux versions de l'image sur laquelle vous intervenez. L'une présente l'image avant correction, l'autre après.

Sur la gauche, quatre cases à cocher permettent d'intervenir respectivement sur les tons moyens, foncés, et clairs, ainsi que sur la saturation. Ainsi, vous pouvez modifier seulement certaines valeurs de l'image.

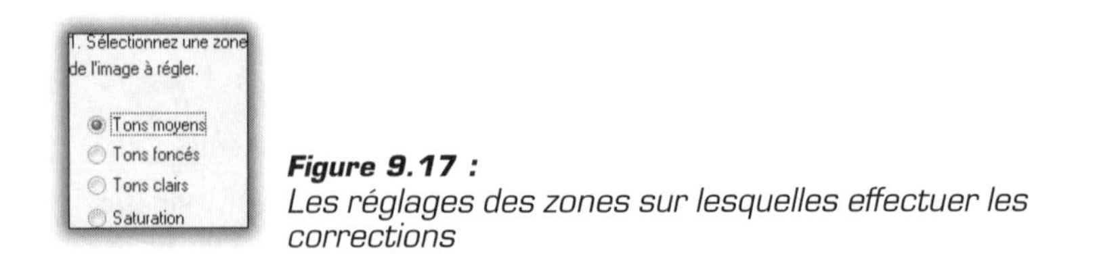

Figure 9.17 :
Les réglages des zones sur lesquelles effectuer les corrections

En dessous de cette section, un curseur permet de régler l'intensité du réglage, à l'aide du curseur *Quantité*. Plus le curseur est placé vers la droite, plus l'effet est marqué.

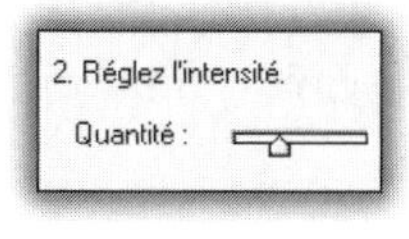

Figure 9.18 :
Le curseur permettant de régler l'intensité de l'effet choisi

Sur la partie inférieure de l'interface, au centre, quatre vignettes représentant la photo sur laquelle vous effectuez les réglages sont affichées. Chacune montre, en temps réel, l'effet appliqué. Si vous cliquez sur l'une des vignettes, la correction apparaît instantanément sur la section supérieure de l'interface, dans la zone *Après*. Les boutons permettent d'ajouter ou de retrancher les trois couleurs rouge, vert et bleu, et de régler la luminosité.

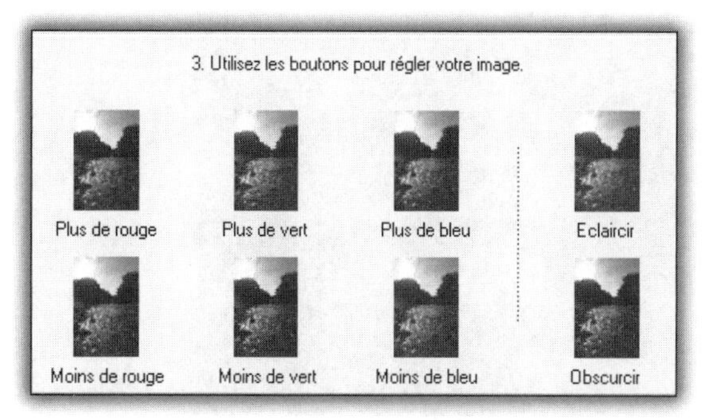

Figure 9.19 :
Les boutons permettant de choisir les corrections à effectuer

Les effets sont cumulatifs, vous pouvez donc cliquer sur plusieurs boutons avant d'arrêter votre choix. En cliquant sur le bouton OK, dans la section située à droite de l'interface, vous validez vos corrections et retournez à l'interface de correction standard.

Vous pouvez aussi annuler les effets, ou rétablir l'image dans son état initial pour recommencer les corrections si vous le souhaitez.

9.7. Retoucher les tons chair

Lorsque vous réalisez des portraits, vous pouvez avoir besoin d'améliorer le rendu de la peau. Soit parce que la photo a été prise à l'ombre et que l'image présente une dominante de couleur bleue ou verte, soit parce que le sujet présente un teint qui mériterait d'être rehaussé.

Photoshop Elements propose un outil adapté à ce type de correction. Il permet notamment de donner un petit ton hâlé à vos modèles, qui vous en remercieront.

Cette commande est accessible à partir du menu **Accentuation/Régler la couleur/Coloration de la peau**.

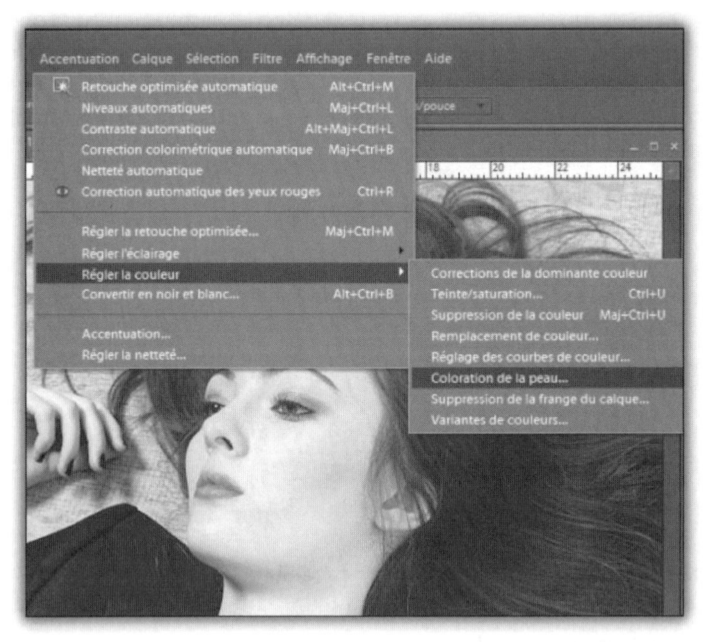

Figure 9.20 : *La commande permettant le réglage de la coloration de la peau*

Une boîte de dialogue s'affiche alors. Dans un premier temps, utilisez l'outil **Pipette** pour choisir une zone caractéristique. Vous pouvez effectuer cette opération plusieurs fois.

Ensuite, trois curseurs, *Hâle*, *Rougeur* et *Température*, vous permettent d'affiner les corrections. Le premier permet la correction du bronzage ou de la pâleur de la peau. Le deuxième permet de régler la coloration de la peau, plus ou moins rose. Enfin, le troisième curseur permet de corriger la tonalité générale de l'image, en décalant la balance des couleurs vers des couleurs plus chaudes ou plus froides.

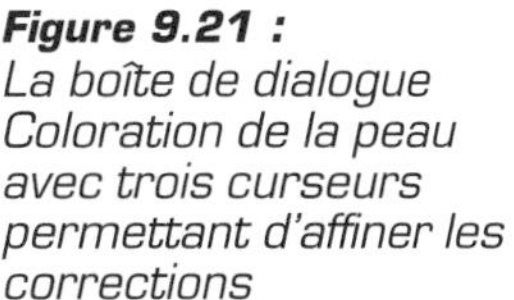

Figure 9.21 :
La boîte de dialogue Coloration de la peau avec trois curseurs permettant d'affiner les corrections

Trois boutons vous permettent finalement de valider vos réglages (OK), de rétablir l'image dans son état initial pour recommencer des ajustements ou d'annuler toutes les corrections.

9.8. Supprimer le bruit des photos

DEFINITION

Le bruit en photographie numérique

Vous connaissez déjà le bruit électronique. Dans le domaine du son, il y a le bruit de fond que vous entendez lorsque votre autoradio est réglé entre deux stations. Vous connaissez aussi le bruit de l'image vidéo, lorsque le tuner n'est pas calé sur une chaîne et que vous voyez de la neige à l'écran.

Visuellement, le bruit en photo numérique correspond, en photo traditionnelle, à la montée du grain sur des films très sensibles. Sauf que le grain peut être recherché en photo argentique car il donne éventuellement du cachet à l'image. En photo numérique, le bruit est rarement esthétique et on cherche, en général, à le diminuer.

Il y a deux types de bruits : le bruit de luminance (du "grain" noir et gris) et le bruit de chrominance (du "grain" aux couleurs variables).

Ces défauts apparaissent notamment lorsqu'on augmente la sensibilité du capteur, à partir de 400 ISO et plus pour les appareils photo compacts, et de 800 ISO et plus pour les appareils de type reflex. Le défaut est d'autant plus flagrant que les photosites (qui permettent l'obtention des pixels) sont de petites dimensions.

DEFINITION

En fait, quand on augmente la sensibilité du capteur, sa surface chauffe et génère des électrons. Plus il y a d'électrons, plus le risque de voir apparaître du bruit sur l'image est important.

Ce bruit génère des défauts visibles sous une forme granuleuse, que prennent certaines zones de l'image, ainsi que des zones présentant des points de couleur à l'aspect déplaisant. Photoshop Elements propose une commande permettant de l'éliminer.

1 Ouvrez une image réalisée dans des conditions de basse lumière, ou à une sensibilité très élevée, dans l'éditeur standard et agrandissez-la au moins à 100 % pour bien voir ses détails.

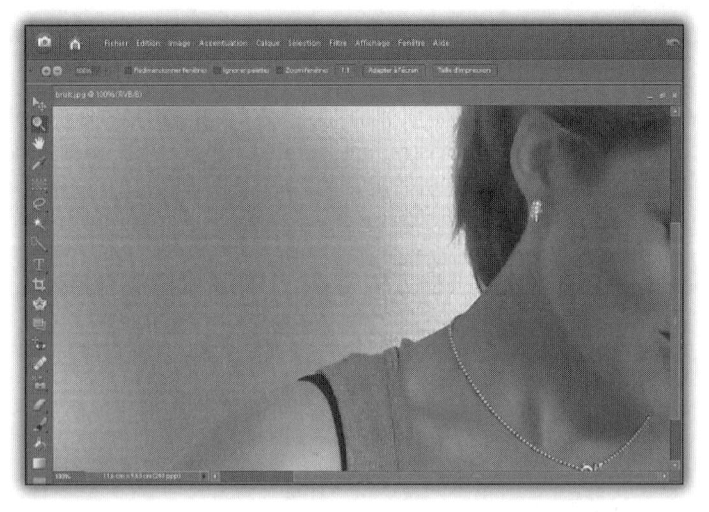

Figure 9.22 : *Le bruit apparaît souvent dans des conditions de faible luminosité*

2 Cliquez sur le menu **Filtre**, sur le sous-menu **Bruit** et choisissez la commande **Réduction de bruit**. Les valeurs données ici varieront suivant l'image utilisée, elles sont indiquées à titre d'exemple (voir Figure 9.23).

3 La boîte de dialogue qui s'affiche permet de faire disparaître les défauts de cette photographie. Cochez la case *Aperçu* de manière à voir sur l'image affichée dans l'éditeur, les corrections en temps réel.

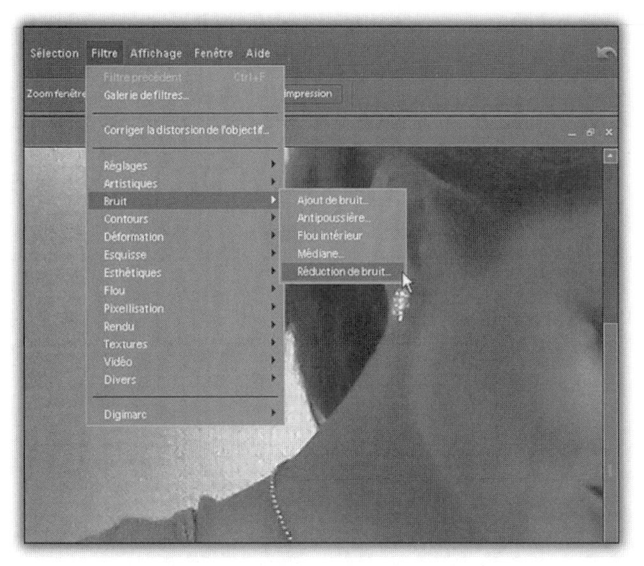

Figure 9.23 : *Le menu Réduction de bruit*

Le curseur *Intensité* règle l'amplitude de la correction. Le réglage du curseur *Conserver les détails* évite que l'image devienne trop floue et le curseur *Réduire le bruit de la couleur* corrige les défauts dus au bruit de chrominance. La case à cocher *Supprimer l'artefact JPEG* réduit, dans une certaine mesure, les défauts créés par la compression JPEG.

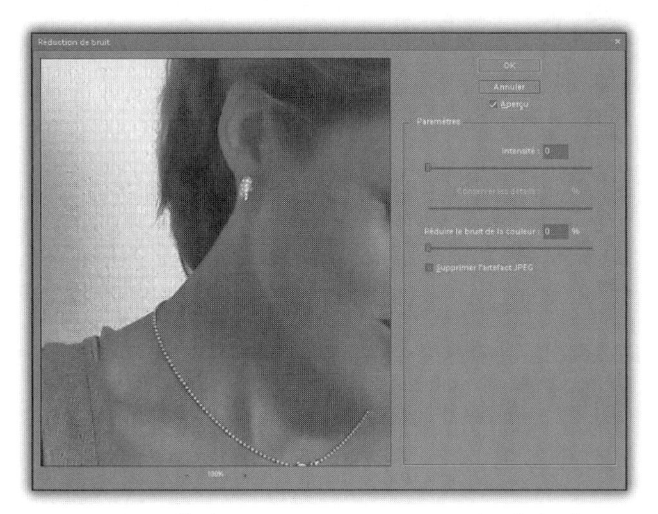

Figure 9.24 : *Trois curseurs permettent de régler les paramètres de manière précise*

4 Placez tout d'abord le curseur *Intensité* sur la valeur 4. Une partie du bruit de luminance disparaît, mais l'image devient floue.

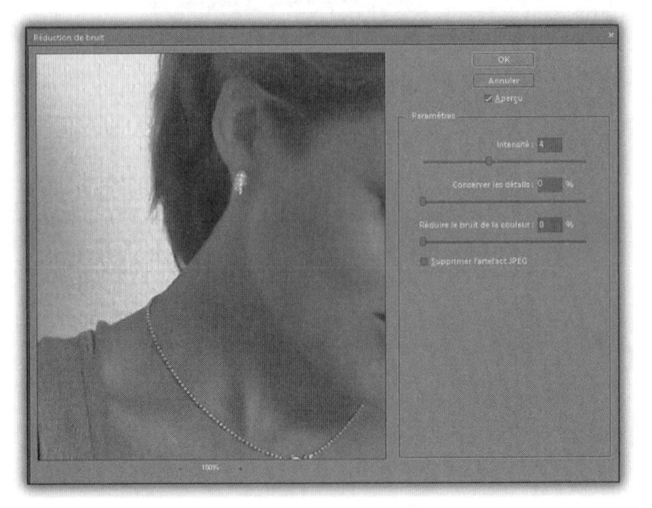

Figure 9.25 : *Les paramètres dépendent de chaque photo, c'est ici un exemple qui ne vaut que pour l'image affichée*

5 Déplacez le curseur *Conserver les détails* sur la valeur 40 %. L'image retrouve de la netteté.

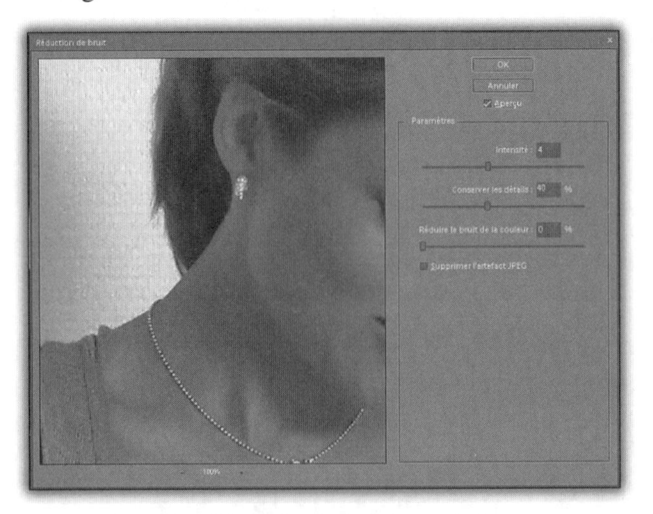

Figure 9.26 : *La difficulté est de trouver le bon compromis entre la disparition du bruit et la conservation de la netteté*

6 La correction du bruit de luminance est effectuée. Vous allez à présent faire disparaître le bruit de chrominance. Pour cela, placez le curseur *Réduire le bruit de la couleur* sur la valeur 60 %.

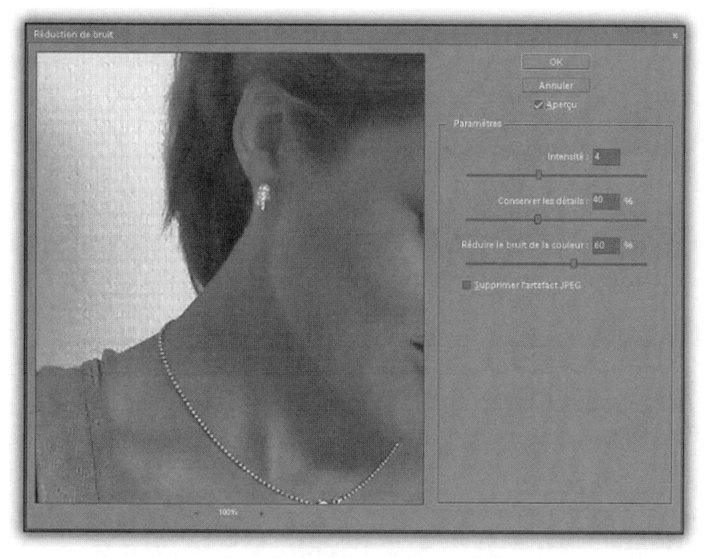

Figure 9.27 : *C'est la pratique qui vous permettra d'obtenir un résultat à la hauteur de vos attentes*

7 Vous avez à présent le choix de cocher la case *Supprimer l'artefact JPEG*. Cette correction est surtout visible dans les zones à fort contraste : la délimitation des cheveux et du fond et le contour de la boucle d'oreille par exemple. Cliquez ensuite sur le bouton OK pour finaliser votre correction.

La difficulté rencontrée avec ces réglages, c'est qu'ils modifient les pixels de l'image en profondeur. Appliquez-les avec minutie sous peine de détruire irrémédiablement certains détails de la photo.

Ces corrections sont disponibles aussi dans l'interface de Camera Raw. En travaillant à partir de fichiers RAW, vous pouvez conserver tous les détails et la qualité de l'image initiale, ce qui n'est pas le cas avec des images de type JPG.

Reportez-vous à ce sujet à la section ***Utiliser Camera Raw****.*

9.9. Aller un peu plus loin avec l'outil Forme dynamique

Vous avez découvert l'outil ***Forme dynamique*** *au chapitre* ***L'interface de correction standard****.*

Vous allez voir à présent comment l'utiliser pleinement.

L'outil **Forme dynamique** est présent dans la barre d'outils de l'interface de correction standard. Il est représenté par un pinceau surmonté d'une roue dentée.

Lorsque vous travaillez avec cet outil, un menu spécifique est affiché, dans la barre des options. Il propose de très nombreux effets, que vous pouvez appliquer facilement.

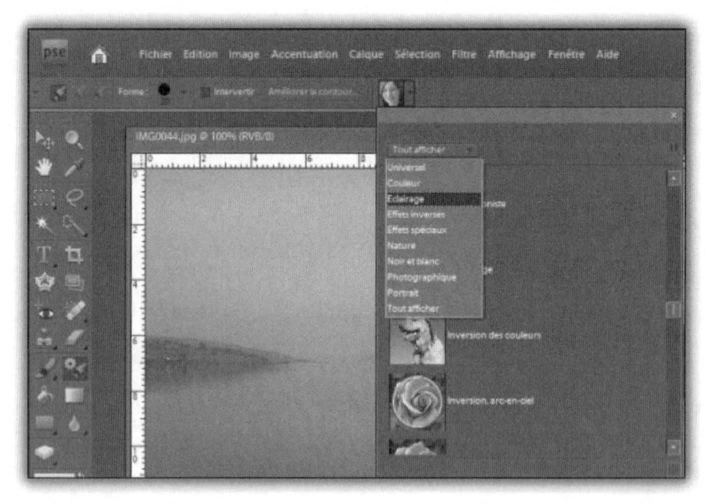

Figure 9.28 : *Le menu déroulant propose plusieurs grandes familles d'effets spéciaux et de correction*

Les effets sont classés par grandes familles : *Universel*, *Couleur*, *Éclairage*, *Effets inverse*, *Effets spéciaux*, *Nature*, *Noir et blanc*, *Photographique*, *Portrait*.

Chaque famille d'effets permet d'utiliser une dizaine de réglages différents, chacun étant représenté par une vignette.

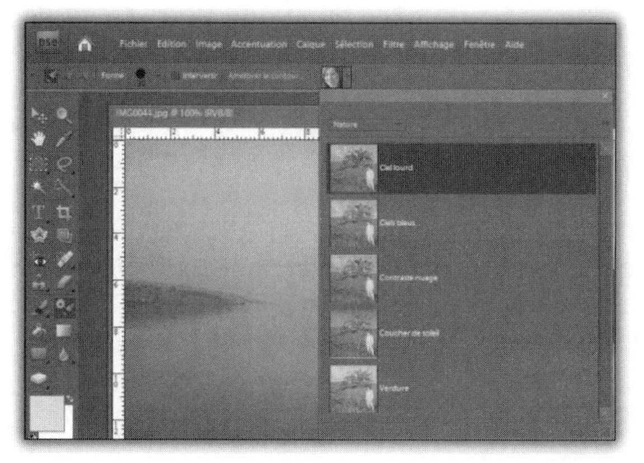

Figure 9.29 :
Les options disponibles dans la catégorie Nature

Vous pouvez régler la dimension du pinceau pour appliquer l'effet sur une zone plus ou moins étendue.

Figure 9.30 :
Les icônes sur la partie supérieure permettent de régler la zone de sélection sur laquelle l'effet est appliqué ; l'icône sur la partie inférieure, en rouge dans le logiciel, permet de paramétrer les réglages des effets

Lorsque l'effet est appliqué, des icônes permettent d'ajouter ou de retrancher des pixels à la sélection effectuée. Observez la double roue crantée de couleur rouge. Si vous double-cliquez dessus, une boîte de dialogue s'ouvre permettant d'effectuer des corrections sur l'effet tout juste appliqué.

Pour accéder aux réglages d'un effet en particulier, vous pouvez aussi cliquer sur la vignette représentant celui-ci, dans la palette des calques.

Une boîte de dialogue propre à l'effet appliqué s'affiche alors.

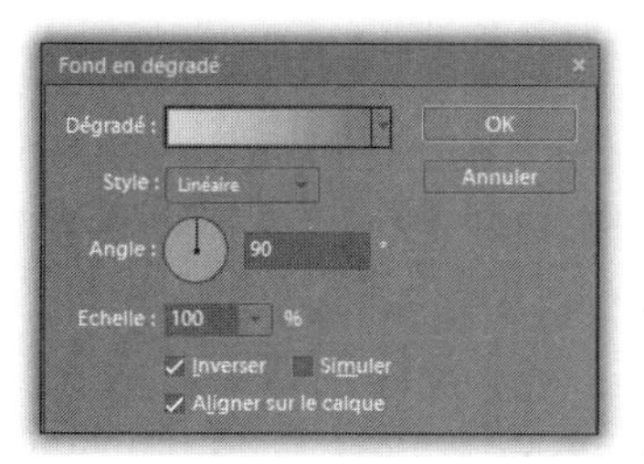

Figure 9.31 :
L'effet appliqué correspond à un dégradé, la boîte de dialogue qui s'affiche permet de régler son aspect

Jetez un coup d'œil à présent sur la partie droite de l'interface, plus particulièrement à la palette des calques. Vous voyez que l'effet a été appliqué sur un calque, et qu'un masque a été créé, délimitant la zone sur laquelle l'effet est appliqué. Cela permet de superposer plusieurs effets, appliqués avec l'outil **Forme dynamique**.

En ce sens, vérifiez que vous ne sélectionnez pas le calque d'effet, dans la palette des calques, mais bien l'image de fond. Choisissez ensuite un nouvel effet dans le menu déroulant et appliquez-le sur une zone de l'image. Un calque supplémentaire est créé, avec l'effet sélectionné.

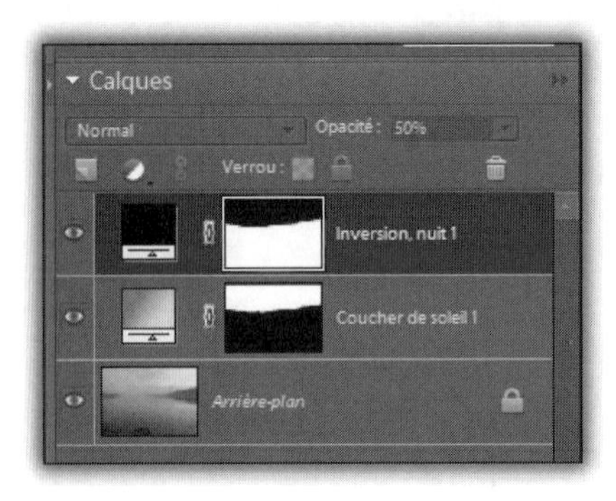

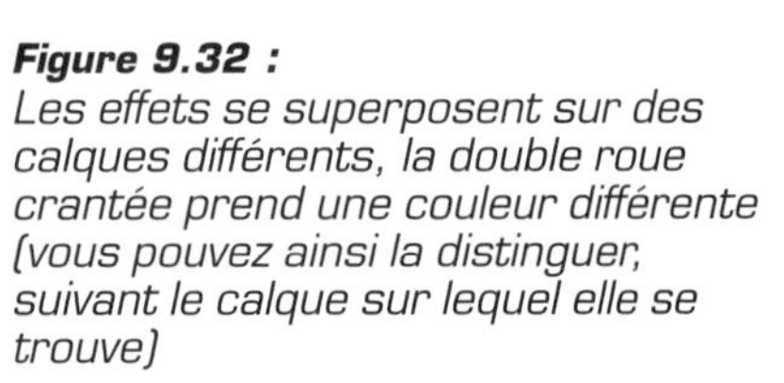

Figure 9.32 :
Les effets se superposent sur des calques différents, la double roue crantée prend une couleur différente (vous pouvez ainsi la distinguer, suivant le calque sur lequel elle se trouve)

Ainsi, vous pouvez, avec un seul outil, multiplier les corrections et effets spéciaux.

L'outil complémentaire **Détail de forme dynamique** permet de corriger certaines zones de manière plus précise, comparativement à l'outil **Forme dynamique**.

9.10. Utiliser Camera Raw

Photoshop Elements vous permet d'utiliser les fichiers de type RAW. Ils sont comparables à des négatifs numériques, c'est-à-dire à un document à l'état brut qui ne demande qu'à révéler sa "substantifique moelle". On parle couramment aujourd'hui de développer des fichiers RAW, au même titre que l'on développe des films argentiques dans un laboratoire photo.

L'avantage de travailler avec un fichier de ce type est que les corrections ne sont pas enregistrées dans le document d'origine. Celui-ci reste identique à ce qu'il était lorsque vous l'avez transféré depuis votre appareil photo vers l'ordinateur.

À l'inverse, quand vous utilisez un document de type JPG, le fichier enregistré est déjà modifié par le logiciel qui gère l'appareil photo. De plus, il s'agit d'un format de compression. Il transforme en profondeur la qualité des pixels. C'est pourquoi les professionnels et tous les amateurs éclairés, qui s'attachent à la qualité de leurs fichiers numériques autant qu'ils prenaient soin de leurs négatifs ou de leurs diapositives, utilisent les fichiers de type RAW.

Une fois traité dans Camera Raw, le fichier peut être ouvert dans Photoshop Elements 7.0, manipulé comme n'importe quel fichier et enregistré dans le format qui vous convient le mieux.

Les fichiers de type RAW contiennent des informations que seuls certains logiciels peuvent utiliser. Par exemple, vous pouvez récupérer de l'information dans les basses lumières, là où un fichier JPG n'est capable que d'afficher une masse sombre. Vous pouvez aussi faire des corrections de température de couleur sans dénaturer l'image originale. Vous êtes libre ainsi de créer plusieurs versions d'une même image que vous combinerez ensuite pour obtenir un résultat impossible à réaliser dès la prise de vue.

Utiliser le format RAW à la prise de vue

Pour profiter de ce format aux possibilités étonnantes, il faut bien évidemment que votre appareil puisse fabriquer des fichiers dans ce format. Certains appareils compacts haut de gamme, la plupart des bridges et tous les appareils reflex numériques sont capables d'enregistrer des fichiers de ce type. Généralement, ces appareils sont livrés avec un utilitaire en mesure de gérer le format s'il est pris en charge, mais Camera Raw permet de l'utiliser au mieux.

Par défaut, les appareils photo enregistrent les images au format JPG. Il faut régler les paramètres de prise de vue pour enregistrer dans ce format professionnel. Certains appareils permettent l'enregistrement conjoint d'un fichier RAW et d'un fichier JPG pour avoir un tirage de lecture rapidement. En effet, par défaut, Windows ne peut pas afficher le format RAW, l'enregistrement d'une copie au format JPG facilite les choses.

Problème pour les utilisateurs : les constructeurs n'utilisent pas de format de fichier commun, ce qui ne facilite pas les échanges ou l'utilisation dans les logiciels de traitement d'image ! Nikon utilise le format NEF, Canon propose le CRW et Fuji le RAF, pour ne citer que les plus connus. Adobe tente bien d'uniformiser les formats en développant un format RAW universel appelé DNG, mais sans grand enthousiasme, pour le moment, de

REMARQUE

la part des fabricants de matériel.

Inconvénient : le format RAW utilise beaucoup de place sur une carte mémoire et diminue d'autant le nombre d'images pouvant être enregistrées. C'est le revers de la médaille. Un fichier RAW peut occuper couramment près de 10 Mo par photo !

Pour profiter de tout cela, utilisez la boîte de dialogue de Camera Raw. Celle-ci prend la place de l'interface habituelle de l'éditeur standard dès lors que vous ouvrez un fichier de type RAW.

Pour utiliser un fichier RAW, employez l'interface de l'éditeur de retouche standard. Activez la commande **Ouvrir** du menu **Fichier**. Choisissez un fichier RAW sur votre appareil photo, pour découvrir l'interface de Camera Raw. L'intérêt de travailler sur ce type de fichier, c'est que vous allez pouvoir récupérer des informations aussi bien dans les hautes lumières que dans les ombres, avec beaucoup plus de réussite que vous ne le feriez avec des fichiers de type JPG.

Si vous utilisez l'Organiseur, cliquez sur un fichier de type RAW et sur le bouton de correction standard pour ouvrir l'interface Camera Raw.

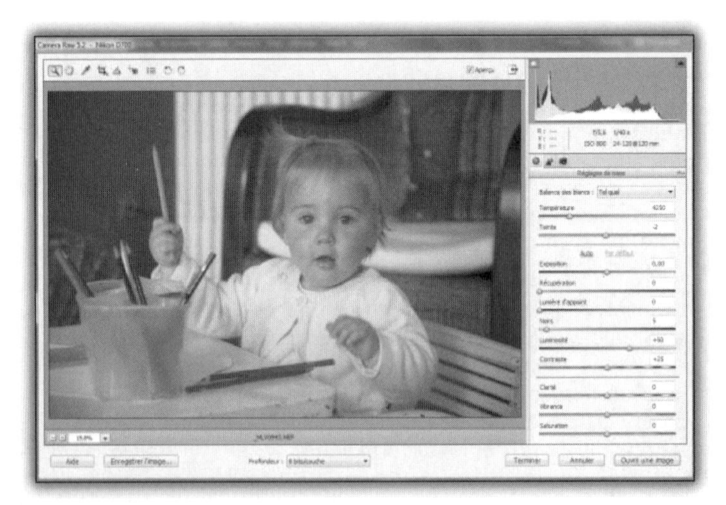

Figure 9.33 : *La dernière version de Camera Raw est utilisable seulement dans Photoshop Elements 7*

Sur la gauche et en haut de l'écran se trouve une série de neuf icônes.

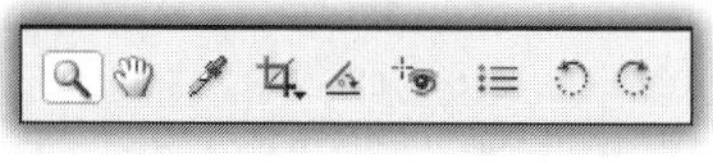

Figure 9.34 :
Les outils de base restent les mêmes

La première, représentant une loupe, sert à zoomer en avant ou en arrière. Pour effectuer un zoom arrière, conjuguez l'outil avec l'emploi de la touche [Alt] gauche. La loupe affiche alors le symbole –.

L'icône représentant une main permet de se déplacer dans l'image.

Conjuguer l'outil Zoom et l'outil Main

Pour effectuer des réglages précis, il est recommandé d'afficher l'image à 100 %. Pour cela, double-cliquez sur l'icône *Zoom*. L'image contenant bien plus de pixels que votre écran, elle ne s'affiche que partiellement. Vous devez alors utiliser l'outil **Main**.

Vous pouvez y accéder directement en appuyant sur la touche [Alt] gauche. Le **Zoom** se transforme en **Main** tant que vous conservez la touche [Alt] enfoncée. Dès que vous la relâchez, vous retrouvez l'outil **Zoom**.

L'outil **Balance des blancs** est représenté par l'icône en forme de pipette. Utilisez cet outil pour corriger rapidement la tonalité générale de l'image. Choisissez une zone qui doit être grise dans l'image et la balance des couleurs sera étalonnée par rapport à la valeur que vous aurez indiquée. Dans l'image choisie, vous pouvez par exemple cliquer avec la pipette sur certaines zones caractéristiques devant présenter un noir, un gris ou un blanc. Attention : ne cliquez pas dans une zone surexposée car le réglage serait inopérant.

Vous connaissez bien l'outil **Recadrage**, symbolisé par les deux équerres. Validez le recadrage en appuyant sur la touche [↵].

L'icône suivante représente un rapporteur et permet de redresser l'image. L'outil **Redressement** corrige les verticales ou les horizontales de l'image. Il redimensionne aussi la zone de travail pour l'adapter à l'image redressée.

L'outil **Retouche des yeux rouges** vous est à présent très familier. Nul besoin de le décrire en détail.

L'outil **Ouvrir la boîte de dialogue Préférences** donne accès au réglage des préférences de Camera Raw.

Enfin, les icônes représentant les flèches circulaires permettent l'utilisation des boutons de rotation, qui font pivoter les images dans le sens des aiguilles d'une montre ou en sens inverse, par pas de 90°.

Sur la droite de l'interface et en haut, vous pouvez voir l'histogramme correspondant à l'image affichée. Cet histogramme correspond à celui obtenu lorsque vous utilisez la commande **Niveaux**.

Si vous faites glisser l'outil **Main** ou **Zoom** sur l'image, les trois valeurs *Rouge*, *Vert* et *Bleu* sont automatiquement mises à jour suivant l'emplacement du curseur.

Dans la section qui est à droite des valeurs RVB se trouvent les informations de prise de vue : ouverture du diaphragme, vitesse d'obturation, sensibilité et objectif utilisé. Sur l'histogramme affiché, la forme de la courbe renseigne sur la composition des pixels de l'image. Par exemple, une courbe très plate dans sa partie droite est signe que l'image est sous-exposée. À l'inverse, une image surexposée présente de hautes valeurs dans cette même portion.

Figure 9.35 : *L'histogramme est un outil indispensable*

Figure 9.36 :
Les onglets permettant d'afficher les interfaces dédiées aux réglages de base, réglages des détails et étalonnage de l'appareil photo

Sous l'histogramme, trois onglets donnent accès à une série de commandes permettant d'intervenir sur les réglages de base et les détails, ainsi que sur l'étalonnage de l'appareil photo.

La première section des réglages de base permet d'intervenir sur la balance des blancs. Les réglages sont disponibles d'un clic sur la liste déroulante. Vous retrouvez alors les valeurs correspondant aux réglages proposés en général sur l'appareil photo : lumière naturelle, ombre, nuageux, flash, etc.

Deux curseurs autorisent un ajustement fin de la température et de la teinte.

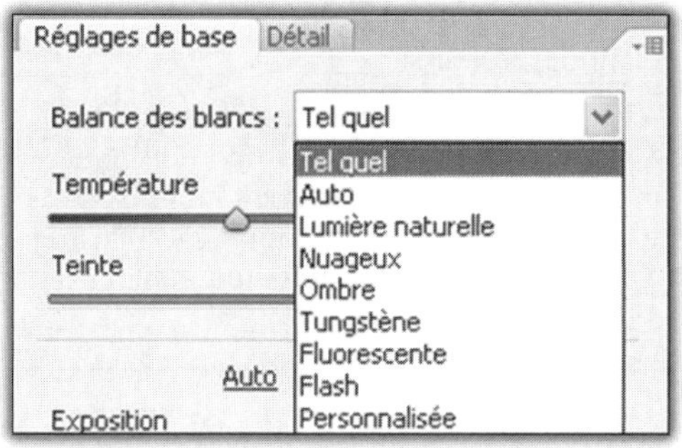

Figure 9.37 : *Les réglages de base pour corriger la balance des blancs*

Les curseurs suivants interviennent sur les tons et la qualité de l'image.

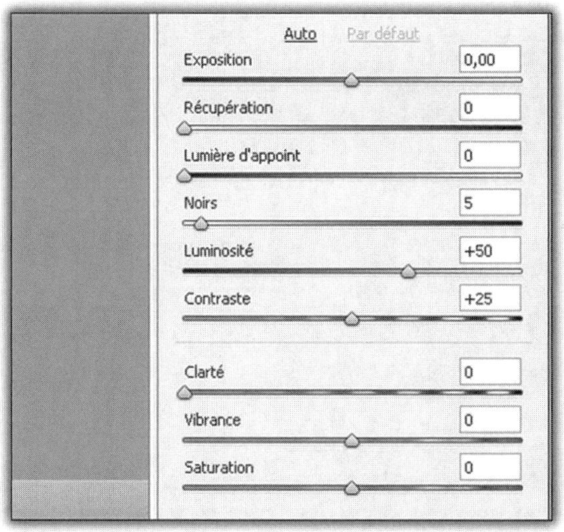

Figure 9.38 : *Les curseurs de réglage de l'exposition*

Le curseur *Exposition* fonctionne de la même manière que l'ouverture sur un objectif. En plaçant le curseur sur +1,5, vous ouvrez le diaphragme de 1,5 ; en le plaçant sur la valeur –1,5, vous diminuez le diaphragme d'autant.

Visualiser le réglage de l'exposition en temps réel

Lorsque vous réglez l'exposition, un déplacement trop important du curseur vers la droite ou la gauche peut surexposer ou sous-exposer totalement certaines zones de la photographie. Lorsque vous maintenez la touche [Alt] gauche enfoncée tout en intervenant sur la position du curseur *Exposition*, des zones passent au-delà des valeurs les plus élevées (complètement blanches) ou en deçà des valeurs les plus basses (sans aucun détail) ; on parle d'écrêtement des valeurs.

Lorsque vous appuyez sur la touche [Alt] gauche, les zones qui s'affichent en blanc sont les zones surexposées, mais cela n'est pas important pour un ciel fortement ensoleillé ou un reflet sur du métal par exemple. À vous de voir quels détails peuvent être sacrifiés ou non si besoin. Les zones de couleur montrent des parties de l'image dont une ou plusieurs couleurs sont écrêtées.

1 Ouvrez une image plutôt sombre dans Camera Raw, de manière à effectuer différentes corrections. L'image est sous-exposée. Appuyez sur la touche [Alt] gauche pour visualiser les zones surexposées.

Figure 9.39 : *Cette image sous-exposée mérite quelques corrections*

2 Déplacez le curseur *Exposition* sur la valeur +1,6. À ce stade, vous devez voir quelques zones blanches, rouges et jaunes dans le ciel et quelques points rouges sont visibles.

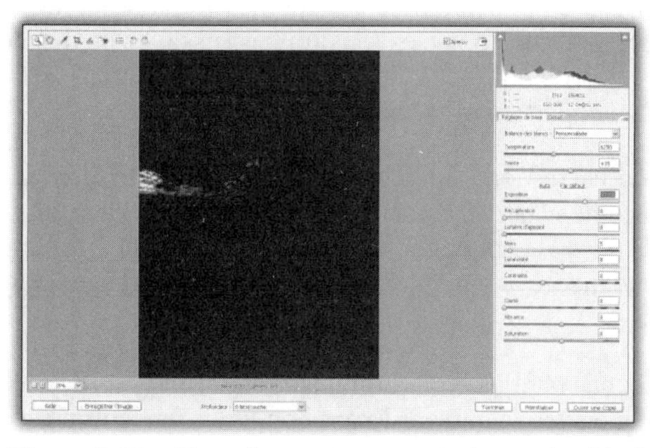

Figure 9.40 : *Quand vous appuyez sur la touche Alt, l'affichage se fait par zones, vous pouvez alors gérer au mieux les parties surexposées ou sous-exposées*

3 Relâchez la touche Alt. L'image présente un nouvel aspect. L'histogramme, en haut de l'interface de Camera Raw, est beaucoup mieux équilibré. À présent, la courbe remplit l'histogramme totalement de la gauche vers la droite.

Figure 9.41 : *C'est beaucoup mieux après quelques corrections (l'intérêt de travailler avec un fichier RAW est que les modifications n'ont pas altéré les pixels de l'image originale)*

Le curseur *Récupération* permet, dans une certaine mesure, de récupérer de l'information dans les zones légèrement écrêtées.

Le curseur *Lumière d'appoint* opère les mêmes transformations que le curseur *Récupération*, mais pour les tons foncés. Essayez de déplacer ces deux curseurs pour obtenir plus de détails aussi bien dans les parties claires que dans les parties foncées de l'image.

Le curseur *Noirs* correspond au réglage du point d'entrée de la valeur noire. Le déplacement de ce curseur correspond au réglage du curseur du point noir dans le réglage **Niveaux** de l'éditeur standard. Ce paramètre a tendance à augmenter le contraste de l'image. Maniez-le avec délicatesse.

Le curseur *Luminosité* ajuste la luminosité de l'image. Il n'y a pas d'écrêtage, comme avec le curseur *Exposition*, mais une compression des tons clairs et une dilatation des tons foncés.

Le curseur *Contraste* règle les tons moyens. Ce réglage intervient après le réglage de l'exposition, de la luminosité et des tons foncés.

Le curseur *Clarté* permet d'intervenir sur les contours de l'image pour en améliorer la netteté. Étudiez son impact sur certaines zones.

REMARQUE

Afficher l'image à 100 % pour distinguer les réglages précisément

Affichez votre image à 100 % de grossissement car certains réglages sont subtils. Vous pouvez très bien ne pas les distinguer en affichage plus petit, mais ils sont pourtant bien appliqués !

Le curseur *Vibrance* règle la saturation des couleurs de manière optimisée. En d'autres termes, le réglage est plus marqué sur les couleurs nécessitant une certaine saturation et a un effet beaucoup moins important sur les zones ne nécessitant que peu de correction parce qu'elles sont déjà saturées.

Vous pouvez vous servir de ce réglage pour obtenir des effets particuliers. Le jaune des fleurs est déjà très saturé. Placez le curseur sur la valeur –75. Vous obtenez une image monochrome dans laquelle ne persiste que la couleur jaune !

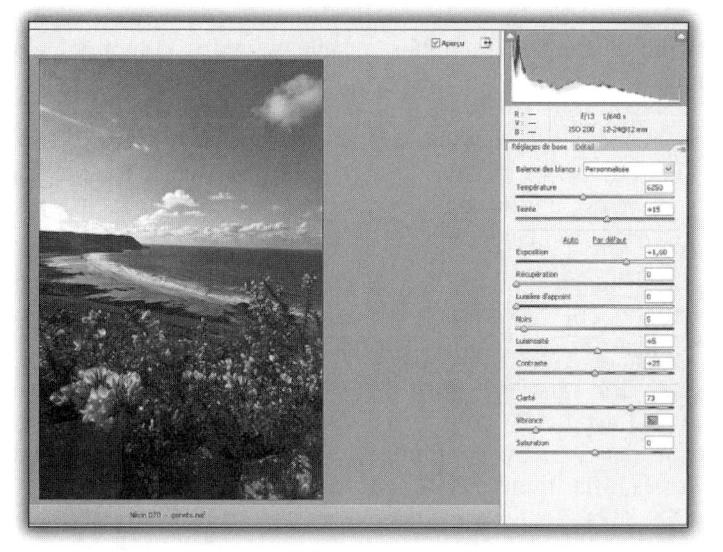

Figure 9.42 : *Vous pouvez même vous lancer dans les effets spéciaux sans quitter Camera Raw*

Le curseur *Saturation* règle la saturation des couleurs, sans distinction, à l'inverse du curseur *Vibrance*. Replacez le curseur *Vibrance* sur sa valeur d'origine. Effectuez ensuite le même réglage que précédemment : placez sur la valeur –75 le curseur *Saturation*. Vous obtenez une image quasiment monochrome.

En cliquant sur l'onglet **Détail**, vous accédez aux réglages de la netteté et de la réduction du bruit. Chacune de ces deux sections propose plusieurs curseurs : *Gain*, *Rayon*, *Détail* et *Masquage* pour la section *Détail*, ainsi que *Luminance* et *Couleur* pour la section *Réduction du bruit*.

Le curseur *Gain* permet d'ajuster la définition du contour, pour augmenter la netteté. Évidemment, vous ne pourrez pas obtenir une image nette à partir d'une photo floue, mais vous renforcerez les détails. Une valeur de 0 n'applique aucun réglage et une valeur de 150 applique un réglage maximum. Des valeurs excessives dénaturent totalement l'image originale. Là encore, il est fortement recommandé d'afficher l'image à 100 % de sa taille.

Le curseur *Rayon* détermine l'amplitude de la zone sur laquelle s'applique le paramétrage du gain. Le réglage dépend de l'image affichée. Une image très détaillée nécessite un réglage faible alors qu'une image avec peu de détails autorise un réglage plus marqué.

Le curseur *Détail* règle la zone d'application des deux valeurs précédentes. Une valeur faible s'applique seulement aux contours alors qu'une valeur plus forte a une incidence sur d'autres zones de l'image.

Le curseur *Masquage* définit la zone sur laquelle intervient la correction. Avec une valeur de 0, les valeurs sont appliquées sur la totalité de l'image de manière uniforme. Une valeur de 100 adoucit, par opposition, des zones moins détaillées.

1 Affichez l'image à 100 %. Si vous utilisez un facteur d'agrandissement inférieur, vous ne pourrez pas juger correctement des corrections apportées.

2 Appliquez des transformations très marquées : 106 pour le *Gain*, 2,2 pour le *Rayon* et 98 pour le curseur *Détail*. Conservez la valeur *Masquage* sur 0. Les contours et la netteté sont fortement transformés, à la limite des effets spéciaux de certains filtres.

Figure 9.43 : *N'hésitez pas à zoomer dans l'image pour mieux régler les détails*

3 Appliquez à présent un réglage de valeur +100 au curseur *Masquage*. La partie de l'image où l'on voit l'eau s'adoucit, alors qu'il y a peu de différences sur la partie où l'on voit les fleurs, comme un effet de détourage qui aurait rendu floue la mer tout en protégeant le reste de la photographie.

Figure 9.44 : *Les réglages peuvent être très subtils*

Les curseurs *Luminance* et *Couleur* permettent d'intervenir sur le bruit présent dans la photo, c'est-à-dire sur des défauts apparaissant notamment dans des zones sous-exposées de l'image ou sur des images réalisées avec une haute sensibilité. Le bruit de luminance donne à l'image un aspect granuleux alors que le bruit de chrominance crée des défauts, appelés "artefacts", sur la photo. Ces défauts sont d'autant plus importants que la taille du capteur utilisé est petite, sur les mobiles et les appareils photo très compacts notamment.

Le troisième onglet, **Étalonnage de l'appareil photo**, propose d'appliquer à l'image des réglages préétablis, suivant la marque et le type d'appareil de prise de vue utilisé.

Après le traitement de l'image, cliquez sur le bouton **Ouvrir une image** : l'image que vous venez de corriger s'affiche dans l'interface de correction standard. Libre à vous ensuite de parfaire la correction ou de la sauvegarder telle quelle.

Enregistrez votre fichier dans le format que vous préférez, PSD ou JPG par exemple, sachant que le fichier original, au format RAW, restera intact. C'est donc une copie de celui-ci, dans un format différent, que vous sauvegardez.

Les corrections apportées au fichier original sont enregistrées dans un fichier spécifique, au format XMP, qui se chargera par défaut la prochaine fois que vous ouvrirez l'image initiale dans Camera Raw.

Chapitre 10

Gérer les couleurs et l'impression

10.1. Préparer des images avant impression

Même si Photoshop Elements 7.0 guide l'utilisateur pratiquement pas à pas pour la réalisation d'impressions de bonne qualité, il est intéressant de comprendre certaines notions pour imprimer parfois des images en maîtrisant manuellement tous les paramètres.

L'image numérique est composée d'éléments appelés "pixels". Ce mot est la contraction de "picture element". C'est le plus petit élément constitutif d'une image numérique.

Vous disposez de deux paramètres pour caractériser les images numériques : la définition, qui est le nombre total de pixels que compte l'image, et la résolution qui est la concentration de pixels sur une surface.

Dans Photoshop Elements, une boîte de dialogue permet de régler ces paramètres.

1 Ouvrez l'image à redimensionner dans l'éditeur.
2 Cliquez sur le menu **Image**, puis sur le sous-menu **Redimensionner** et validez la commande **Taille de l'image** pour afficher la boîte de dialogue correspondante.

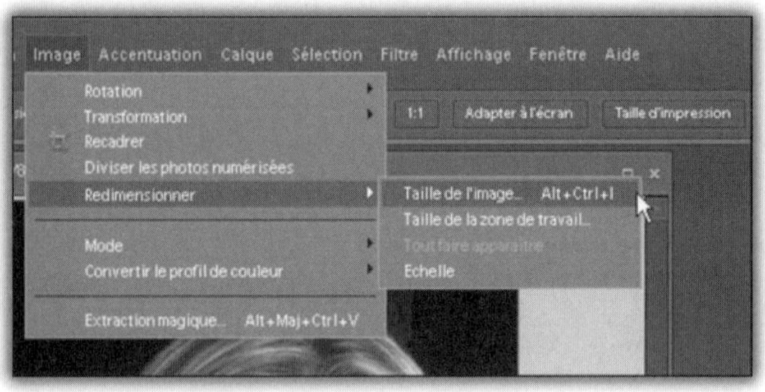

Figure 10.1 : *Le réglage de la taille de l'image*

La boîte de dialogue comprend deux sections : *Dimensions de pixels* et *Taille du document*..

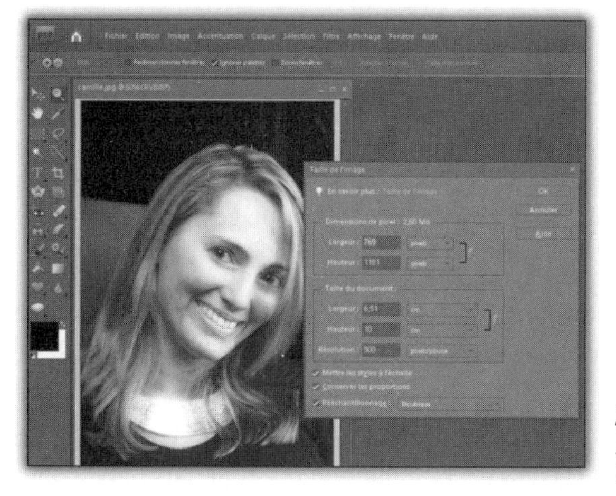

Figure 10.2 :
La boîte de dialogue Taille de l'image

Dans la section *Dimensions de pixels* figure le poids de l'image en mégaoctets. Vous obtenez le poids du fichier en multipliant le nombre de pixels inscrit dans la case *Largeur* et celui inscrit dans la case *Hauteur*, multiplié par 3 puisque l'image numérique couleur contient trois couches : *Rouge*, *Vert* et *Bleu*.

Dimensions de pixel : 2,60 Mo
Largeur : 769 pixels
Hauteur : 1181 pixels

Figure 10.3 :
La dimension en pixels

La section *Taille du document* indique la dimension du document en centimètres pour une résolution donnée.

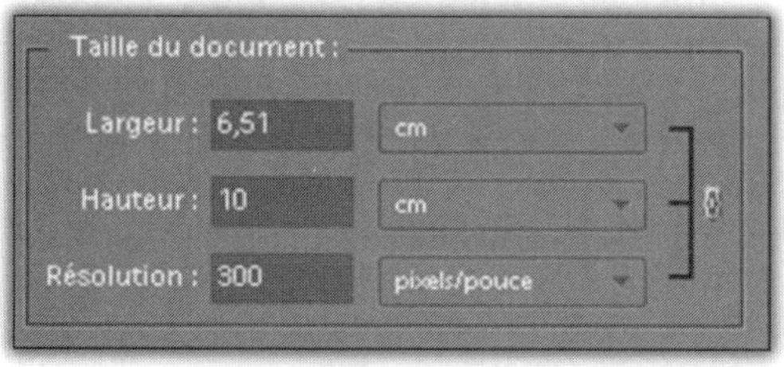

Taille du document :
Largeur : 6,51 cm
Hauteur : 10 cm
Résolution : 300 pixels/pouce

Figure 10.4 :
La taille du document en centimètres (si vous préparez une image pour le Web, affichez plutôt les unités en pixels)

La résolution est exprimée en dpi (dots per inch) ou ppp (points par pouce), la traduction française. C'est la quantité de pixels que l'on peut dénombrer sur un carré de 2,54 cm de côté. La résolution couramment utilisée par les spécialistes (imprimeurs, graphistes, photographes…) est de 300 ppp. En d'autres termes, sur chaque portion d'image de 2,54 cm^2, il y a 300 pixels.

C'est une qualité professionnelle dont la résultante est la création de fichiers relativement lourds à traiter. Votre imprimante de type jet d'encre n'a pas besoin d'autant d'informations pour générer des tirages d'excellente qualité.

Vous allez régler la résolution de l'image pour l'impression sur une imprimante jet d'encre et accentuer les pixels pour obtenir un tirage de meilleure qualité.

1 Intéressez-vous à l'information disponible en bas de la boîte de dialogue **Taille de l'image** et notamment à la case à cocher *Rééchantillonnage*.

Figure 10.5 : *Si la case Rééchantillonnage est cochée, attention aux réglages, vous intervenez sur le nombre de pixels*

Les pixels ont une taille variable. Pour la même surface en centimètres, l'image peut contenir beaucoup ou peu de pixels. La case *Rééchantillonnage* permet d'effectuer ce calcul du nombre de pixels. Cela s'appelle l'interpolation.

Lorsque la case *Rééchantillonnage* est cochée, si vous changez le nombre de pixels ou la dimension en centimètres, le logiciel recalcule les pixels en tenant compte des nouvelles données.

Attention à l'interpolation

Si vous augmentez le nombre de pixels dans l'image, le logiciel calcule des pixels absents avec un risque d'erreur non négligeable dont la résultante est la création de zones floues sur la photo.

Le logiciel peut diminuer la dimension du fichier avec succès, mais l'inverse est beaucoup plus hasardeux. Maniez cette commande avec précaution !

Sélectionner l'option de rééchantillonnage la mieux adaptée

Dans la boîte de dialogue permettant de régler l'interpolation, plusieurs réglages sont proposés. Choisissez le mieux adapté :

- *Au plus proche* est une méthode rapide, mais peu précise.
- *Bilinéaire* est une méthode de qualité moyenne.
- *Bicubique* est une méthode lente, mais précise.
- *Bicubique plus lisse* est à utiliser de préférence quand vous agrandissez les images.
- *Bicubique plus net* est à privilégier quand vous réduisez la taille de l'image.

2 Pour le paramètre *Largeur*, inscrivez la valeur `12`. La hauteur a été recalculée puisque les proportions sont conservées par défaut. Dans la première section, les dimensions des pixels passent de 2,62 Mo à 8,82 Mo. Le logiciel a bien "inventé" de nouveaux pixels. Cette image, si vous validiez ces paramètres, ne serait pas de très bonne qualité. Cliquez sur le bouton **Annuler** pour rétablir les paramètres par défaut.

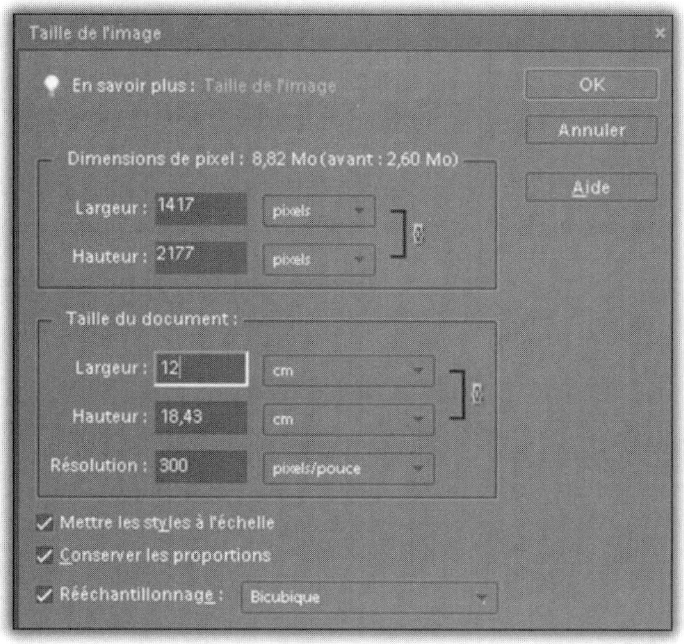

Figure 10.6 : *La section Dimensions de pixels montre bien qu'il y a un avant et un après rééchantillonnage*

3 Cliquez à présent sur la case à cocher *Rééchantillonnage* pour la décocher.

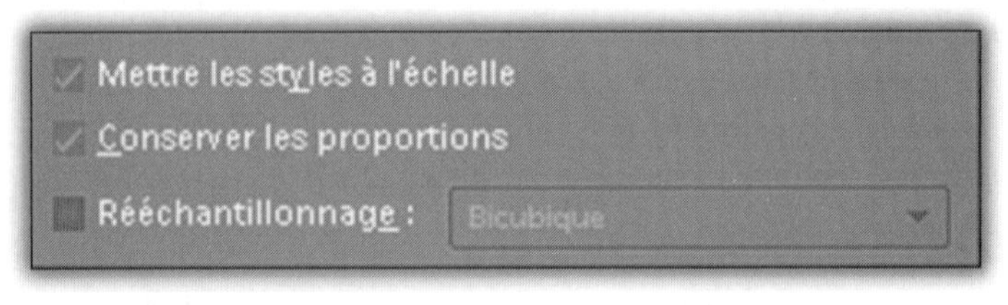

Figure 10.7 : *Cette fois, vous ne touchez pas au nombre de pixels*

Lorsque la case *Rééchantillonnage* est décochée, la partie supérieure de la boîte de dialogue **Taille de l'image** est grisée. Le nombre de pixels reste inchangé, mais ceux-ci sont répartis sur une nouvelle surface. Il n'y a pas d'interpolation dans ce cas de figure.

4 Dans la boîte de dialogue **Résolution**, entrez la valeur `200 pixels par pouce`. C'est la résolution dont votre imprimante jet d'encre a besoin pour fournir un résultat optimal. Cette image aura donc une dimension finale de 10 cm × 15 cm.

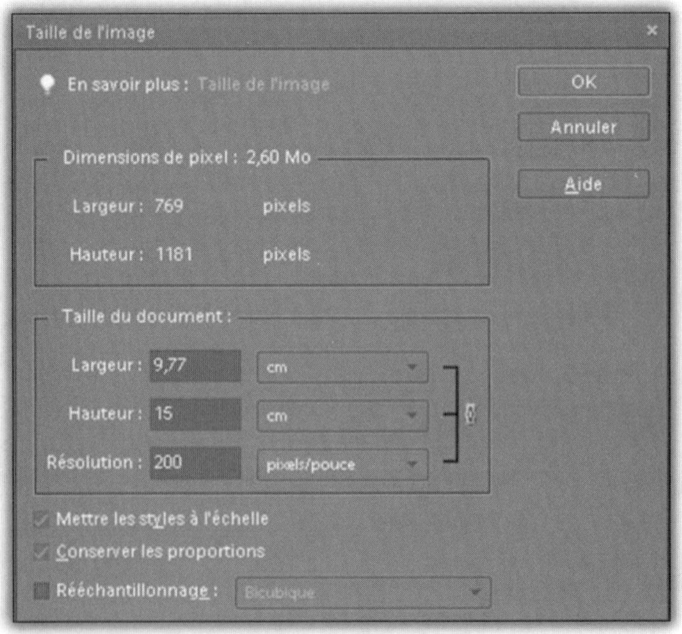

Figure 10.8 : *L'image a le même nombre de pixels, avant et après correction*

10.2. Configurer correctement le pilote d'impression

Photoshop Elements 7.0 automatise pratiquement tous les paramètres lorsque vous décidez une action. Mais il vous revient de paramétrer votre pilote d'impression pour pouvoir imprimer.

Les papiers jet d'encre photo offrent aujourd'hui des tirages de toute beauté, à condition que vous fournissiez à l'imprimante un fichier correctement préparé.

Il faut aussi paramétrer correctement les réglages du pilote d'impression. Voici un exemple pour éclairer votre lanterne.

1 Cliquez sur le menu **Fichier** puis sur la commande **Imprimer**. La boîte de dialogue **Imprimer** s'affiche.

Figure 10.9 : *L'interface Imprimer*

2 Dans la section *Gestion des couleurs*, cliquez sur **Préférences de l'imprimante** pour afficher la boîte de dialogue correspondante (voir Figure 10.10).

À chaque imprimante son pilote !

Pour les captures d'écran, nous avons utilisé l'imprimante jet d'encre Epson Stylus Photo 2100. Pour chaque imprimante, il faut chercher les

options dans le logiciel. Reportez-vous éventuellement à la documentation de votre matériel pour plus d'informations.

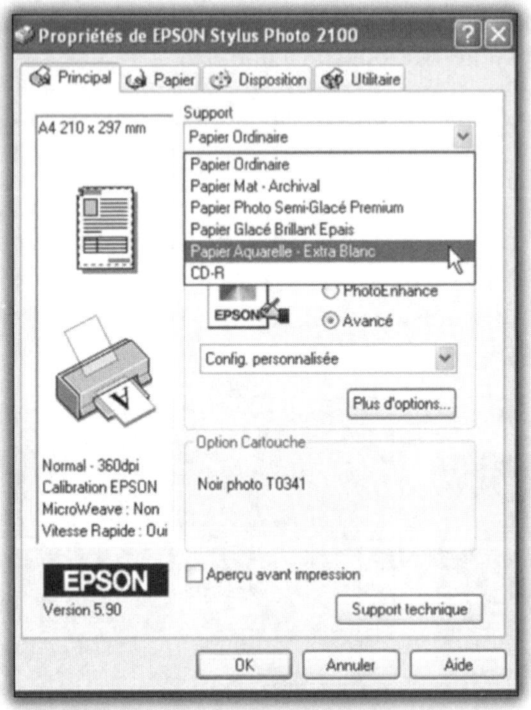

Figure 10.10 : *La boîte de dialogue des réglages de l'imprimante dépend bien entendu du modèle utilisé*

3 Choisissez le type de support utilisé. L'imprimante ne fonctionnera pas de la même manière si vous indiquez un papier ordinaire ou un papier photo à fort grammage. C'est le réglage de base le plus important. Si vous n'en effectuez qu'un seul, que ce soit celui-ci.

4 Si le logiciel qui gère votre imprimante propose un paramètre *Qualité d'impression*, définissez celui-ci. On considère qu'un tirage de qualité photo nécessite une résolution d'impression (à ne pas confondre avec la résolution du fichier, qui doit être de 200 dpi) de 720 dpi ou 1 440 dpi. Les imprimantes récentes proposent des réglages allant jusqu'à 2 880 dpi et 5 660 dpi.

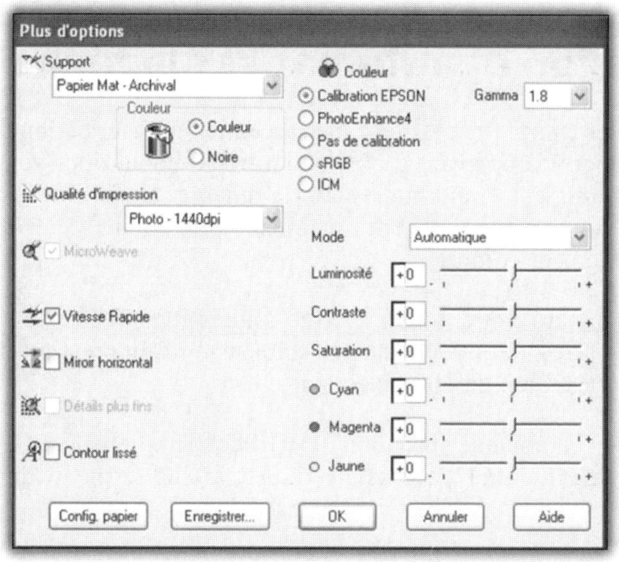

Figure 10.11 : *Le nombre de paramètres peut sembler trop important, mais avec la pratique, vous maîtriserez tout cela sans problème*

5 Vous pouvez aussi intervenir sur les réglages de gestion des couleurs, mais cette technique dépasse le cadre de cet ouvrage. Dans le doute, utilisez la section *Gestion des couleurs* de la boîte de dialogue **Imprimer**, et choisissez *Laisser PSE gérer les couleurs* dans le menu déroulant *Traitement coul.*

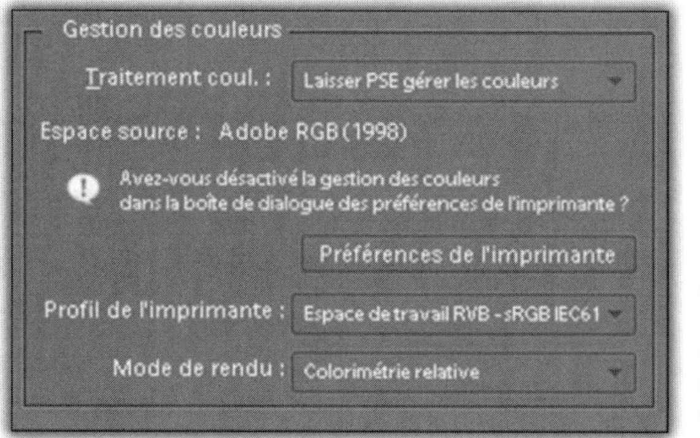

Figure 10.12 : *Une option laisse Photoshop Elements tout gérer*

10.3. Accentuer des images avant l'impression et automatiser la tâche

La plupart des images nécessitent une accentuation avant l'impression. C'est la dernière étape avant d'obtenir un tirage photo dont vous serez fier. Il est vraiment important, pour la qualité finale du document imprimé, d'opérer ces transformations après toutes les autres, redimensionnement compris.

Vous avez préparé votre fichier pour l'impression. Vous avez vérifié qu'il compte assez de pixels pour une dimension d'impression donnée. La résolution est bien de 200 pixels par pouce.

La première commande proposée par Photoshop Elements est la commande **Accentuation**, accessible d'un clic sur le menu du même nom.

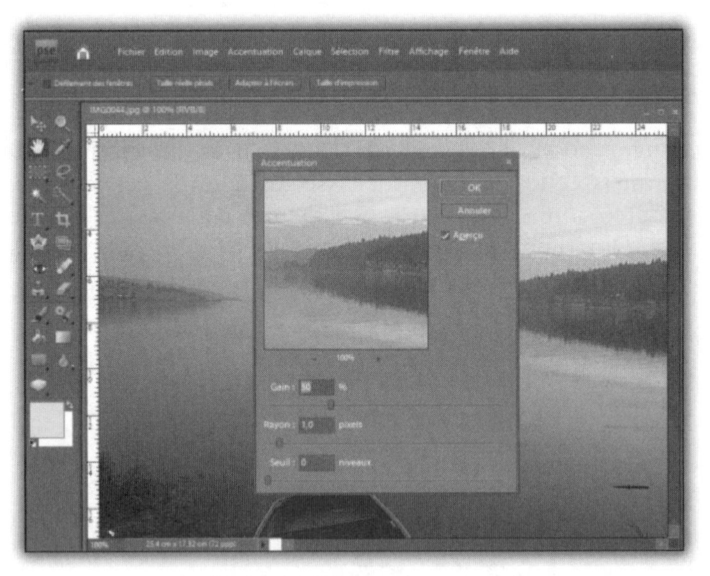

Figure 10.13 : *La boîte de dialogue Accentuation*

Utilisez les deux premiers curseurs pour discerner sur l'image le moment où l'accentuation devient trop forte. Lorsque vous utilisez les curseurs *Gain* et *Rayon*, le logiciel augmente le contraste entre les pixels les plus clairs et les plus sombres. Souvent, cette configuration clair/sombre correspond à un bord, à un passage entre le fond et la forme.

À ce stade, les pixels clairs sont plus clairs, et les pixels sombres plus sombres.

Le premier curseur, *Gain*, gère le contraste, alors que le second, *Rayon*, règle l'étendue de l'effet. Avec le dernier curseur, *Seuil*, vous gérez la tolérance de l'effet, c'est-à-dire l'interaction plus ou moins prononcée avec les pixels adjacents.

Il n'y a pas de recette miracle pour utiliser cette fonction, il n'y a que la pratique qui vous permettra de l'employer correctement. Les réglages valables pour une photo seront désastreux appliqués à une autre. Quoi qu'il en soit, en règle générale, bougez les curseurs avec douceur !

La boîte de dialogue **Régler la netteté** est accessible via le menu **Accentuation/Régler la netteté**.

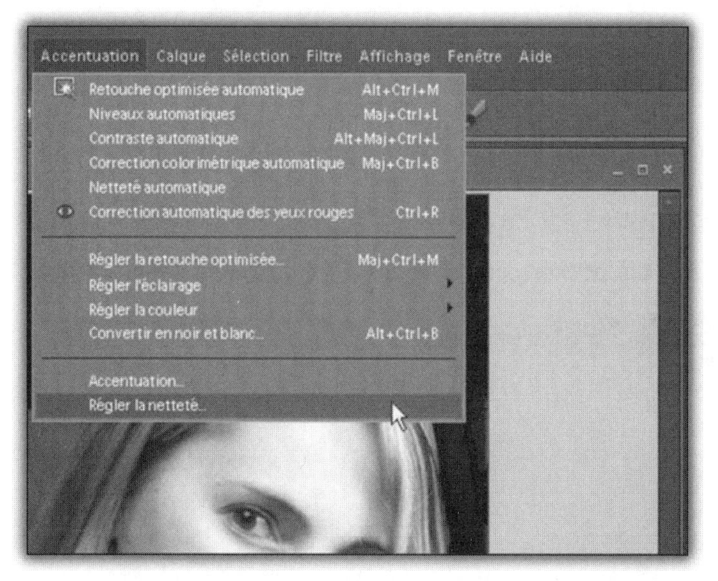

Figure 10.14 : *On entre ici dans des réglages fins, mais qui ont réellement de l'importance si vous imprimez vos images vous-même*

1 Les paramètres accessibles dans cette boîte de dialogue autorisent une intervention précise sur la netteté de l'image. Effectuez les réglages avec une image affichée à 100 % de sa taille. À chaque type de prise de vue correspondent des réglages.

Figure 10.15 : *Il est important de bien gérer les différents curseurs, sous peine de faire d'importantes modifications aux effets désastreux*

2 Assurez-vous que la case *Aperçu* est cochée pour vérifier les paramètres en temps réel. Le paramètre *Gain* règle l'importance de l'accentuation et le paramètre *Rayon* intervient sur le nombre de pixels concernés. Le paramètre *Rayon* est souvent laissé sur la valeur 1, par défaut. Sur une autre valeur, l'effet est trop marqué.

Le menu **Supprimer** permet de corriger différents types de flous.

Figure 10.16 : *Flou gaussien, flou de l'objectif ou flou de déplacement, à vous de choisir, mais si votre image est vraiment floue, toutes les corrections n'y feront rien !*

3 Une fois satisfait de vos réglages, cliquez sur le bouton OK pour les enregistrer. Votre image est prête pour l'impression.

Pour préparer un grand nombre d'images pour l'impression, procédez comme suit :

1 Activez la commande **Traitement de fichiers multiples**, disponible à partir du menu **Fichier**.

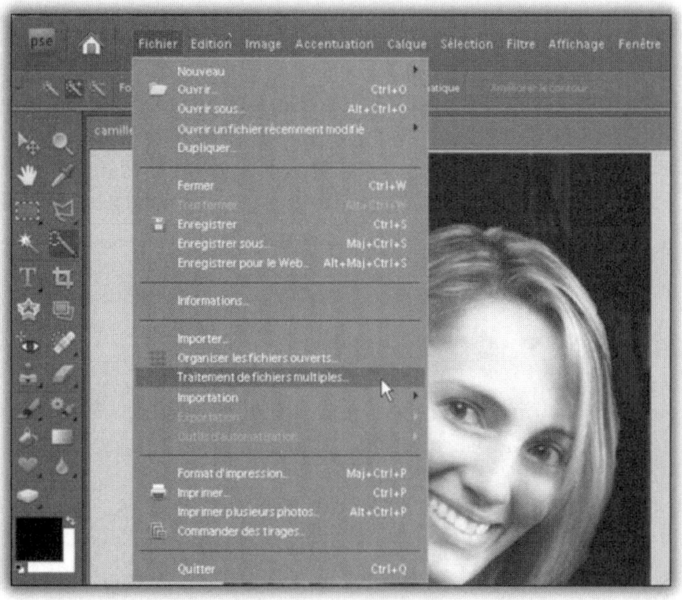

Figure 10.17 : *Si vous êtes pressé, c'est une solution*

2 Lorsque la boîte de dialogue est ouverte, utilisez la section *Taille de l'image* pour définir la dimension et la résolution de vos documents.

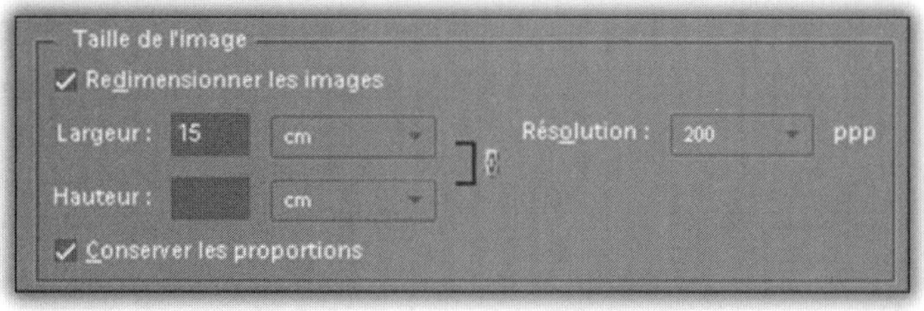

Figure 10.18 : *La boîte de dialogue pour redimensionner vos images en série*

3. Cliquez aussi sur la case à cocher *Netteté* dans le menu déroulant **Retouche rapide**. Le résultat est moins précis que celui obtenu avec un réglage manuel via la fonction **Régler la netteté**. Cette solution ne doit être utilisée qu'en cas d'extrême urgence, mais elle vous permettra un traitement rapide de nombreux fichiers.
4. Remplissez la section *Traiter les fichiers*. Définissez de cette façon l'endroit où se trouvent les images à traiter.
5. Si vous souhaitez par la même occasion renommer vos fichiers, utilisez la section *Dénomination de fichier*.

Vous pouvez utiliser ce type de correction sur des portions précises d'une image, en recourant aux outils **Goutte d'eau** pour adoucir, et **Netteté** pour renforcer l'effet, tous deux disponibles dans la palette des outils. Dans ce cas, paramétrez les outils à l'aide de la barre d'options.

10.4. Créer et imprimer une planche-contact

Il est utile parfois de créer une planche-contact pour présenter rapidement son travail ou le contenu d'un CD.

De plus, la planche-contact est un très bon tirage de lecture, permettant de choisir rapidement quelles sont les images les plus significatives d'une prise de vue. C'est un complément valable à l'affichage des images sur le moniteur, pour une lecture à tête reposée.

Au lieu de construire le fichier vignette après vignette, vous disposez dans Photoshop Elements d'un moyen très simple de parvenir à vos fins.

1. Ouvrez tout d'abord l'Organiseur. Vos photographies y figurent déjà sous la forme de vignettes. Vous allez simplement les mettre en forme pour obtenir un support en réunissant une vingtaine.
2. Une fois l'interface de l'Organiseur affichée, sélectionnez les images que vous voulez voir figurer sur votre tirage. Cliquez sur chacune des vignettes à ajouter à la planche-contact en maintenant enfoncée la touche Ctrl. Chaque vignette sélectionnée est surlignée en bleu (voir Figure 10.19).
3. Cliquez sur le menu **Fichier** et choisissez la commande **Imprimer**.

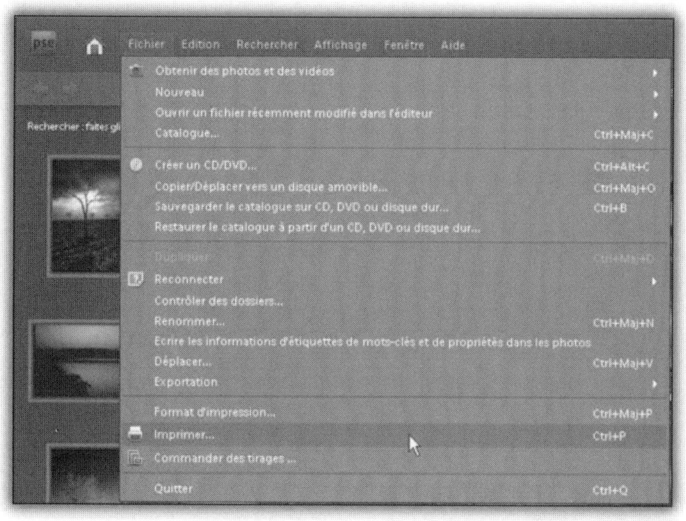

Figure 10.20 : *La commande Imprimer*

4 Par défaut, l'interface propose d'effectuer un tirage individuel. Dans la section *Type d'impression*, choisissez *Planche-contact* dans le menu déroulant.

Figure 10.21 : *Le menu déroulant permettant le positionnement des photos sur la feuille*

5 Dans la partie gauche de l'interface se trouvent les vignettes. Le signe +, de couleur verte, permet d'ajouter des images à la planche-contact. La partie centrale présente une maquette du tirage final. Dans la zone située à droite, vous disposez de trois sections pour sélectionner une imprimante, choisir le type d'impression et paramétrer la disposition des différents éléments. Choisissez au besoin le nombre de colonnes ainsi que les informations, sous forme de texte, à ajouter : date, légende, nom de fichier et numéro de page.

Figure 10.22 : *Un aperçu du résultat avant impression*

6 Une fois le paramétrage finalisé, cliquez sur le bouton **Imprimer** pour tirer sur papier votre document.

Figure 10.19 : *La planche-contact rappellera des souvenirs à ceux qui ont fait du labo argentique*

10.5. Paramétrer la boîte de dialogue d'impression

Par défaut, lorsque vous affichez la boîte de dialogue de l'imprimante, celle-ci est configurée avec les réglages de base. Si vous voulez obtenir des fichiers de bonne qualité, quelques modifications s'imposent.

Une fois que votre fichier est bien paramétré dans Photoshop Elements (dimension du document et résolution), prêtez attention au pilote d'impression. Chaque pilote se présente de manière distincte, et à l'intérieur d'une même marque, l'interface du pilote se présente différemment d'un modèle à l'autre. Il faut donc vous adapter à celui que vous utilisez.

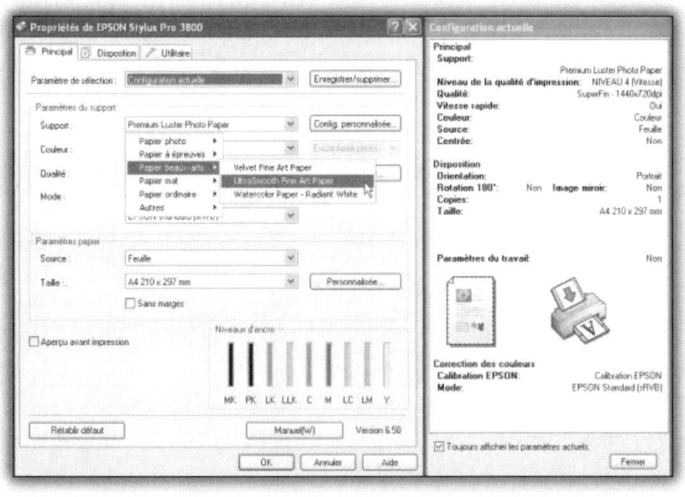

Figure 10.23 : *L'interface générale du pilote Epson pour l'imprimante 3800*

Quoi qu'il en soit, deux réglages doivent essentiellement retenir votre attention : le type de papier et les couleurs.

Les pilotes d'impression proposent en général un certain nombre de configurations prédéfinies, auxquelles vous accédez via le menu principal. Le logiciel gère alors les paramètres, suivant la configuration souhaitée : *Photo*, *Beaux-Arts*, *Épreuves*, *Posters* ou *Autres*, dans le menu du pilote de l'imprimante Epson 3800 par exemple.

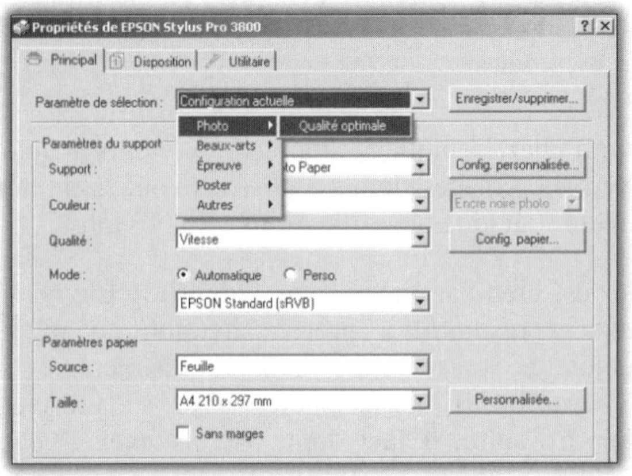

Figure 10.24 : *Les réglages correspondant à quelques configurations de base*

Le choix du type de papier est également primordial, car le logiciel va envoyer des informations très différentes à l'imprimante, selon que vous utiliserez un papier à fort grammage ou une simple feuille pour imprimer un brouillon. Derrière ce choix, il y a aussi la quantité d'encre utilisée qui entre en ligne de compte.

Le type de papier choisi doit correspondre effectivement au papier placé dans le couloir d'impression de l'imprimante !

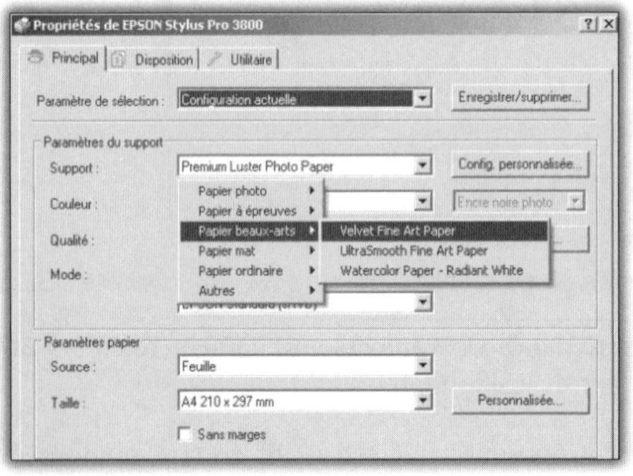

Figure 10.25 : *Le choix du type de papier est primordial pour un résultat de bonne qualité*

Choisissez ensuite si l'impression doit être faite en couleur ou en noir et blanc, avec une option *Photo noir et blanc* avancée dans le cas de l'Epson 3800, qui est un matériel repéré "Art Fine", c'est-à-dire censé procurer des impressions de la qualité d'un tirage argentique sur papier baryté.

Indiquez la taille du papier (A4, A3, A2).

Dernière option : celle qui vous permet de choisir et de gérer vous-même les réglages des couleurs, ainsi que la saturation, la luminosité et le contraste.

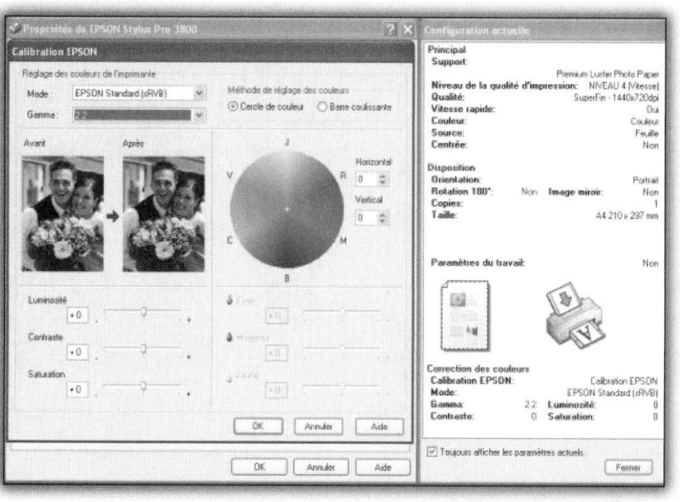

Figure 10.26 : *La boîte de dialogue permettant un réglage fin des couleurs*

Chapitre 11

Trucs et astuces

11.1. Améliorer les performances de Photoshop Elements 7

Le traitement numérique des images nécessite l'utilisation d'un ordinateur de puissance relativement conséquente.

Photoshop Elements 7.0 ne faillit pas à la règle. Si vous traitez des images issues de votre appareil photo en haute définition, voire au format RAW, le processeur est très sollicité. Testez le temps que met, dans ces conditions, votre ordinateur à appliquer certains filtres très gourmands en temps de calcul.

Prudence avec les préférences

Lorsque vous ouvrez la boîte de dialogue permettant de régler les préférences du logiciel, vous voyez plusieurs sections, à partir de l'éditeur : *Général*, *Enregistrement des fichiers*, *Performance*, *Affichage et pointeurs*, *Transparence*, *Unités et règles*, *Grille*, *Modules externes* et *Texte*.

Dans l'Organiseur, les sections permettant de régler les préférences du logiciel sont : *Général*, *Fichiers*, *Emplacement du dossier*, *Retouche*, *Appareil photo ou lecteur de cartes*, *Scanner*, *Affichage par date*, *Étiquettes de mots-clés et albums*, *Partage et services partenaires Adobe*.

Si vous ne savez pas à quoi correspondent certains termes employés, reportez-vous à la section correspondante dans le fichier d'aide du logiciel, et dans le doute, abstenez-vous de modifier un paramètre à l'aveuglette.

Essayez par exemple le filtre **Flou radial**, disponible via le menu **Filtre**, puis le sous-menu **Flou**, sur une image d'une dizaine de millions de pixels.

Calculez, de même, le temps qu'il faut pour traiter une cinquantaine d'images issues directement de votre appareil photo, dans leur meilleure définition, à l'aide de la commande **Traitement de fichiers multiples**, en validant les options de retouche rapide, en redimensionnant les photos et en les enregistrant sur le disque dur. Toutes ces opérations ont une durée non négligeable.

1 Boostez les performances de Photoshop Elements 7.0 en ajustant quelques réglages. Choisissez, dans le menu **Edition**, le sous-menu **Préférences**, puis la commande **Performances**.

2 La boîte de dialogue **Préférences**, qui s'ouvre alors, propose trois sections : *Utilisation de la mémoire*, *Historique et cache* et *Disques de travail*. Pour le moment, tous les paramètres sont réglés par défaut.

Si vous augmentez la quantité de mémoire allouée à Photoshop Elements, le logiciel travaillera plus rapidement.

3 Dans la section *Utilisation de la mémoire*, réglez l'utilisation de la mémoire vive sur 75 % à l'aide du curseur *Laissez Photoshop Elements utiliser*.

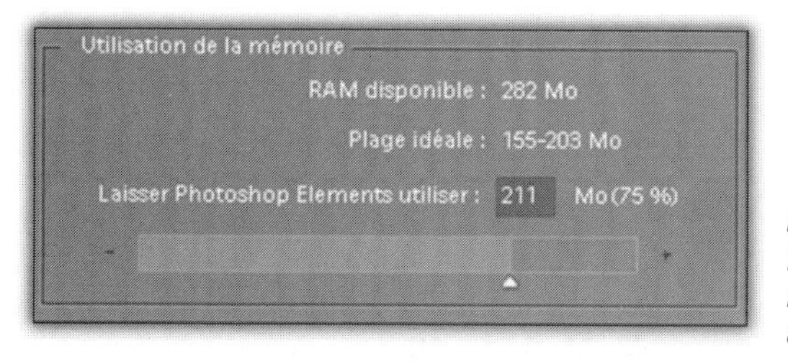

Figure 11.1 : *Ici, 75 % de la mémoire est dédiée au logiciel*

Le logiciel autorise une action bien pratique, le retour en arrière sur plusieurs étapes, que vous pouvez activer à l'aide des boutons fléchés **Annuler** et **Rétablir**, ou via la commande **Annuler l'historique** dans la corbeille des palettes. C'est bien, mais cette fonction consomme beaucoup de temps de calcul.

4 Dans la section *Historique et cache*, fixez le paramètre *États d'historique* à 20 (c'est déjà beaucoup). Si vous revenez souvent sur vos actions, augmentez ce nombre. Laissez le paramètre *Niveaux de cache* à sa valeur par défaut.

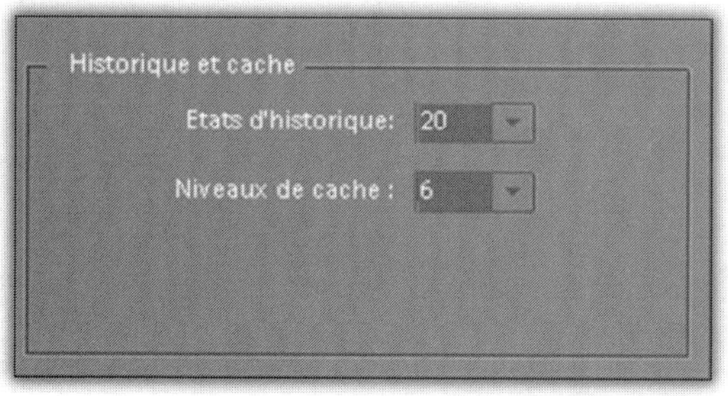

Figure 11.2 : *La gestion de l'historique*

5 Enfin, dans la section *Disques de travail*, privilégiez plutôt un second disque dur, si vous en possédez un, plutôt que le disque sur lequel se trouve le système d'exploitation.

Figure 11.3 : *Si vous avez un second disque dur, il est recommandé d'allouer la mémoire cache à celui-ci*

6 Pour que les changements prennent effet, validez les modifications en cliquant sur OK et redémarrez Photoshop Elements 7.0.

11.2. Traiter plusieurs photos simultanément

Vous avez besoin de traiter une grande quantité d'images ? Avec la commande **Traitement de fichiers multiples**, accessible par le menu **Fichier** de l'éditeur standard, vous pouvez appliquer des paramètres à un dossier contenant des images, à des photos disponibles sur votre carte mémoire ou à une série de fichiers ouverts.

La première section de l'interface, nommée *Traiter les fichiers de*, permet de choisir l'origine des images. Ensuite, indiquez à quel endroit se trouvent les images (*Dossier*, *Impor tation* à partir d'un appareil photo par exemple, ou *Fichiers ouverts*), puis l'endroit où seront enregistrés les fichiers qui auront subi les transformations.

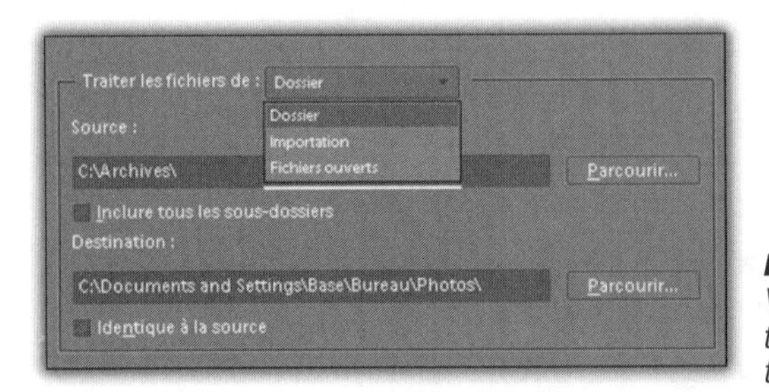

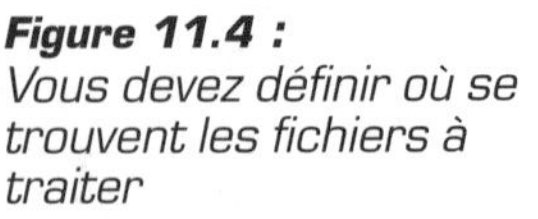

Figure 11.4 : *Vous devez définir où se trouvent les fichiers à traiter*

La deuxième section, *Dénomination des fichiers*, propose de multiples options pour renommer les fichiers que vous traitez. Vous pouvez par exemple leur donner un nom incluant une date ainsi qu'un numéro d'ordre.

Vous avez la possibilité de nommer vos fichiers de façon plus parlante que les habituels *dsc6545* et autres noms aux consonances bizarres que fabrique automatiquement votre appareil photo. Mots d'autant moins parlants, dès lors qu'il s'agit d'un cliché pris lors du mariage du cousin Arthur ou de la naissance de Zoé !

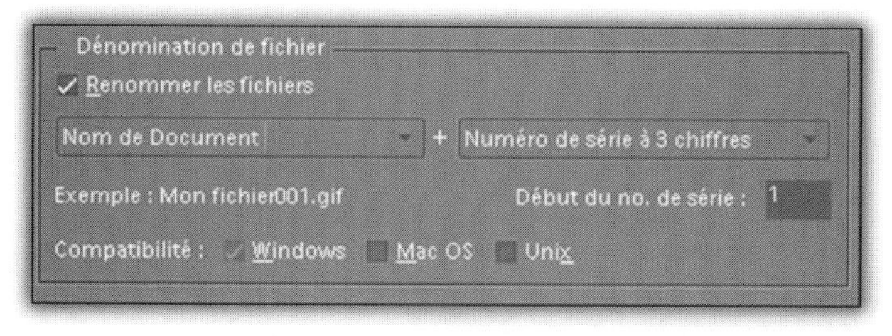

Figure 11.5 : *Vous pouvez renommer les documents*

La section suivante, *Taille de l'image*, vous permet de redimensionner les clichés. Pratique quand vous devez traiter une centaine de photos ! Vous pouvez redimensionner celles-ci en conservant les proportions ou non. Spécifiez au choix leur dimension en pouces, en pixels, en centimètres, en millimètres ou en pourcentage.

Une liste déroulante vous donne la possibilité de spécifier une résolution parmi les plus utilisées, de 72 pixels par pouce pour un écran, à une résolution de 600 pixels par pouce, que vous utiliserez très peu souvent.

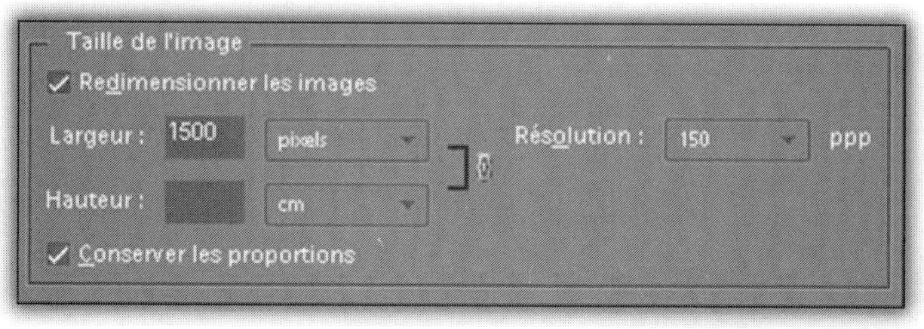

Figure 11.6 : *Le redimensionnement des images est possible ; veillez à cocher la case Conserver les proportions, c'est nécessaire dans la plupart des cas*

La dernière section de cette partie de l'interface consacrée au traitement de fichiers multiples vous permet de spécifier le type de fichier, parmi un choix important, que le logiciel doit utiliser pour sauvegarder vos images.

Figure 11.7 : *Le format JPG est destructeur, conservez des fichiers de bonne qualité en évitant de trop les compresser*

Sur la droite de l'interface figure une liste déroulante *Retouche rapide*. Paramétrez ici des corrections automatisées : *Niveaux automatiques*, *Contraste automatique*, *Couleur automatique* et *Netteté*.

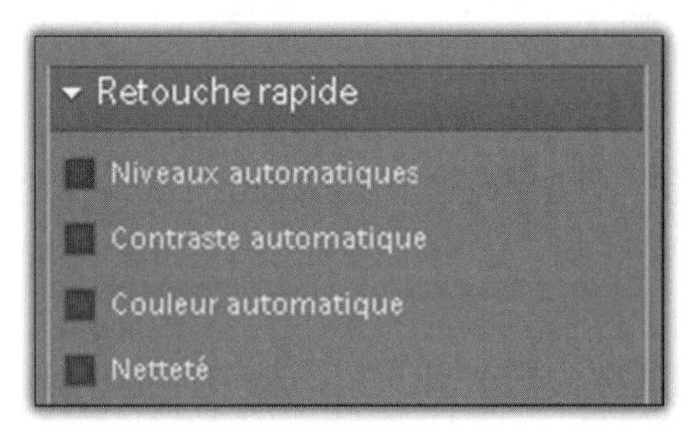

Figure 11.8 : *Des options de retouche sont utilisables aussi*

Enfin, la liste déroulante *Libellés* vous offre la possibilité d'ajouter un filigrane ou une légende en réglant la position, le type de police ainsi que sa couleur et son opacité.

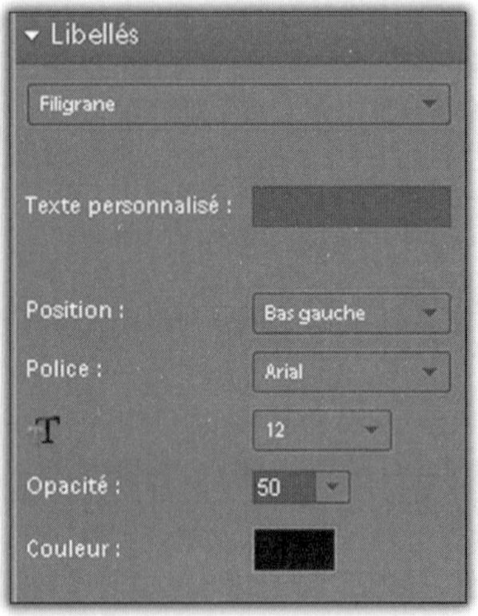

Figure 11.9 : *Vous pouvez même ajouter un texte personnalisé en filigrane*

11.3. Traiter plusieurs photos simultanément avec Action Player

L'une des nouveautés de Photoshop Elements 7.0 est la possibilité d'utiliser des actions. Les actions sont déjà bien connues des utilisateurs de Photoshop. Elles permettent d'automatiser une tâche répétitive ou d'effectuer une longue série de commandes en recommençant, depuis le début, pour chaque image qui doit être traitée dans les mêmes conditions.

Dans Photoshop, il suffit d'enregistrer une suite d'opérations, pour que cette suite de commandes puisse être utilisée autant de fois que nécessaire par la suite.

Action Player est un peu moins puissant que les actions de Photoshop, c'est-à-dire que vous pouvez seulement utiliser les actions proposées par défaut ou des actions déjà conçues, dans Photoshop par exemple. Cela dit, il est tout de même très intéressant de le découvrir.

Pour l'utiliser, placez-vous dans l'interface de retouche guidée et cliquez sur la commande **Action Player**.

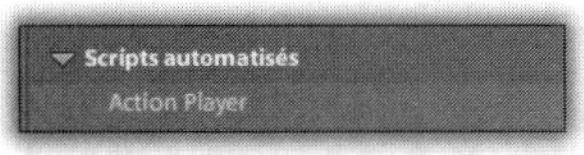

Figure 11.10 :
La commande permettant d'accéder à l'interface Action Player

L'interface dédiée à Action Player s'affiche alors.

Le premier menu déroulant permet d'afficher les thèmes des actions proposées.

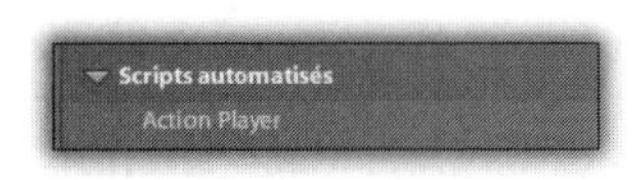

Figure 11.11 :
Les différents thèmes par défaut

Le second menu déroulant permet de choisir une action.

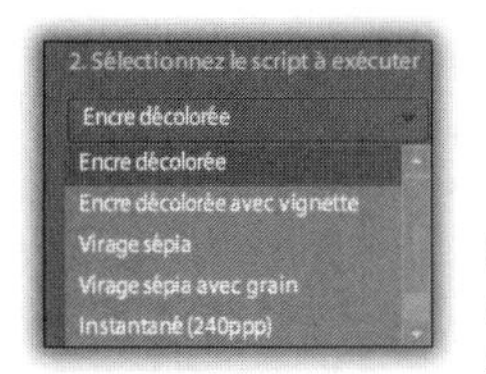

Figure 11.12 :
Les différentes variantes s'affichent dans ce second menu déroulant

Pour lancer une action, cliquez sur le bouton **Lire le script**.

Si vous n'êtes pas satisfait du résultat, recommencez en cliquant sur le bouton **Rétablir**.

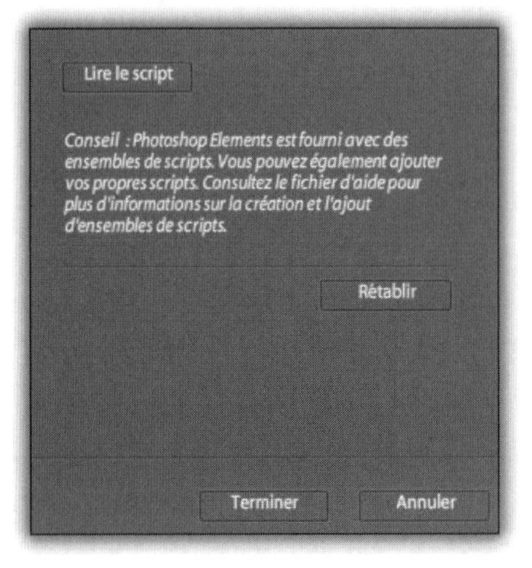

Figure 11.13 :
Ces boutons vous permettent de valider l'action, de défaire ce qui a été fait ou d'annuler

Si le résultat vous convient, cliquez sur **Terminer**. Sinon, le bouton **Annuler** vous permet de revenir à l'interface de correction, sans modification de l'image.

11.4. Ajouter des scripts de Photoshop dans Photoshop Elements

Tout d'abord, récupérez un fichier de type *.atn*.

Pour cela, demandez à un utilisateur de Photoshop de vous en créer un, éventuellement en suivant vos instructions si vous avez besoin d'une suite de commandes précise. Vous pouvez aussi en trouver sur Internet. De nombreux utilisateurs partagent leur production avec d'autres internautes.

Pour cet exemple, le script *PST_Page curl.atn* a été utilisé.

Placez le fichier à l'emplacement adéquat. Dans Windows XP : *C:\Documents and Settings\All Users\Application Data\Adobe\Photoshop Elements\7.0\Locale\fr_FR\Workflow Panels\actions*. Dans Vista : *C:\ProgramData\Adobe\Photoshop Elements\7.0\Locale\fr_FR\Workflow Panels\actions*.

Figure 11.14 :
Un dossier est dédié au stockage des fichiers de type action (atn)

Une fois les scripts installés dans le bon dossier, relancez Photoshop Elements. Le nouveau script apparaît dans la liste des actions disponibles.

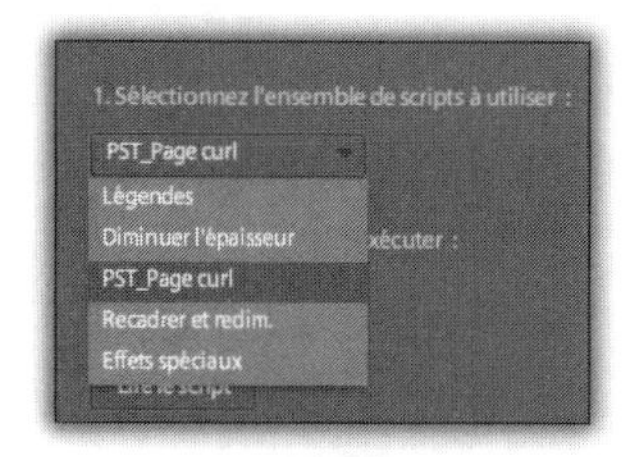

Figure 11.15 :
Le script est bien dans la liste des actions proposées

Il ne vous reste plus qu'à profiter de votre création.

Figure 11.16 :
Voici le résultat final, cela fonctionne effectivement !

11.5. Corriger de petites imperfections avec un peu de maquillage

Vous n'avez pas toujours la possibilité de louer les services d'une maquilleuse lorsque vous photographiez vos proches. Alors il n'est pas saugrenu de recourir, comme le fait à présent toute la presse, à la retouche numérique pour corriger de petites imperfections.

Pour cela, l'outil **Correcteur de tons directs** est d'un grand secours. Vous pouvez l'utiliser soit en cliquant une fois sur un défaut à corriger, soit en cliquant et en déplaçant le curseur.

1 Ouvrez une image représentant un visage.

2 Choisissez l'outil **Correcteur de tons directs** dans la palette d'outils.

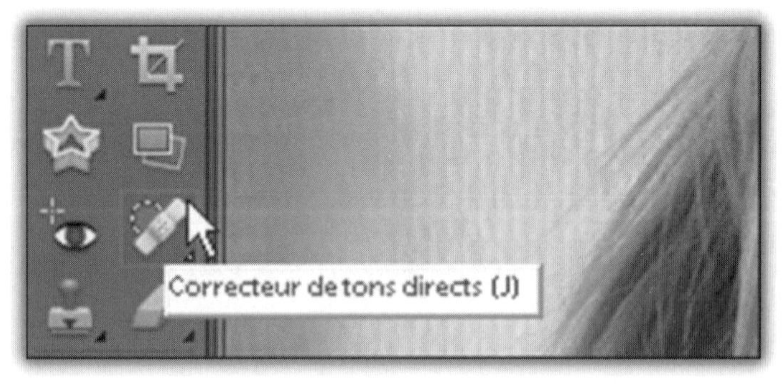

Figure 11.17 : *L'outil Correcteur de tons directs, le miracle du maquillage numérique*

3 Sélectionnez un pinceau arrondi flou d'un diamètre de 5 pixels. Vous avez deux cases à cocher pour le réglage de forme : *Similarité de couleurs* ou *Nouvelle texture*. C'est cette dernière option qui a été retenue pour cet exemple. Il n'y a pas de règle précise et il faut parfois tenter les deux types de corrections pour choisir celle qui est le mieux adaptée (voir Figure 11.18).

4 Suivez le trait des rides d'expression, de chaque côté de la bouche du modèle, pour lui donner un vrai sourire de star ! Commencez par la partie qui est à droite, c'est la plus simple à corriger. Ne craignez rien, le trait gris foncé qui se dessine va disparaître quand la transformation va s'opérer (voir Figure 11.19).

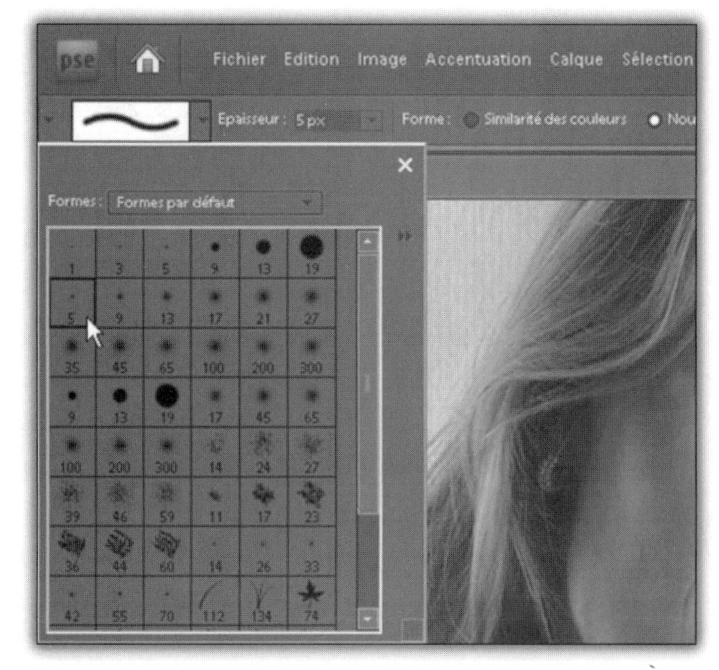

Figure 11.18 : Choisissez la dimension de pinceau adéquate

Figure 11.19 : Surlignez la zone à corriger

5 La trace s'efface presque instantanément. Utilisez le même outil pour l'autre côté du visage. Vous vous y reprendrez peut-être à plusieurs reprises car la correction est plus importante ici.

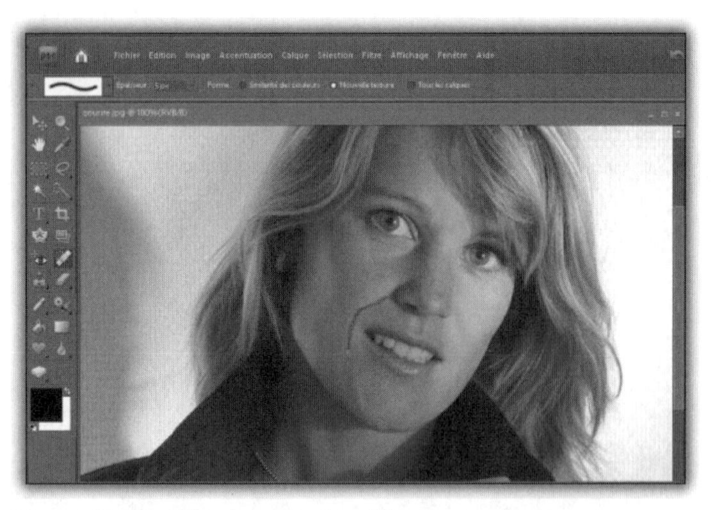

Figure 11.20 : *Un simple trait suffit pour corriger une zone*

6 Il ne faut pas grand-chose pour que la magie opère, juste le bon outil au bon moment !

11.6. Déformer, dilater, contracter avec le filtre fluidité

Tous les magazines proposent à leurs lecteurs des images qui ont été corrigées en termes d'exposition et de balance des couleurs, mais aussi au niveau esthétique, qu'il s'agisse de la retouche d'une courbe pour la rendre plus harmonieuse, du contour d'un visage, ou même de quelques poignées d'amour un peu trop voyantes.

Point n'est besoin d'être un graphiste professionnel pour arriver à de tels résultats. Photoshop Elements 7.0 dispose d'un filtre magique pour donner à votre compagne ou votre mari la silhouette qui le mettra en valeur.

Qu'il s'agisse d'opérer de légères retouches ou des caricatures surprenantes, le filtre Fluidité est l'outil rêvé.

1 Ouvrez une image permettant de travailler sur la ligne d'un corps. Ici, le modèle n'a pas réellement besoin que l'on corrige sa belle silhouette. Vous n'interviendrez que sur des détails minimes. Libre à vous ensuite de tester les différents outils de déformation.

2 L'interface du filtre est accessible à partir du menu **Filtre**, puis choisissez le sous-menu **Déformation**. Enfin, validez la commande **Fluidité**. L'interface de paramétrage du filtre s'affiche.

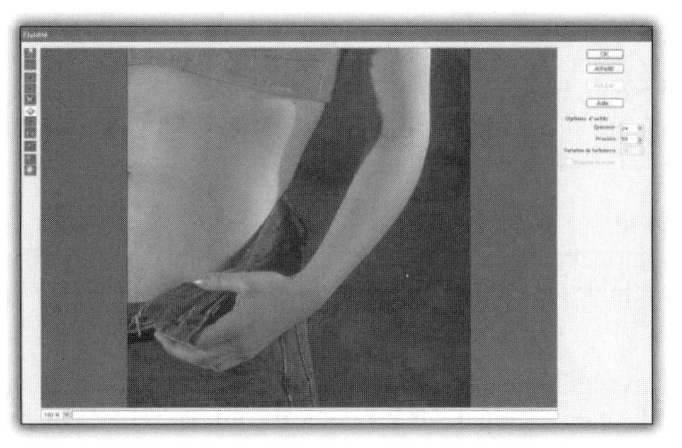

Figure 11.21 : *Cela marche aussi avec les poignées d'amour des messieurs !*

3 Affichez l'image à 100 % à l'aide du menu déroulant situé à la base de l'interface du filtre.

4 Choisissez la cinquième icône en partant du haut dans la palette d'outils, celle qui se nomme *Contraction*.

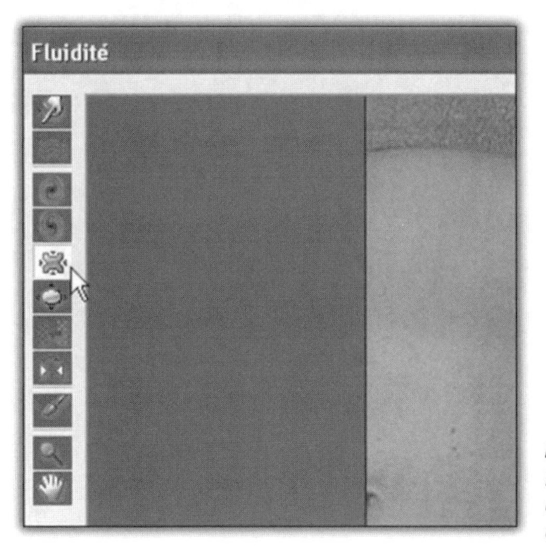

Figure 11.22 : *L'option Contraction correspond à l'effet escompté*

5 Sur la droite de l'interface, paramétrez les réglages à l'aide de la section *Options d'outils*. Choisissez une *Épaisseur* de 24 et une *Pression* de 50.

6 Placez ensuite votre curseur le long de la taille du modèle. Cliquez en maintenant le bouton de la souris enfoncé et déplacez le curseur jusqu'à obtenir l'effet escompté. Vous devrez certainement opérer par petites touches pour obtenir un effet correct.

En cas d'erreur, cliquez sur le bouton **Rétablir**. Vous pouvez aussi annuler vos retouches avec le bouton du même nom. Quoi qu'il en soit, les retouches finales ne sont appliquées que lorsque vous validez avec le bouton OK.

7 Après avoir cliqué sur le bouton OK, comparez les deux versions de l'image en cliquant sur les boutons **Annuler** et **Rétablir** en haut de l'éditeur standard. Sauvegardez au besoin la version corrigée sous un autre nom pour afficher les deux images côte à côte.

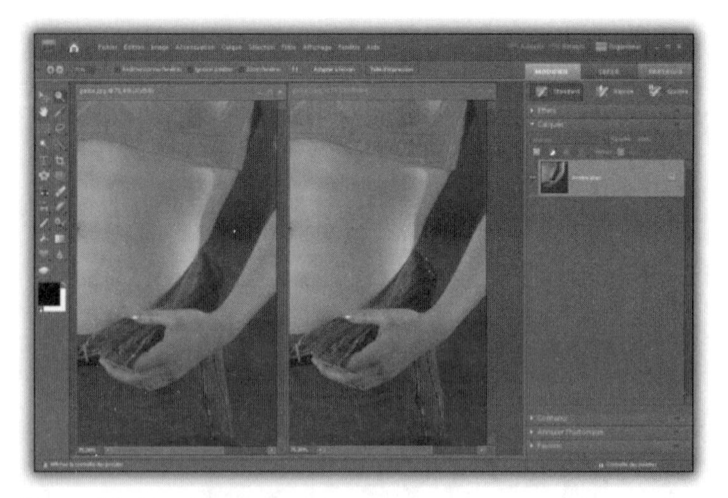

Figure 11.23 : *Avant et après*

11.7. Mettre en valeur un regard

Vous pouvez utiliser la technique des calques pour obtenir des résultats étonnants, toujours en préservant votre image originale. C'est un procédé qui fait toute la différence entre les logiciels qui gèrent les calques ou pas.

Dans cet exemple, vous allez utiliser une méthode qui mettra en valeur un regard tout en préservant la douceur du reste de l'image.

1 Dans un premier temps, ouvrez l'image une image représentant un portrait dans l'éditeur standard. Affichez l'image à 100 % de sa taille pour travailler plus précisément.

Figure 11.24 : *C'est un réglage que vous pouvez utiliser souvent lorsque vous avez des portraits à mettre en valeur*

2 Dupliquez le calque en cliquant du bouton droit sur la vignette du calque *Arrière-plan* et en choisissant la commande **Dupliquer le calque**.

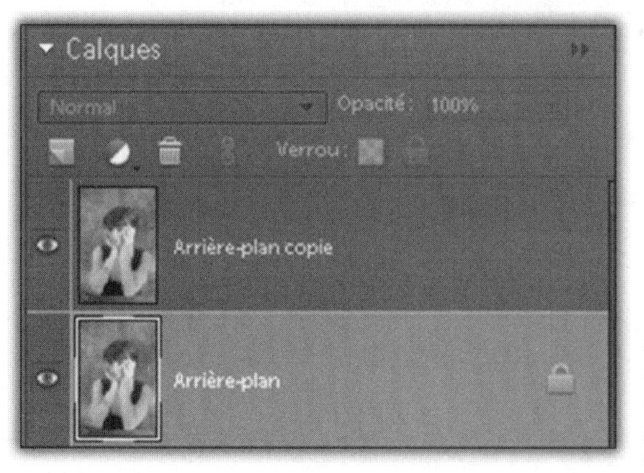

Figure 11.25 : *Dupliquez le calque pour préserver l'image originale*

3 Sélectionnez le calque supérieur et appliquez-lui la commande **Régler la netteté** à partir du menu **Accentuation**. Laissez les valeurs par défaut dans la boîte de dialogue, c'est-à-dire 100 % pour le *Gain* et 1 pixel pour le *Rayon*. Le regard est mis en valeur,

mais le reste de l'image a subi la même accentuation. Il va falloir remédier à cela.

Figure 11.26 : *Affinez les réglages suivant l'image que vous utilisez*

4 Créez un nouveau calque en cliquant sur l'icône du même nom dans la palette des calques. Placez-le entre le calque *Arrière-plan* et sa copie. Sélectionnez le calque supérieur et appuyez sur les touches [Ctrl]+[G] pour associer les calques. Une petite flèche apparaît à gauche de la vignette du calque supérieur. L'effet du calque accentué n'est plus visible pour l'instant.

Figure 11.27 : *Placez un calque vierge entre les deux images*

5 Sélectionnez le calque intermédiaire. Assurez-vous que la couleur de dessin est bien le noir en appuyant sur la touche [D].

6 Cliquez sur l'outil **Pinceau** et choisissez une forme à bords humides pour peindre sur les yeux. Un diamètre de 13 pixels semble bien adapté à l'image. Après l'application du pinceau, seul le regard est à présent accentué.

Figure 11.28 : *L'effet ravira votre modèle*

11.8. Créer un montage à partir de deux versions d'une même image

Vous avez photographié un superbe paysage. Seulement, pour obtenir une image réellement saisissante, il aurait fallu photographier, dans un premier temps, le sol pour avoir beaucoup de détails dans les rochers et les fleurs, et dans un second temps, ce magnifique ciel bleu et ses nuages. Seulement voilà, vous n'aviez pas un trépied pour réaliser exactement la même image, et puis il y avait du vent et les nuages n'auraient pas été à la même place !

Heureusement, vous avez fait cette image en mode RAW et son traitement dans Camera Raw vous a permis de développer deux versions du même cliché : l'une pour le ciel, l'autre pour les rochers et les fleurs.

Vous allez à présent effectuer un montage des deux images.

1 Ouvrez tout d'abord deux images semblables, exposées différemment à la prise de vue ou développées de manières

distinctes dans Camera Raw. Dans cet exemple, l'une des photos est exposée pour le ciel, l'autre pour le sol.

2 Déplacez l'image 1 sur l'image 2 à l'aide de l'outil de déplacement. Appuyez, en même temps que vous déplacez le curseur, sur la touche Maj gauche. Assurez-vous que les deux images se superposent parfaitement. Vous disposez à présent d'une image constituée de deux calques.

Figure 11.29 : *Ouvrez les deux images pour qu'elles se superposent*

3 Il vaut mieux préserver les images en travaillant plutôt sur des calques. Pour réaliser le montage, créez un nouveau calque en cliquant sur l'icône du même nom. Placez celui-ci entre le calque supérieur et l'arrière-plan.

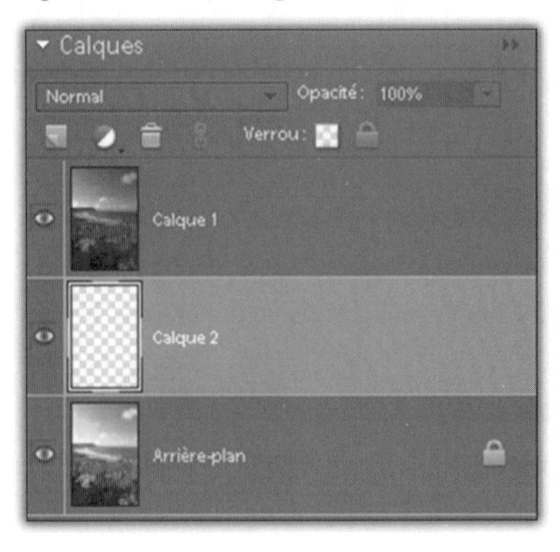

Figure 11.30 : *Placez un calque vierge entre les deux versions*

4 Cliquez ensuite sur le *Calque 1* pour le sélectionner. Associez-le au nouveau calque. Cette fonction n'est pas accessible par un clic mais par un raccourci clavier. Appuyez pour cela sur [Ctrl]+[G]. Une petite flèche noire pointant vers le calque vierge apparaît dans la palette des calques.

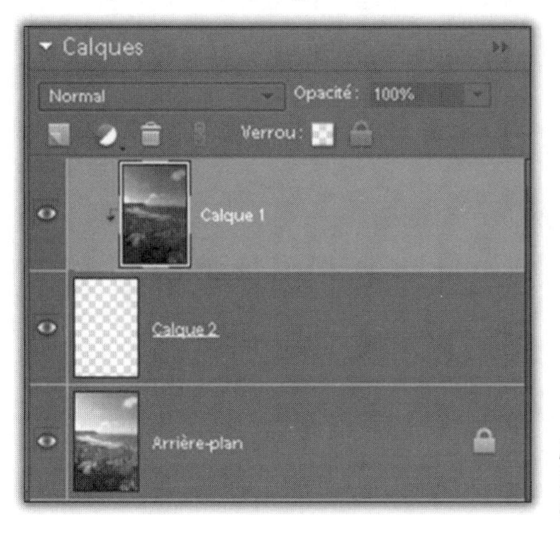

Figure 11.31 : *Le calque 2 est associé au calque 1*

5 Sélectionnez le calque vierge en cliquant dessus dans la palette. Appuyez sur la touche [D] pour rétablir les couleurs de premier et d'arrière-plan par défaut.

6 Choisissez un pinceau de beau diamètre avec une forme floue.

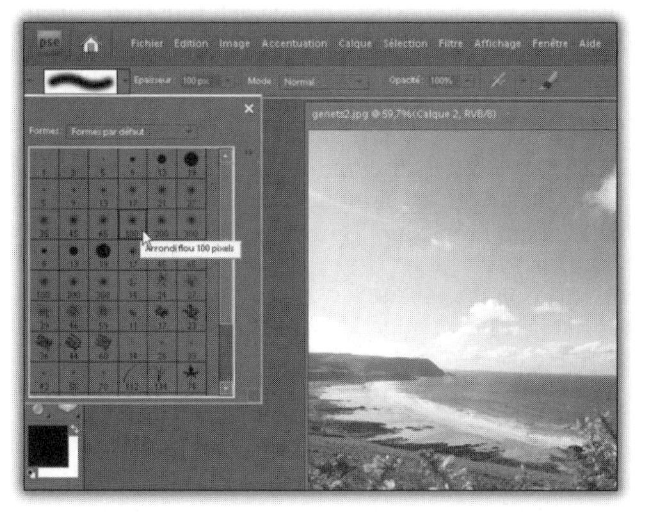

Figure 11.32 : *Choisissez la taille de pinceau adéquate*

7 Peignez ensuite, sur le calque vierge, la partie qui correspond au ciel pour obtenir une image ayant, à la fois, la bonne exposition pour le ciel et la bonne exposition pour le sol.

Figure 11.33 : *Et voilà comment on utilise un masque avec Photoshop Elements !*

11.9. Simuler la profondeur de champ

Un des inconvénients de la prise de vue photographique en numérique, notamment avec des appareils photo compacts dont le capteur est de petite dimension, est la difficulté qu'il y a à gérer la profondeur de champ. Avec Photoshop Elements 7.0, il est possible de simuler celle-ci.

Vous avez tout d'abord besoin d'une image présentant une grande profondeur de champ, c'est-à-dire une zone de netteté commençant dès le premier plan jusque dans le lointain. Ces images sont souvent obtenues avec le zoom en position grand angle.

L'image proposée pour l'exercice présente, volontairement, une importante profondeur de champ.

1 Ouvrez une image représentant un paysage dans l'éditeur.
2 Dans un premier temps, dupliquez le calque en cliquant du bouton droit sur le calque nommé *Arrière-plan* dans la palette des calques.
3 Cliquez à présent sur **Filtre** puis sur **Flou** et choisissez la commande **Flou gaussien**.

4 Dans la boîte de dialogue qui s'affiche, choisissez un rayon d'environ 6 pixels pour un effet prononcé.

Figure 11.34 : *Vous gérez l'importance du flou dans la boîte de dialogue*

5 Choisissez l'outil **Gomme**.

6 Validez ensuite une forme arrondie assez grande et présentant des bords flous, *Arrondi flou 65 pixels* par exemple.

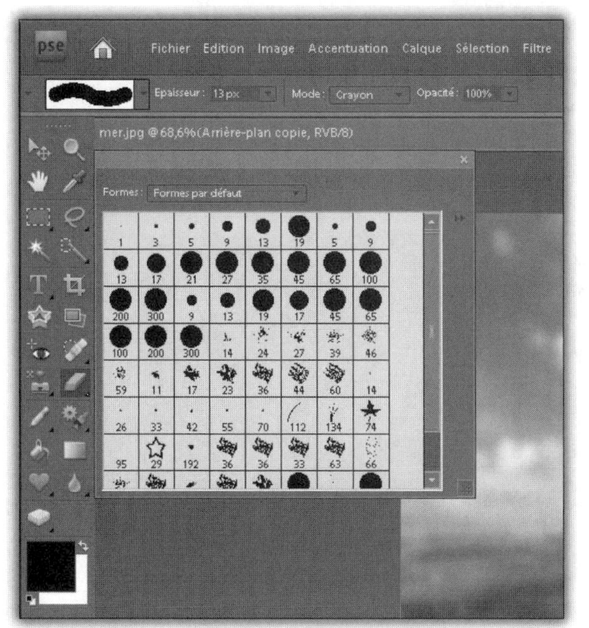

Figure 11.35 : *Choisissez la forme de gomme qui convient à l'image affichée*

7 Effacez à présent la partie supérieure de la photo, c'est-à-dire le ciel, jusqu'à la limite de l'horizon. L'image présente maintenant une moitié supérieure nette alors que le bas est flou. Mais la démarcation est trop nette. Vous allez appliquer une deuxième passe avec l'outil **Gomme**, paramétré différemment.

Figure 11.36 : *Un aperçu d'une première correction*

8 Choisissez une opacité de 15 % pour flouter légèrement la zone située entre la ligne d'horizon et les galets.

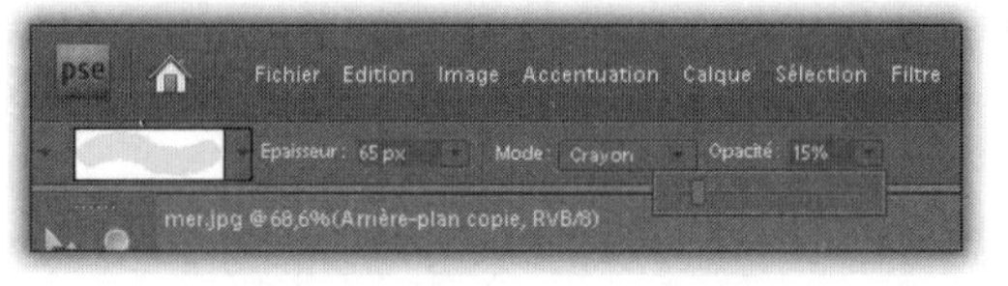

Figure 11.37 : *Un second pinceau est nécessaire pour affiner l'effet, avec une opacité moins importante*

9 L'image contient maintenant trois zones et présente un aspect plus naturel, du premier plan flou au ciel aux formes précises.

Figure 11.38 : *La gestion du flou en post-production, c'est possible*

11.10. Fabriquer un panorama à partir de plusieurs photos

Avec Photoshop Elements 7.0, la fabrication d'un panorama est un jeu d'enfant !

Pour réaliser les images qui vont vous servir à montre le panorama, il est nécessaire de prendre quelques précautions à la prise de vue. En effet, les magnifiques images que vous pouvez voir imprimées dans des livres ou sous la forme de posters sont conçues avec du matériel professionnel spécifique. Notamment, les photographes utilisent un trépied muni d'une tête panoramique ou des appareils adaptés à ce type de prise de vue.

A priori, vous n'en disposez pas. Vous allez faire, comme beaucoup de photographes amateurs, avec les moyens du bord.

Il est conseillé d'utiliser un trépied pour conserver la même hauteur d'une photo à l'autre. Prêtez attention à la focale utilisée. Ne changez pas de facteur de zoom entre une image et l'autre. Si vous commencez avec un 24 mm, continuez avec cette focale pour les images suivantes.

Conservez aussi la même exposition d'une image à l'autre. Enfin, prévoyez un chevauchement suffisant d'une image à l'autre pour que le logiciel fonctionne plus efficacement.

1 Cliquez sur le menu **Fichier**, puis sélectionnez le sous-menu **Nouveau** et choisissez la commande **Panorama Photomerge** pour accéder à la boîte de dialogue dédiée aux panoramas.

2 Ouvrez les fichiers que vous avez préparés en cliquant sur le bouton **Parcourir**. Cochez la case *Perspective* dans la section *Disposition*. C'est celle qui donne le résultat le mieux adapté à cet exemple.

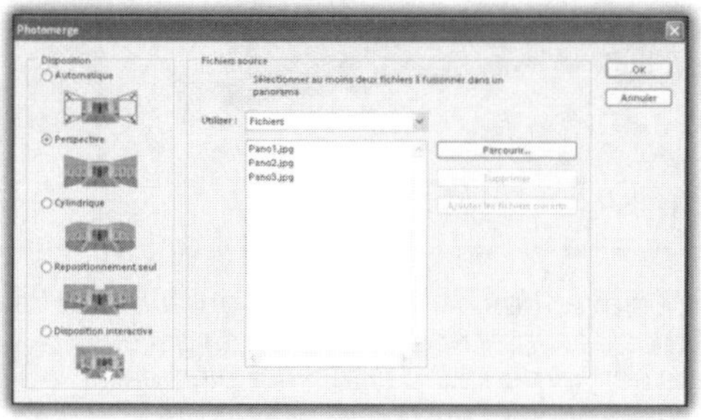

Figure 11.39 : *Les images s'affichent en respectant l'ordre alphabétique*

3 Cliquez ensuite sur le bouton OK pour lancer le calcul du montage photo. Le logiciel assemble les images sous vos yeux. Chaque image est placée sur un calque. Utilisez l'outil **Recadrage** pour finaliser le panorama.

Figure 11.40 : *Le procédé fonctionne en général très bien en mode automatique*

4 Si vous désirez plus d'interaction, choisissez *Disposition interactive* dans la boîte de dialogue **Photomerge**. Vous avez alors accès à des outils pour régler la rotation des images, corriger la perspective et réduire la distorsion.

Figure 11.41 : *Si vous avez des difficultés à obtenir un résultat correct, l'option Disposition interactive permet de gérer manuellement le positionnement des différents éléments*

11.11. Restaurer une photo ancienne

Vous disposez certainement d'anciennes photos qui ont subi le passage du temps. Ces images, à force d'être manipulées, sont souvent détériorées. Les pliures ou déchirures ne sont pas rares et vous aimeriez assurément leur donner à nouveau leur éclat d'antan.

Photoshop Elements propose un outil parfaitement adapté à ce type de travail de restauration. C'est le **Tampon de duplication**. La caractéristique principale de cet outil est de mémoriser une partie de l'image pour que vous puissiez peindre avec celle-ci. Vous allez donc recréer des textures manquantes.

Le **Tampon de duplication** va vous permettre d'effacer la grande déchirure sur le haut de l'image.

L'image présente aussi de nombreuses petites taches. Certaines sont des corrections effectuées, à l'époque, avec de l'encre. Vous êtes équipé aujourd'hui d'un matériel bien plus sophistiqué et la disparition de celles-ci sera pour vous un jeu d'enfant. Pour cela, vous utiliserez l'outil **Correction de tons directs**, mieux adapté.

1 Vous avez certainement une photo ancienne dans un album ou une boîte à chaussures. Scannez-la et ouvrez-la dans Photoshop Elements. Affichez-la à 100 % de sa taille, en double-cliquant sur l'outil **Loupe**, pour bien voir les détails. Concentrez-vous d'abord sur l'importante déchirure en haut de l'image.

Figure 11.42 : *Cette image a bien besoin d'un petit coup de dépoussiérage*

2 Cliquez sur l'outil **Tampon de duplication** dans la palette d'outils. Choisissez une forme à bords arrondis. Une *Épaisseur* de 21 pixels est satisfaisante pour l'exercice.

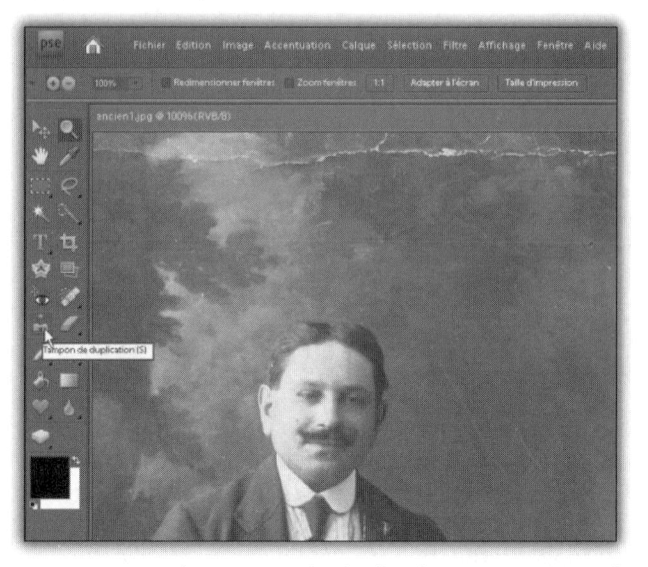

Figure 11.43 : *Le tampon de duplication va permettre de peindre à la fois avec une couleur et de la matière*

3 Placez le curseur sur une zone proche du bord gauche de la photo et juste sous la déchirure. Appuyez sur la touche Alt et cliquez pour mémoriser cette zone. Ce sera le point d'origine à partir duquel vous allez commencer la correction.

4 Cliquez et procédez par petites touches de manière à faire disparaître progressivement les défauts. Vous aurez certainement besoin de recommencer la mémorisation de zone à différents endroits.

Figure 11.44 : *Les rayures disparaissent comme par enchantement*

5 Une fois la correction de la déchirure effectuée, attaquez-vous à la correction des petits défauts, très nombreux, à l'aide de l'outil **Correcteur de tons**. Cliquez dessus dans la palette d'outils pour le sélectionner. Procédez ensuite par petites touches ou déplacez le curseur en cliquant sur le bouton gauche pour corriger rapidement les rayures.

Figure 11.45 : *Le correcteur de tons permet de peaufiner le travail*

11.12. Convertir une photo en noir et blanc

Vous pouvez facilement transformer une image couleur en noir et blanc. Pour cela, cliquez sur le menu **Image**, puis sélectionnez le sous-menu **Mode**, et choisissez la commande **Niveaux de gris**. Mais Photoshop Elements vous offre la possibilité d'intervenir sur des paramètres pour obtenir un résultat plus personnalisé, et ce grâce à l'utilisation de la boîte de dialogue **Convertir en noir et blanc**.

1 Ouvrez tout d'abord une image que vous souhaitez passer en noir et blanc.

2 Cliquez sur le menu **Accentuation**, puis sur la commande **Convertir en noir et blanc**.

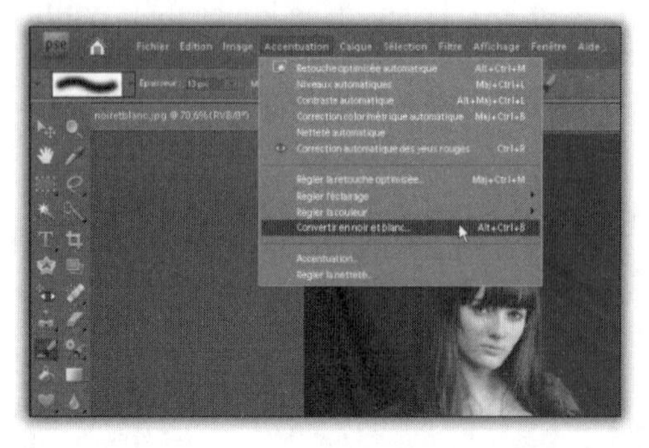

Figure 11.46 : *La commande Convertir en noir et blanc*

3 L'affichage principal présente l'image avant et après conversion. La section *Sélectionner un style* propose des conversions différentes en ceci que les valeurs des couches *Rouge*, *Vert* et *Bleu* sont paramétrées différemment. Testez éventuellement ces réglages par défaut en cliquant sur le menu déroulant et en choisissant *Effet infrarouge*, *Journal*, *Paysages panoramiques*, *Paysages saisissants*, *Portraits* ou *Urbanismes instantanés*.

4 Dans la section *Intensité du réglage*, personnalisez les paramètres à votre convenance pour que l'image réponde effectivement à votre attente. Pour cela, réglez les curseurs *Rouge*, *Vert*, *Bleu* et *Contraste* à votre guise.

5 Pour cet exemple, choisissez le réglage *Portraits* dans la section *Sélectionner un style*. Laissez les curseurs *Rouge*, *Vert* et *Contraste* à leur position par défaut. Placez le curseur *Bleu* sur la valeur +61.

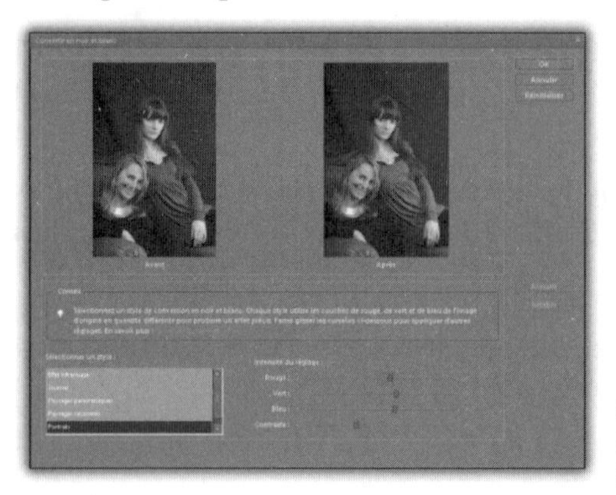

Figure 11.47 : *L'interface propre à cet outil*

6 Cliquez sur le bouton OK pour valider ce choix. L'image s'affiche alors dans l'éditeur.

Pour finaliser cette photo, vous allez lui donner un effet de couleur monochrome.

1 Choisissez l'icône *Effets de la photo* dans la palette *Effets* de la corbeille des palettes. Sélectionnez *Couleur monochrome* dans la liste déroulante.

Figure 11.48 : *Vous pouvez encore intervenir sur la tonalité générale de l'image en utilisant des effets spéciaux*

2 Choisissez l'une des teintes proposées en double-cliquant sur la vignette appropriée.

Figure 11.49 : *La touche finale, difficile à apprécier dans un ouvrage en noir et blanc !*

11.13. Signer des photos

Vous disposez de plusieurs moyens pour marquer vos images : soit de façon visible sur l'image elle-même, soit dans les données EXIF.

1 Ouvrez une image dans l'éditeur standard de Photoshop Elements 7.0. Notez bien la manière dont le titre de la photo est écrit dans le bandeau supérieur.

Figure 11.50 : *Le titre de chaque image s'affiche dans la partie supérieure de la fenêtre*

2 Cliquez sur le menu **Fichier** puis choisissez la commande **Informations**.

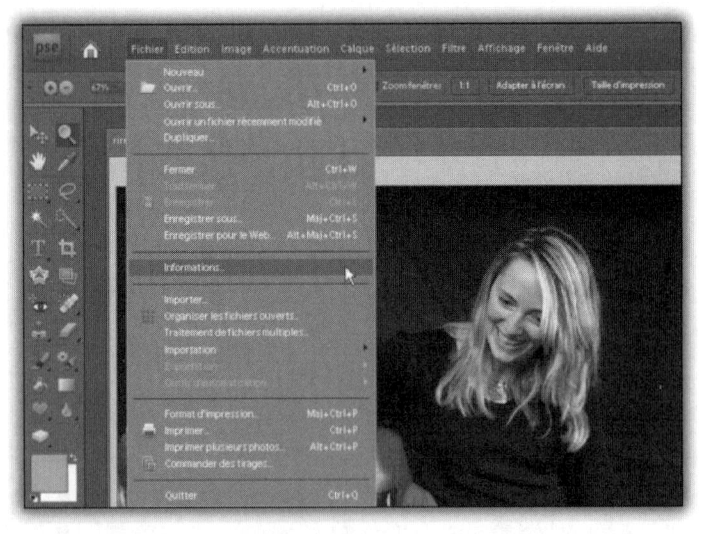

Figure 11.51 : *La commande Informations*

3 Une boîte de dialogue portant le nom de l'image ouverte précédemment est affichée. Sur la partie gauche, six commandes sont accessibles.

Par curiosité, cliquez sur la commande **Données de la caméra 1** et **Données de la caméra 2**, ainsi que sur **Avancé**. Vous découvrez toutes les informations concernant la photo : appareil utilisé pour la prise de vue, date, vitesse, diaphragme, réglage de la balance des couleurs, ainsi que différents réglages de type contraste, saturation, netteté, et d'autres informations concernant l'utilisation du flash ou du zoom numérique ! Si vous pensiez être discret avec la photo numérique, vous avez tout faux ! On peut tout savoir de vous… ou presque !

4 Cliquez sur la commande **Description** pour ouvrir la boîte de dialogue correspondante. Remplissez les différents champs : *Titre du document*, *Auteur*, *Légende*, etc. Dans la rubrique suivante, via le menu déroulant *État du copyright*, choisissez *Soumis à copyright*. Vous pouvez fournir la notice du copyright et indiquer l'URL d'information sur le copyright, qui est en général l'adresse de votre site web. Cliquez sur le bouton OK pour valider les paramètres.

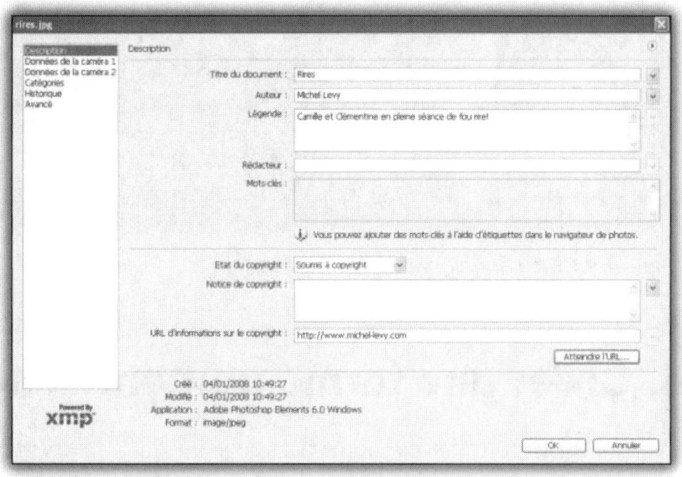

Figure 11.52 : *Le réglage des métadonnées*

5 Regardez à présent le titre de votre image. Le symbole © figure à gauche de celui-ci. Les informations correspondantes sont accessibles par le même biais que celui permettant d'entrer les différentes informations.

Figure 11.53 : *Le même titre avec le symbole copyright*

6 Pour un marquage plus visuel, saisissez un texte en surimpression sur la photo à l'aide de l'outil **Texte**. Donnez-lui un effet de style de type Estampage. Réglez enfin l'*Opacité* du calque de texte sur une valeur d'environ 50 %, à pondérer suivant l'image sur lequel l'effet est appliqué. Enregistrez l'image finale au format JPG pour aplatir les calques.

Figure 11.54 : *La signature en filigrane*

11.14. Créer une forme personnalisée

Vous avez besoin, pour un événement précis ou dans le cadre de vos activités professionnelles, d'utiliser des formes particulières dans le montage d'un document ?

Photoshop Elements 7.0 propose un grand nombre de formes prédéfinies, mais vous avez aussi la possibilité d'en fabriquer à votre convenance à partir d'éléments que vous aurez dessinés ou récupérés sur l'une de vos photos.

1 Ouvrez tout d'abord n'importe quelle image. Sélectionnez une partie de celle-ci avec le **Rectangle de sélection**, disponible dans la palette d'outils. Avec cette base, vous allez fabriquer une nouvelle forme de pinceau.

Figure 11.55 : *Définissez une sélection carrée de la zone que vous voulez utiliser*

2 Pour affiner la forme, copiez la sélection. Cliquez sur le menu **Edition** puis sur la commande **Copier**. Créez un nouveau document en choisissant le menu **Fichier**, puis le sous-menu **Nouveau**, et en validant ensuite la commande **Image du Presse-papiers**.

3 En utilisant l'outil **Gomme** dans la palette des outils, personnalisez la forme par petites touches pour obtenir des bords irréguliers.

Figure 11.56 : *Vous pouvez améliorer les contours de la forme*

4 Sélectionnez la totalité de la surface de ce document en cliquant sur les touches Ctrl+A.

5 Cliquez sur le menu **Edition** et choisissez la commande **Définir une forme d'après la sélection**. Une boîte de dialogue vous invite à nommer la forme. Donnez-lui un nom caractéristique.

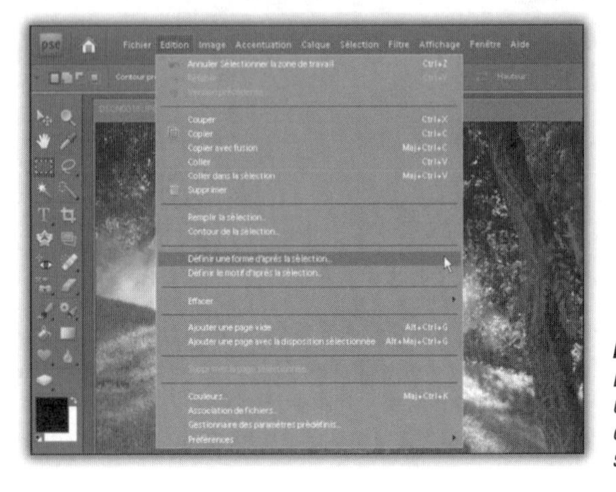

Figure 11.57 : *Le menu Définir une forme d'après la sélection*

6 Cliquez ensuite sur l'outil **Pinceau** dans la palette des outils. Dans le menu déroulant **Formes prédéfinies**, choisissez **Formes par défaut**. La forme que vous venez de créer doit apparaître en fin de liste. Choisissez-la pour peindre.

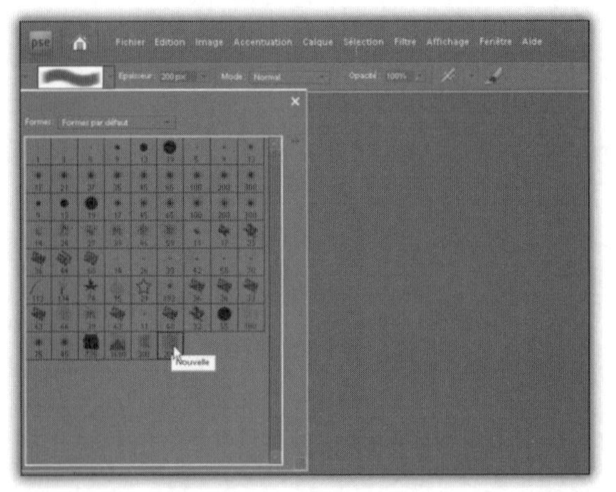

Figure 11.58 : *La forme de pinceau est à présent utilisable*

7 Pour l'illustration suivante, la couleur de dessin est le blanc et l'*Opacité* est de 50 %. On préserve ainsi de la matière dans les zones de peinture.

Figure 11.59 :
Le résultat final

11.15. Détourer rapidement une image

Vous pourrez avoir besoin de détourer rapidement un personnage ou un objet pour l'incorporer dans une autre image ou effectuer un montage pour créer une carte de vœux ou une affiche par exemple. Pour cela, il existe bien entendu les outils traditionnels : **Lasso**, **Forme de sélection** et autre **Baguette magique**. Mais ces outils obligent d'abord à sélectionner, puis à copier le contenu de la sélection pour le coller dans l'image finale. Vous pouvez gagner du temps.

Photoshop Elements dispose d'un outil pour extraire simplement une forme dans une image. Il s'agit de la commande **Extraction magique**, disponible à partir du menu **Image**.

1 Ouvrez une image.
2 Cliquez ensuite sur le menu **Image**, puis validez la commande **Extraction magique**.

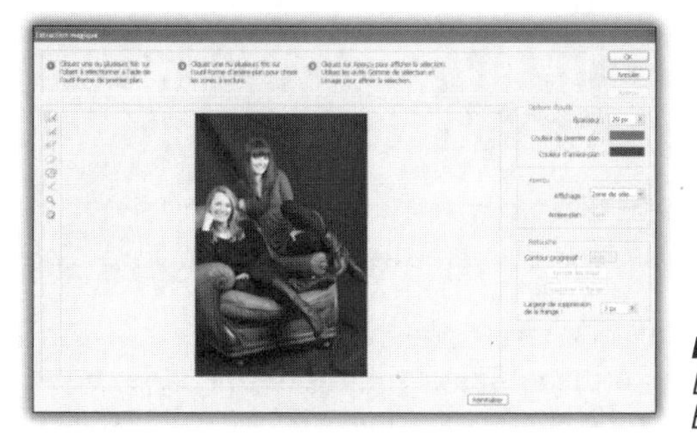

Figure 11.60 :
L'interface de l'outil Extraction magique

3 Avec l'outil **Forme de premier plan**, figuré par l'icône représentant un surligneur avec le signe +, détourez grossièrement la forme à extraire. Pour guider votre tracé, le trait est rouge vif. Ne vous préoccupez pas des détails.

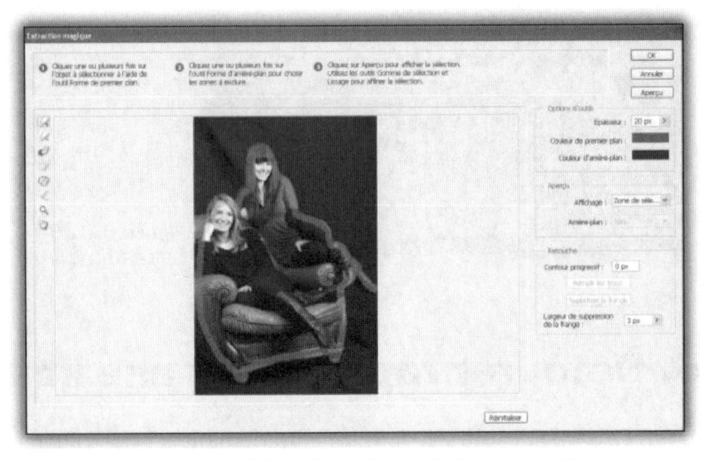

Figure 11.61 : *Tout d'abord, surlignez la forme à détourer*

4 Faites de même avec l'outil **Forme d'arrière-plan**, figuré par l'icône représentant un surligneur avec le signe –. Délimitez la zone à exclure de la sélection. Votre trait est bleu.

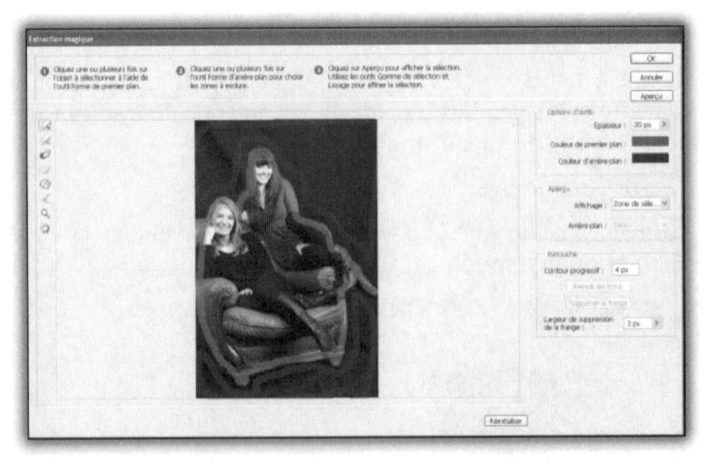

Figure 11.62 : *Puis faites de même avec la forme d'arrière-plan*

5 Cliquez sur le bouton **Aperçu** pour vérifier votre tracé final. Vous pouvez l'affiner en utilisant les outils **Ajout à la sélection** (l'icône représentant un pinceau avec une forme de sélection) et

Soustraction à la sélection (l'icône représentant une gomme avec une forme de sélection).

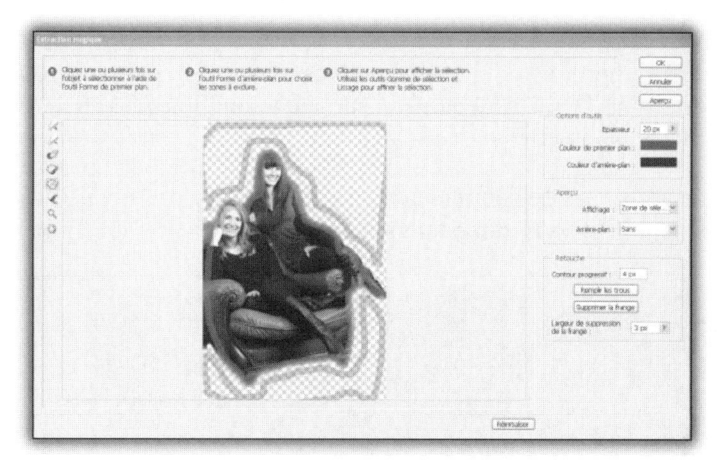

Figure 11.63 : *Un aperçu de la forme à extraire*

6 Quand le résultat est satisfaisant, confirmez les paramètres en cliquant sur le bouton OK. La boîte de dialogue **Extraction magique** se ferme et l'image détourée est affichée dans l'éditeur. Effectuez votre montage en plaçant, par exemple, un décor derrière les personnages. Pour cela, ouvrez l'image qui servira de fond et utilisez l'outil de déplacement pour placer les personnes dans leur nouvel environnement.

Figure 11.64 : *Le montage est terminé*

11.16. Augmenter la taille de la zone de travail

Vous avez appris à redimensionner vos images. À présent, vous allez agrandir la surface du document sur laquelle l'image se trouve, sans changer les paramètres de cette dernière.

Pour cela, utilisez la commande **Taille de la zone de travail**, accessible via le menu **Image/Redimensionner**.

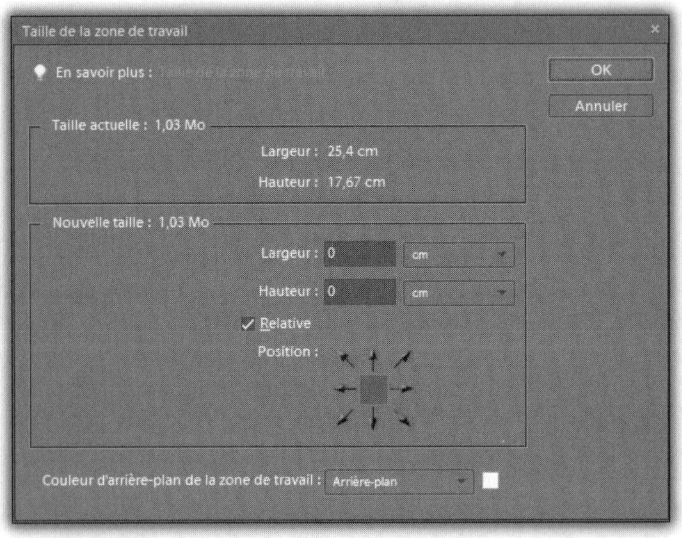

Figure 11.65 : La boîte de dialogue permettant de redimensionner la zone de travail

Tout d'abord, cliquez sur la case *Relative*. Les valeurs *Largeur* et *Hauteur*, dans la même section, sont remises à 0. Cela vous permet de savoir exactement de combien de centimètres vous allez augmenter la surface de travail.

Dans cet exemple, une zone de 1 cm autour de la photo va être créée.

1 Dans les champs *Largeur* et *Hauteur*, indiquez `1`. Vérifiez que l'unité utilisée est bien le centimètre.

2 La partie *Position* affiche un carré gris avec des flèches partant dans chaque direction. Si vous laissez le carré au centre, le document va s'étendre à partir de la photo, tout autour de celle-ci.

Mais vous pouvez choisir une direction différente. La photo se trouvera alors sur un bord du document.

3 Enfin, choisissez la couleur appliquée au cadre que vous êtes en train de créer en utilisant le menu déroulant *Couleur d'arrière-plan de la zone de travail*. Faites votre choix parmi celles proposées par défaut ou utilisez n'importe quelle couleur dans la palette.

Taille de la zone de travail
En savoir plus :
OK
Annuler
Taille actuelle : 1,03 Mo
Largeur : 25,4 cm
Hauteur : 17,67 cm
Nouvelle taille : 1,13 Mo
Largeur : 1 cm
Hauteur : 1 cm
Relative
Position :
Couleur d'arrière-plan de la zone de travail : Blanc

Figure 11.66 : *La boîte de dialogue, remplie pour cet exemple*

4 Cliquez finalement sur le bouton OK pour valider vos modifications.

Figure 11.67 : *Un cadre blanc d'1 cm a été créé autour de la photo, sans changement des dimensions initiales de celle-ci*

11.17. Concevoir un cadre original automatiquement

Avec Photoshop Elements 7.0, vous pouvez encadrer très simplement vos photos. Le logiciel offre un panel relativement important de formes adaptées.

En utilisant l'outil **Emporte-pièce**, vous allez appliquer ces cadres originaux et les personnaliser. Le logiciel effectue le découpage sur un calque. En créant un nouveau calque et en le remplissant avec une couleur ou une texture, vous réaliserez une carte d'invitation ou un support pour annoncer un événement familial de manière originale !

1 Ouvrez tout d'abord l'image que vous souhaitez encadrer.
2 Choisissez l'outil **Emporte-pièce** dans la palette d'outils.

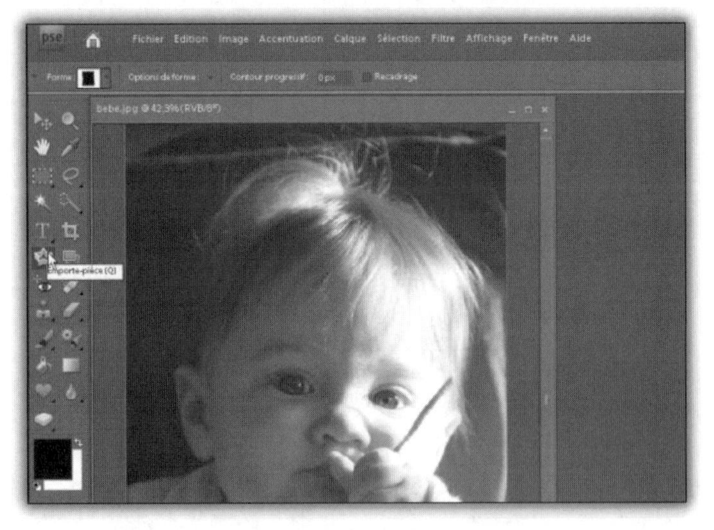

Figure 11.68 : *Choisissez l'outil Emporte-pièce*

3 Utilisez la liste déroulante *Formes* pour afficher les formes de recadrage. Pour cet exemple, choisissez la forme de recadrage 26. (voir Figure 11.69)

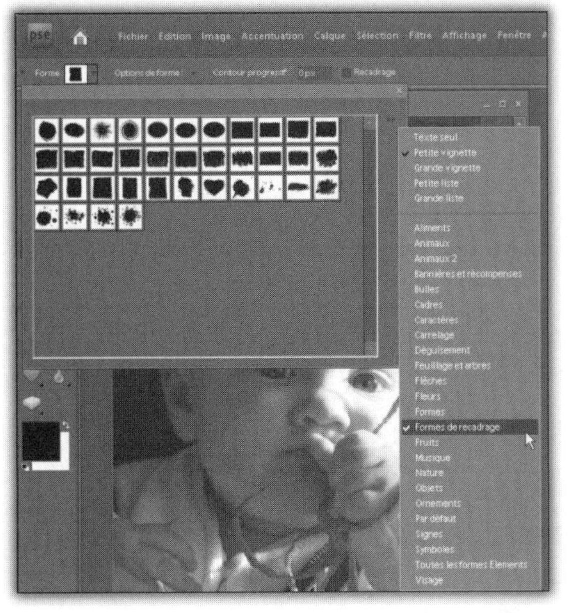

Figure 11.69 : *Choisissez aussi quelle forme de cadre vous souhaitez utiliser*

4 Déplacez votre curseur du haut de la photo à gauche vers le bas de la photo à droite, en maintenant le bouton gauche de la souris enfoncé, pour dessiner une forme rectangulaire encadrant l'image. Lorsque vous relâchez le bouton, le cadre est entouré par les poignées de l'outil **Transformation manuelle** de sorte que vous puissiez affiner le cadre. Validez en cliquant sur la flèche verte.

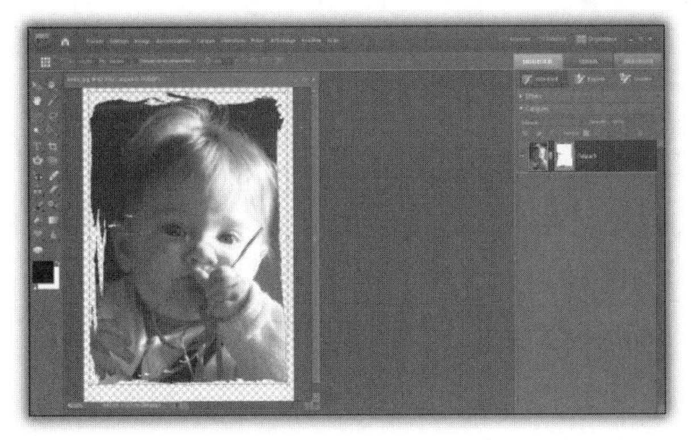

Figure 11.70 : *Le cadre peut être redimensionné*

5 Développez la palette *Contenu* dans la corbeille des palettes. Si la palette n'est pas accessible, ouvrez-la en cliquant sur le menu **Affichage** puis sur la commande **Contenu** et choisissez **Arrière-plans** dans le menu déroulant.

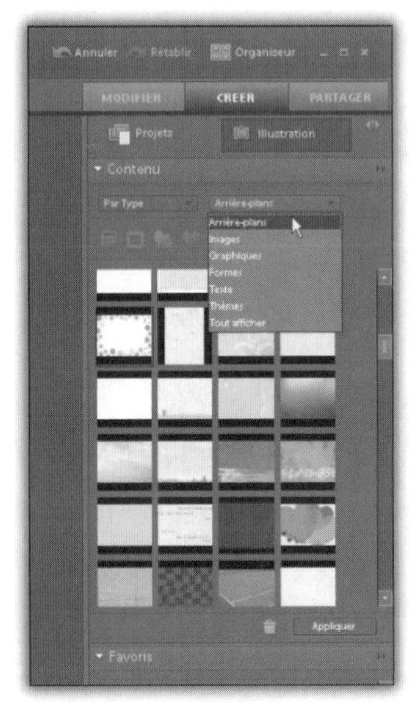

Figure 11.71 :
Le menu Illustration propose des formes originales

6 Choisissez un arrière-plan adéquat et appliquez-le en double-cliquant sur l'icône ad hoc. L'arrière-plan est automatiquement placé sous la photo.

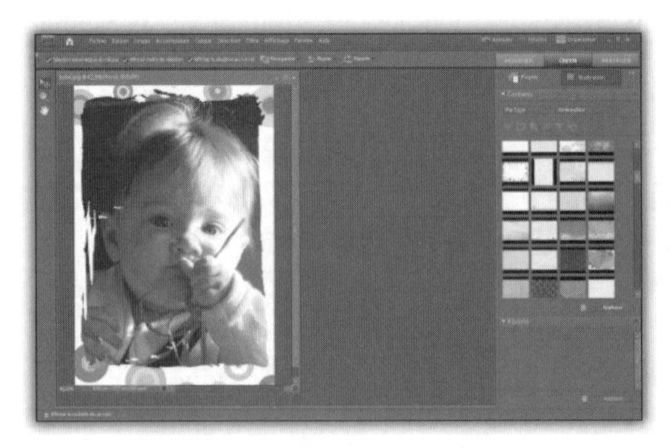

Figure 11.72 :
Il n'y a plus qu'à imprimer

11.18. Préparer une jaquette de DVD

Que vous souhaitiez réaliser une jaquette de CD ou de DVD, Photoshop Elements 7.0 vous guidera tout au long du processus.

Le logiciel présente un nombre conséquent de modèles de création. Chaque modèle est entièrement paramétrable et vous pouvez même ajouter des éléments pour personnaliser encore plus vos jaquettes.

1 Cliquez sur l'onglet **Créer** puis choisissez le sous-menu **Plus d'options** et la commande **Jaquette de DVD**.

2 Choisissez un thème. Cliquez sur la vignette de votre modèle de prédilection, ici *Mariage velours rouge*. Dans la boîte de dialogue **Choisissez une disposition**, décidez de la maquette à adopter, ici *4 dispersées*.

Figure 11.73 : *Le choix des thèmes proposés est vaste, il y en a pour tous les goûts*

3 Cliquez ensuite sur le bouton **Terminer**. La maquette vide est créée. Cliquez sur l'onglet **Modifier** pour afficher les calques et la

palette des outils. Choisissez la commande **Règles** dans le menu **Affichage**, pour placer les calques de texte plus aisément.

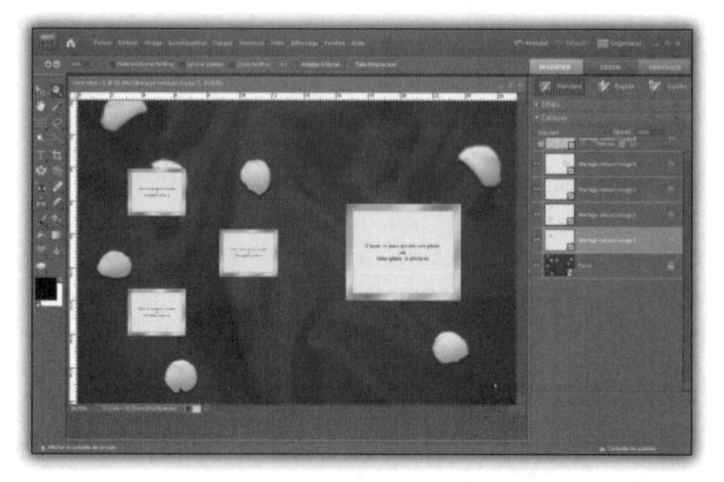

Figure 11.74 : *L'affichage des règles permet un positionnement plus précis*

4 Placez les images que vous souhaitez dans les quatre cadres présents. Lorsque vous cliquez sur l'un d'eux, l'Explorateur Windows s'ouvre pour que vous puissiez choisir l'image à ajouter.

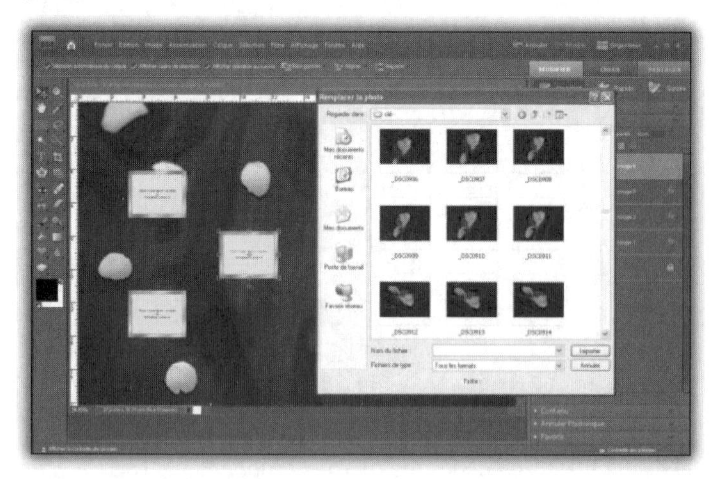

Figure 11.75 : *Les images s'affichent sous la forme de vignettes pour faciliter votre choix*

5 Opérez de même pour chacun des cadres. Avec les poignées de redimensionnement, ajustez-les comme vous le désirez.

6 Cliquez ensuite sur l'outil **Texte** dans la palette des outils. Choisissez une belle police, une couleur adaptée et appliquez, si vous le souhaitez, un style d'estampage ou de biseautage.

Figure 11.76 : *L'ajout de texte*

7 Sélectionnez le calque *Texte*. Cliquez ensuite sur le menu **Calque** et validez la commande **Dupliquer le calque**. Cliquez ensuite sur l'outil **Déplacement** pour placer le texte copié sur la tranche de la jaquette du DVD. Appliquez une rotation en cliquant sur l'icône verte ou en appuyant sur la touche [↵].

Figure 11.77 : *La jaquette est prête à être imprimée*

8 Imprimez le document. Le logiciel a déjà paramétré la dimension et la résolution de celui-ci pour une impression au bon format.

11.19. Créer un CD vidéo avec menu

Vous pouvez créer un CD vidéo à partir de plusieurs diaporamas présents sur votre disque dur. Il suffira ensuite de cliquer sur la vignette correspondant au diaporama que vous voulez visualiser pour l'afficher.

1 Cliquez sur l'onglet **Créer** pour accéder à l'interface à partir de laquelle vous gérerez votre catalogue de projets et créerez vos CD vidéo.

Figure 11.78 : *L'accès au menu VCD via le menu Plus d'options*

2 Sélectionnez ensuite, dans votre catalogue, les diaporamas à ajouter au CD vidéo. Cliquez sur le premier, puis appuyez sur la touche Ctrl et maintenez la touche enfoncée en cliquant sur les diaporamas suivants. Ceux-ci sont surlignés en bleu.

Figure 11.79 : *Choisissez les images dans l'Organiseur*

3 Cliquez ensuite sur le menu déroulant **Plus d'options** et sélectionnez **VCD avec un menu**. L'interface de création du CD vidéo s'affiche.

4 Insérez un CD vierge dans votre graveur. Laissez les options par défaut et cliquez sur **Graver**.

Figure 11.80 : *Vous pouvez gérer les images du diaporama dans l'interface qui s'affiche*

5 Le logiciel affiche une boîte d'information pour vous informer de l'avancement de la création des fichiers sur le disque dur.

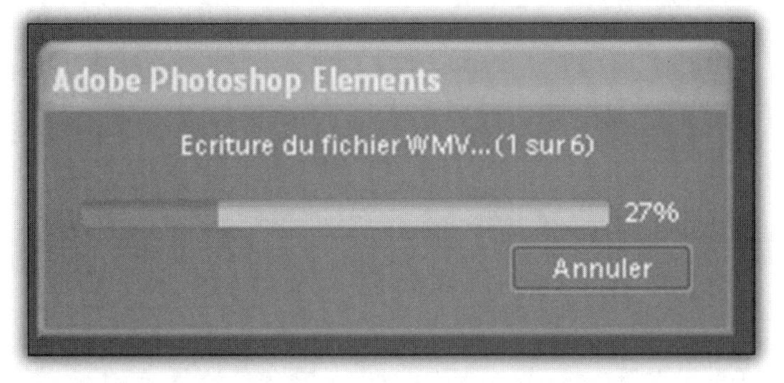

Figure 11.81 : *Une barre permet de visualiser l'avancement de la gravure*

6 La boîte d'information suivante vous renseigne quant à la gravure des fichiers sur le CD-Rom, jusqu'au message de fin de création du CD vidéo.

Figure 11.82 : *Un message vous informe de la bonne marche des opérations*

7 Vous pouvez visionner les diaporamas sur la plupart des lecteurs de DVD de salon.

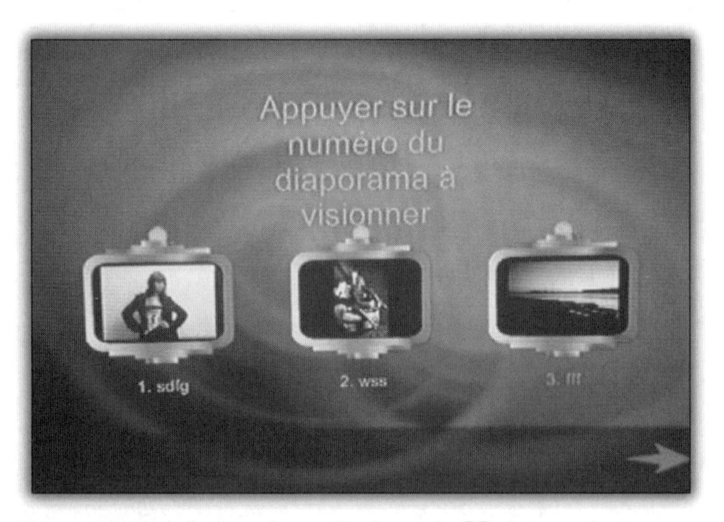

Figure 11.83 : *Il n'y a plus qu'à glisser le CD dans un lecteur pour en profiter*

Lecteurs versatiles

Parfois, les CD vidéo sont lus avec difficulté sur les ordinateurs ou certains lecteurs de salon. Des essais sur différents supports sont recommandés.

11.20. Capturer une image à partir d'une vidéo

Avec la multiplication des téléphones portables munis d'une fonction appareil photo et vidéo, il n'est pas étonnant que Photoshop Elements 7.0 permette directement de capturer une image issue d'une vidéo.

Mais les images vidéo ayant beaucoup moins de pixels que celles issues de votre appareil photo, les captures auront une définition plus pauvre. N'espérez pas en tirer un poster.

1 Pour réaliser une capture d'image à partir d'une vidéo, activez la commande **Image à partir de la vidéo**, disponible via le menu **Fichier** et le sous-menu **Importation**.

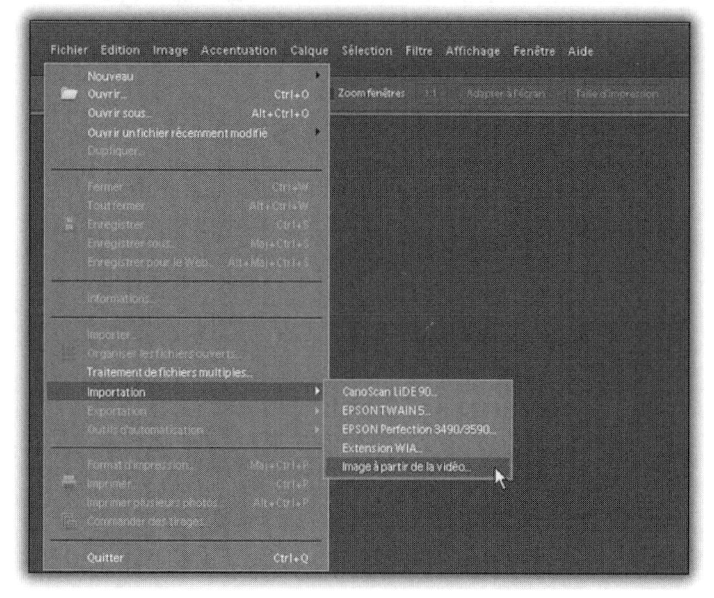

Figure 11.84 : *Le menu Importation/Image à partir de la vidéo*

2 Une boîte de dialogue s'ouvre alors pour vous inviter à choisir une vidéo stockée sur un support : clé USB, carte mémoire, disque dur ou CD-Rom par exemple. Cliquez sur le bouton **Parcourir** pour ouvrir l'Explorateur de fichiers.

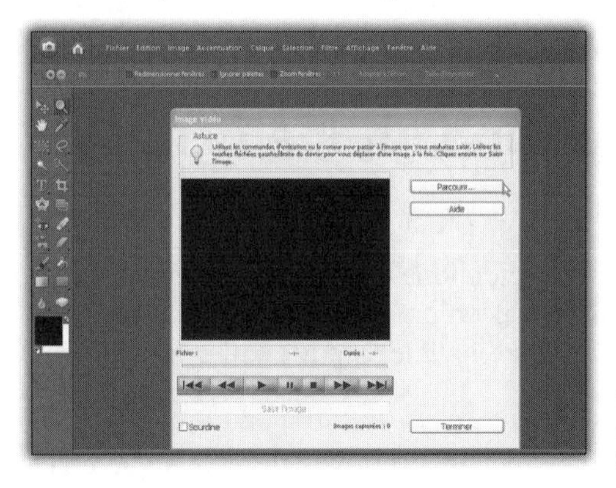

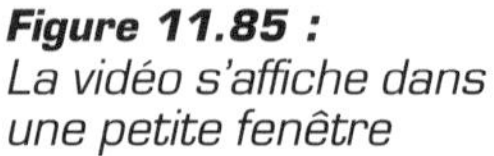

Figure 11.85 :
La vidéo s'affiche dans une petite fenêtre

3 La vidéo s'affiche dans la fenêtre de visualisation et vous pouvez utiliser les icônes de contrôle de lecture du fichier pour naviguer dans le clip. Vous pouvez à tout moment cliquer sur le bouton **Saisir l'image**, qui était grisé jusqu'à présent.

4 À chaque clic sur le bouton **Saisir l'image**, une photo supplémentaire est capturée et affichée dans l'éditeur. Les images sont ajoutées, en bas de l'écran, dans la corbeille des projets.

Figure 11.86 :
Les captures s'affichent au fur et à mesure

Chapitre 12

Index

A

B

C

D

E

F

G

H

I

J

L

M

N

O

P

R

S

T

V

W

Y

Composé en France par Jouve
11, bd de Sébastopol - 75001 Paris

Achevé d'imprimer en ALLEMAGNE
Par l'imprimerie CPI – Clausen & Bosse
25917 Leck, Mars 2009